Aime-moi encore

Annie et Gabriel

Angel Trudel

ADA
ÉDITIONS

Éditeur : François Doucet
Révision linguistique : Isabelle Veillette
Correction d'épreuves : Émilie Leroux
Conception de la couverture : Catherine Bélisle
Photo de la couverture : © Getty images
Mise en pages : Sébastien Michaud
ISBN papier 978-2-89786-561-0
ISBN PDF numérique 978-2-89786-562-7
ISBN ePub 978-2-89786-563-4
Première impression : 2018
Dépôt légal : 2018
Bibliothèque et Archives nationales du Québec
Bibliothèque et Archives nationales du Canada

Éditions AdA Inc.
1385, boul. Lionel-Boulet
Varennes (Québec) J3X 1P7, Canada
Téléphone : 450 929-0296
Télécopieur : 450 929-0220
www.ada-inc.com
info@ada-inc.com

Diffusion
Canada :   Éditions AdA Inc.
France :   D.G. Diffusion
                Z.I. des Bogues
                31750 Escalquens — France
                Téléphone : 05.61.00.09.99
Suisse :   Transat — 23.42.77.40
Belgique :   D.G. Diffusion — 05.61.00.09.99

Imprimé au Canada

Participation de la SODEC.
Nous reconnaissons l'aide financière du gouvernement du Canada par l'entremise du Fonds du livre du Canada (FLC) pour nos activités d'édition.
Gouvernement du Québec — Programme de crédit d'impôt pour l'édition de livres — Gestion SODEC.

Catalogage avant publication de Bibliothèque et Archives nationales du Québec et Bibliothèque et Archives Canada

Trudel, Angel, 1971-, auteur
        Aime-moi encore : Annie et Gabriel / Angel Trudel.
        (Aime-moi ; tome 2)
        ISBN 978-2-89786-561-0
        I. Titre.
PS8639.R828A622 2018   C843'.6   C2018-940838-3
PS9639.R828A622 2018

Aime-moi encore

Sans l'amour, ce roman n'existerait pas…
Je t'aime.

JOUR 1

Chapitre 1

Je suis enfin dans l'avion qui m'emmène loin de toutes mes préoccupations. Bien sûr, à me regarder, on peut penser que je prends la vie à la légère, et je ne laisse jamais paraître le contraire. Je rêve à ce moment depuis des mois déjà. Il n'a pas été simple de mettre de côté tout le budget nécessaire, mais j'y suis parvenue. Puisque je travaille à mon compte, je ne sais jamais ce que les prochains mois me réservent, mais je ne vais pas commencer à m'inquiéter maintenant. Je suis en vacances !

J'ai toujours réussi à y arriver malgré la témérité de mon art. Je me débrouille depuis cinq ans même si je ne peux pas encore vivre pleinement de ma passion. Il n'y a pas une semaine qui passe sans que je me dise que je voudrais bien ne plus dépendre de mes services de graphisme pour boucler les fins de mois. J'ai l'impression de trahir qui je suis vraiment quand je passe des heures à travailler sur les projets des autres. Moi qui avais tant de rêves, pourquoi faut-il que je sois freinée par le mercantilisme de la vie ? Je sais que mes amies y arrivent à peine un peu mieux que moi, mais elles n'ont pas à jongler avec leurs dépenses autant que moi. Je voudrais être libre de créer.

Bien sûr ne s'improvise pas artiste qui veut. Malgré mon baccalauréat en beaux-arts, je dois persévérer pour réussir à faire connaître mon art et encore plus afin de mériter le privilège d'en vivre. Mais il y a de l'espoir depuis quelques mois : j'ai enfin réussi à vendre quelques toiles qui commençaient à accumuler de la poussière dans une galerie du Vieux-Montréal. Les propriétaires avaient été bien sympathiques à ma cause et m'avaient donné la chance de faire mon tout premier vernissage en invitant une belle clientèle branchée, il y a un peu plus d'un an.

La soirée avait attiré un beau lot de curieux et j'avais vendu quelques toiles le soir même, mais ce n'est que dans les dernières semaines que mes toiles ont commencé à se vendre. Je n'ai que cette première collection officielle pour le moment, même si je peins régulièrement. Dès que j'étais arrivée à Montréal, j'avais développé une fascination pour l'architecture des bâtiments : les escaliers, les portes, les petits jardins urbains. Il est vrai que c'est un sujet très coloré sans être trop unique, mais je crois que j'ai bien réussi à capter toute l'histoire de chacune de mes muses. J'ai adoré faire ces toiles, et je m'amuse encore à en dessiner, mais j'ai fait le tour de ce sujet.

J'ai en tête une nouvelle collection sur laquelle j'aimerais faire le point pendant la semaine. J'ai apporté mon carnet de croquis et mes crayons. Je veux aussi décrocher et profiter pleinement de ces vacances avec mes deux complices, Justine et Ève, qui dorment dans les sièges à côté du mien. Elles sont comme des sœurs pour moi. Nous avons eu la chance de nous rencontrer quand nous sommes devenues des colocataires, il y a maintenant 10 ans. Nous volons toutes les trois de nos propres ailes depuis quelques années, chacune dans nos appartements, bien qu'Ève soit réaménagée chez moi depuis près de deux mois. Elle traverse une intense peine d'amour.

Je la comprends. Son histoire m'a replongée la tête la première dans mon premier grand amour. J'avais à peine 16 ans quand je pensais avoir trouvé mon prince charmant. J'étais au secondaire. C'était à l'âge où je découvrais que j'avais une attirance bien certaine pour le sexe opposé. Avant ce moment, je n'avais qu'un corps maladroit et beaucoup trop de cheveux frisés, ROUX en plus ! L'horreur. Je devais me battre à tous les matins avec ma crinière, qui n'avait tout simplement pas envie de coopérer avec ma brosse. C'était mes cheveux contre toute ma volonté de les faire entrer dans le moule de la fille modèle de quatrième secondaire.

C'était peine perdue jusqu'au jour où le premier regard masculin s'était posé sur moi. Mon professeur d'arts avait réuni quelques œuvres d'élèves qui avaient un certain potentiel pour faire une exposition pendant l'heure du déjeuner dans l'agora, où tout le monde mangeait. Je me tenais debout devant ma toile, mais j'étais gênée. Je trouvais que mon professeur était injuste de me soumettre à cette torture. Je n'avais aucune envie de parler de mon art ; peindre était ma façon de m'exprimer, voire de me cacher.

C'était à ce moment qu'un beau grand fringuant, aux cheveux dorés et aux yeux aussi verts que les miens, était resté devant ma toile assez longtemps pour que je devienne mal à l'aise. J'avais juste eu envie de m'enfuir. Il m'avait regardée avec son plus beau sourire.

— C'est toi qui as peint cette toile ?

Je n'avais même pas été capable de le regarder dans les yeux et je crois que je m'étais mise à trembler.

3

— Oui.

C'était le seul mot que j'avais réussi à prononcer. Lorsqu'il s'était approché de moi, j'avais ressenti une chaleur m'envahir.

— J'aime beaucoup.

J'avais osé le regarder un bref instant. J'avais vu une sincérité dans ses yeux ; il ne se moquait pas de moi. J'aurais voulu lui dire merci, mais il était reparti avant que je puisse prononcer le moindre mot.

J'avais passé le reste de la journée à m'imaginer ce que j'aurais dû lui répondre. J'aurais aimé qu'il me dise ce qu'il avait aimé. Une artiste, c'est un être sensible qui a besoin d'être rassuré ; je ne l'étais tellement pas à cette époque. Bien sûr, je croyais en moi, mon entourage aussi. Je rêvais d'étudier en arts, mais jamais un garçon n'avait osé un mot gentil, encore moins un regard comme celui que j'avais reçu. Je ne le connaissais pas. Je savais juste qu'il était en cinquième secondaire et qu'il pratiquait tous les sports. Je passais mes moments libres dans le local d'arts où j'embêtais sans cesse mon professeur. Avec le recul, je suis convaincue que ce dernier était heureux de partager ses connaissances avec moi.

Je me souviendrai toujours de cette journée, c'était un vendredi. Le soir, je travaillais au dépanneur du coin. Je venais de terminer et j'étais en train de verrouiller la porte quand il était arrivé dans sa voiture. Bien sûr qu'un gars cool comme lui en avait une.

— Tu ne fermes pas déjà ?

Je ne pouvais pas croire ma malchance de le croiser à cette heure.

— Il est 22 h.

— Il est encore tôt, nous venons de terminer le match. Nous avons gagné !

Il me parlait comme si je m'intéressais aux dernières nouvelles de l'équipe de basket.

— Félicitations !

Il s'était approché. Pourquoi fallait-il qu'il s'approche encore pour me parler ?

— Tu devrais me récompenser en ouvrant, j'ai vraiment envie d'un sac de croustilles pour fêter.

Il me fixait d'un regard perçant.

— Ma caisse est fermée.

— Allez, Annie, il doit bien y avoir quelque chose que je puisse faire pour que tu rouvres la porte ?

Comment connaissait-il mon nom ? Ah oui, ma toile. Mon cœur s'était mis à battre tellement vite. J'avais juste envie d'ouvrir la porte pour qu'il prenne tout ce qu'il souhaitait.

— Je n'ouvre pas à des inconnus.

Il s'était empressé de se présenter avec son plus beau sourire.

— Je m'appelle Gabriel, mais ne va pas penser que je suis un ange !

Trop tard, je le pense déjà, tu ressembles au paradis...

— D'accord, je te donne le sac de ton choix, mais tu me raccompagnes à la maison, je n'ai pas envie de marcher.

Je ne sais toujours pas d'où était sortie cette demande si spontanée. C'était vrai qu'il commençait à faire froid, l'automne se faisait de plus en plus sentir.

— Ça me ferait plaisir de te raccompagner.

Je ne savais pas si c'était de la folie, mais c'était la première fois que je ne comprenais pas ce qui se passait en moi, et je n'avais pas envie que cette fébrilité s'arrête.

Je n'ai pas pensé depuis longtemps à cette journée qui allait changer ma vie, ma vie amoureuse du moins. Comme j'y avais cru, à cet amour de jeunesse! Je retrouverais volontiers toute la naïveté de mon adolescence. Je préfère de loin ces fausses illusions de grandeur à ma réalité bien limitante de cette fin de vingtaine. Je ne suis pourtant pas cynique. Au fond de moi, je rêve encore de capturer la légèreté de mes années pubères. Un homme réussira bien à me faire revenir dans le temps, où je pourrai sentir à nouveau que tout est possible, que l'amour est plus fort que tout.

Il ne suffirait que d'un seul baiser pour que je le sache. Comme j'en ai embrassé, des garçons, depuis que ce rêve m'a éclaté en plein visage! Je demeure convaincue que je saurai que j'ai trouvé le bon gars dès qu'il déposera ses lèvres sur les miennes. Gabriel n'avait pas su demeurer dans ma vie, mais je souhaite retrouver tout ce que j'avais ressenti dans ses bras. Je refuse de croire qu'il était le seul au monde avec qui une telle sensation était possible. J'espère avoir raison, parce que je tente de me le prouver depuis déjà près de 10 ans.

Chapitre 2

L'air chaud et humide nous accueille dès que nous sommes invités à sortir de l'avion, directement en plein air. Même la lune presque pleine est parfaite dans le paysage. Je prendrais déjà un petit cocktail, question de profiter pleinement de ces vacances qui s'amorcent. Mes deux compagnes sont encore à moitié endormies en raison des Gravol, qui ont bien fait leur travail pendant le vol. Je sais qu'elles ne sont pas des oiseaux de nuit comme moi. J'ai besoin de très peu de sommeil ; je travaille le jour et je peins la nuit.

J'espère qu'elles réussiront à me suivre. Je sais que je ne pourrai pas garder ce rythme pour toujours. Je ne pourrais jamais être obligée de me lever très tôt tous les matins pour partir travailler comme mes deux amies. Depuis quelques mois, j'ai dû adapter mon horaire à celui d'Ève, qui se lève à six heures. Elle a beau ne pas faire trop de bruit, elle me réveille quand même. Je ne sais pas où j'ai pris mon énergie pour contrer ce manque de sommeil… Certainement en grande partie dans la caféine, ma grande amie. Je sais que j'aurais certainement pu financer ma première copropriété avec mon investissement dans cet or noir, mais c'est un besoin essentiel à ma survie.

— Réveillez-vous un peu !

— C'est sûr, toi, le sommeil était en option quand tu es née! me répond Justine, encore endormie.

— Je sais, c'est juste que je suis tellement excitée d'être là! C'est mon deuxième voyage à vie dans le Sud, mais le premier était avec mes parents, alors je me demande s'il compte vraiment...

— Oui, moi aussi, je suis pas mal excitée, admet Ève. Même si j'en ai fait quelques-uns, je n'en ai jamais fait avec des amies, encore moins avec mes meilleures amies!

Elle se colle à Justine et moi. J'adore mes amies.

— Pendant que vous dormiez, j'ai écouté un film; je ne me souviens même pas de la dernière fois que j'ai fait ça.

— C'était bon? s'enquiert Ève.

— Un film de superhéros où le héros est super et où l'héroïne le trouve super!

— Annie, ne sois pas si cynique! me réprimande Justine.

— Chère Justine, je suis bien pour l'amour, mais n'allons pas devenir aveugles. Il ne suffit certainement pas qu'un homme nous fasse des beaux yeux pour que nous perdions tous nos moyens. Moi, je veux m'amuser. Fais-moi tous les beaux yeux dont tu es capable, mais ça va t'en prendre bien plus pour que je tombe amoureuse.

— Pauvre Annie, je sais que je suis la plus mal placée des trois pour discuter du sujet, mais l'amour, c'est bien plus que ça, souligne Ève. Ton superhéros, il a fait bien plus que des beaux yeux pour conquérir sa belle, non? En tout cas, mon Mathieu, quand il a voulu attirer mon attention, il n'y avait rien de trop beau. Il a même déjà tracé un chemin partout dans son appartement avec des bougies pour se rendre jusqu'à la chambre, où un gros bouquet de roses m'attendait près du lit.

Je vois qu'Ève a maintenant le cœur gros d'avoir pensé à ce souvenir.

— Tu en auras d'autres roses, Ève, la rassure Justine.

Elle est tellement romantique.

— Tout ce que je dis est que je veux m'amuser. Arrêtez de me faire vos beaux yeux de superhéros pour me séduire. Disons-nous les vraies choses : tu me plais, je te plais, amusons-nous. Point.

— Je te connais, Annie, je sais que ce n'est pas toi, au fond, rétorque Ève. J'ai vu tes nouvelles toiles ; elles montrent une grande vulnérabilité même si elles semblent d'abord dénoter la passion entre deux personnes. Tu n'es pas aussi superficielle dans tes émotions que tu tentes de nous le prouver.

Elles ont peut-être raison, mais je refuse de tomber dans ce genre de piège. Je n'ai aucune envie de me faire prendre dans la toile d'un superhéros, où je tomberais sous son charme pour me faire rejeter dès qu'une autre fille plus intéressante se présente. Je me suis laissée une fois devenir prisonnière de mes sentiments. Jamais plus. Je dois avouer que je me sens parfois seule, mais c'est l'unique façon que je connais de me protéger. Je laisse la vulnérabilité aux plus jeunes et à mes amies, si c'est ce qu'elles veulent. Le grand amour, qui peut prétendre le vivre ? Est-il réel ? Mon amie Ève filait le parfait bonheur jusqu'au jour où elle a osé demander un engagement. C'était beaucoup trop. Je sais que je ne devrais pas juger ; je connais Mathieu, c'est un super gars. Je ne comprends pas sa réticence. Mais moi, je dis non.

Après avoir été officiellement reçues au pays, nous récupérons nos valises et nous arrivons enfin à l'embarcadère des autobus qui nous emmèneront à l'hôtel. Je vois que quelques Cubains vendent de la bière. Voilà enfin l'occasion que j'attendais pour commencer mes vacances.

— Allez prendre nos places dans l'autobus, je nous rapporte trois bières froides pour la route.

Je me rappelle que je ne parle pas du tout la langue. J'aurais peut-être dû demander à Justine de venir avec moi, elle parle si bien l'espagnol. Pour ma part, je me débrouille à peine en anglais.

— Trois bières, s'il vous plaît.

Ah non, j'ai laissé mon sac à dos aux filles avec mon argent, je suis trop excitée.

— Désolée, je reviens.

Comme c'est gênant! Je me retourne pour partir, mais je me heurte à un mur de muscles avec le plus beau des sourires.

— Pardon.

Je n'ose même pas relever mes yeux. Avec son regard de superhéros posé sur moi, je suis déjà foutue.

— Pas besoin d'excuses, ma belle. *Por favor, cinco cervezas*[1].

Il tend le bras pour me retenir pendant qu'il passe sa commande. Je sens la chaleur de son bras qui passe autour de ma taille.

— Je dois aller chercher mon sac avant que l'autobus parte.

Son bras me retient un peu plus, il ne m'écoute pas.

— Voilà, trois bières, me dit-il avec son plus beau sourire.

— Je, je… je ne peux pas les accepter.

— Bien sûr, nous sommes en vacances, il va falloir que tu te laisses aller un peu.

---

1. Cinq bières, s'il vous plaît.

— Me laisser aller? Tu me connais mal! Je suis certaine que je vais me laisser aller pas mal plus que toi cette semaine!

— Je doute que tu puisses t'amuser plus que moi, mais si tu me lances un défi, je ne pourrai pas résister!

Je ne me reconnais pas, pourquoi suis-je sur la défensive? Je vois bien qu'il est juste un gars content d'être arrivé lui aussi à destination. Je lui offre mon plus beau sourire.

— Merci, bonnes vacances!

Je retourne rapidement à notre autobus, mais je ne peux oublier cette scène; ses beaux yeux clairs, ses cheveux bouclés, son corps ferme près du mien et surtout, son sourire.

— Voilà, les filles. Santé! À nos vacances, je nous souhaite de... nous laisser aller!

Je dois me changer les idées. Je n'avais pas pensé aux garçons quand j'ai réservé ce voyage. Je me voyais avec mes trois copines, la belle vie, le soleil, la mer, la plage et les petits cocktails. Rien de plus, rien de moins. Trois filles en vacances qui veulent juste profiter d'une semaine de vacances, il me semble que c'est simple. Je me demande quand même si je le reverrai.

Chapitre 3

La route qui mène à l'hôtel passe assez vite, mais je ne réussis pas à voir grand-chose, il fait beaucoup trop noir. Le représentant tente de parler un peu, il nous vante son pays et tout le plaisir que nous aurons pendant la semaine, mais personne ne semble l'écouter. Heureusement qu'une rencontre est prévue demain matin pour répondre à toutes nos questions. J'aurais peut-être dû lire un peu plus sur Cuba afin de me préparer pour ce voyage, mais connaissant bien Justine, elle va tout organiser, je n'aurai qu'à la suivre. Tout ce que je comprends, c'est que c'est l'hiver pour eux aussi, alors nous ne verrons pas beaucoup de Cubains à la plage.

Hiver ou pas, j'ai déjà chaud. J'adore cette humidité. Je ne pouvais plus attendre pour mettre mes sandales de plage en sortant de l'avion. Je me suis même déjà fait une queue de cheval, car je sais que mes cheveux ne voudront jamais coopérer dans ce climat. J'ai tellement hâte de porter mes vêtements d'été! Une petite semaine dans ce paradis ne sera jamais assez. Je regarde mes copines qui sont si sages ; il n'est que 23 h pourtant.

— Les filles, vous êtes trop tranquilles ! les semoncé-je.

— Tout le monde est tranquille, Annie, rétorque Justine.

— Oui, j'imagine, mais je ne suis pas juste venue me reposer pendant ces vacances, je vous le dis !

— Oui, tu nous l'as dit, et ne t'inquiète pas, nous allons nous amuser, me rassure Ève.

— J'ai juste eu une journée de fou, il a même fallu que je travaille ce matin, un samedi ! lance Justine. Mon patron savait très bien que mon vol partait en fin de journée.

— Tu travailles trop, Justine. Je vous laisse vous reposer ce soir, mais dites adieu aux filles sages demain ! les avertis-je.

— J'attendais cette semaine avec vous avec tellement d'impatience, je crois que c'est la seule chose qui m'a aidée à avancer depuis ces derniers mois, indique Ève.

— Voyons, Ève, je croyais que ça se passait bien ? lui demande Justine.

— Ça va, c'est ce que je voulais, après tout, mais entre ma tête et mon cœur, c'est encore la guerre. Je voudrais que le combat s'arrête, mais je ne sais pas qui devrait l'emporter.

— Pauvre Ève, ces vacances vont tellement te faire du bien. Je te souhaite une trêve dans ton conflit.

— Merci, Justine.

Nous arrivons après être passés par quelques hôtels où nous avons laissé débarquer d'autres vacanciers. Je n'ai pas revu mon beau grand blond ; il ne doit pas être à notre hôtel. Je me demande bien quelles sont mes chances de le recroiser. Pourquoi est-ce que je pense à lui ? Bien sûr, il a été bien gentil de m'offrir une bière, mais il avait été bien insolant de me dire que je devrais me laisser aller. J'aurais aimé lui répondre, encore mieux, lui montrer que je n'ai pas de problème à m'amuser. Mon seul défi sera de bien profiter de ces vacances. Mais pour qui se prend-il ? Comme je ne m'étais pas trouvée si près d'un homme depuis longtemps, son toucher avait été aussi puissant que le baiser de la Belle au bois dormant ; tout mon corps s'est réveillé.

La réception de l'hôtel n'est pas très occupée à cette heure. Nous avons la chance de passer rapidement pour recevoir nos clés. Un gentil bagagiste veut venir nous reconduire à notre chambre, et nous nous laissons séduire par sa voiturette. Il fait très noir. J'aurais bien aimé voir un peu le site, mais je devrai attendre à demain. L'air frais me fait du bien. J'ai un petit creux ; il est quand même presque minuit, et mon pauvre sandwich mangé dans l'avion en guise de dîner ne pouvait pas me soutenir bien longtemps.

— Justine, demande-lui où nous pouvons manger.

— Je parle français, intervient-il. Vous pouvez manger pas très loin de votre chambre, il y a un bar avec un restaurant. C'est la seule cuisine encore ouverte à cette heure.

— Merci.

Il nous débarque à notre complexe et nous aide avec nos valises. Nous sommes au deuxième. Justine et Ève jouent aux princesses. Pour ma part, je n'ai pas de problème à monter ma valise. Je suis soudainement toute fébrile après plus de 10 heures de déplacement, si je compte le temps de me rendre à l'aéroport. Je suis soulagée d'être enfin à destination.

— Nos vacances commencent !

— Mais où tu prends ton énergie ? Les miennes pourront commencer demain matin, proteste Justine.

— Allez, je voudrais bien manger quelque chose, insisté-je.

— Je vais venir avec toi, déclare Ève. Tu viens Justine ?

— Non, allez-y, je crois que je vais me coucher. Mais ramenez de l'eau froide, si vous en trouvez, nous demande-t-elle.

— Sans problème. Dors bien, je te veux en forme demain, l'intimé-je.

— Ne rentrez pas trop tard.

— Ne joue pas à la mère avec nous, contré-je.

Je la taquine, elle le sait bien, mais je la rassure.

— J'apporte mon cellulaire, texte-nous si tu t'inquiètes, nous verrons si ça fonctionne.

— Désolée d'être ennuyeuse ce soir. Amusez-vous ! lance-t-elle.

Nous trouvons le bar, qui n'est pas très loin de notre chambre. J'ai vu une piscine, qui semble grande. Elle est divisée en quelques sections. J'ai hâte de la voir mieux au grand jour. Des vidéos de musique latine défilent sur un téléviseur lorsque nous arrivons. Cette musique me donne envie de danser. Plusieurs tables sont occupées, les gens discutent fort. Ce bar semble être le lieu de rendez-vous de fin de soirée.

— Bonsoir, nous aimerions manger. Est-ce que nous commandons ici ? m'enquiers-je.

— Vous pouvez commander directement au grill, nous indique le barman.

— C'est parfait, mais nous allons commander un verre. Tu veux quoi, Ève ?

— Je boirais bien mon premier pina colada !

— Bonne idée. Deux pina colada *por favor*, commandé-je.

Voilà, j'utilise un des 10 mots que Justine a tenté de nous apprendre aujourd'hui.

— Santé, Ève !

— Oui, à nos vacances !

La boisson a le goût du bonheur ! Nous nous approchons du grill et je dois admettre que c'est loin de ressembler au bonheur, ce casse-croûte de fin de soirée. Nous choisissons de partager une assiette de frites.

— J'espère que nous trouverons mieux que des frites cette semaine, émets-je.

— Ne t'en fais pas, Annie, c'est quand même un presque cinq étoiles et pour Cuba, c'est ce qu'il y a de mieux, me rassure Ève. N'oublie pas qu'il est passé minuit.

— Oui, je sais. Elles ne sont pas si mal, ces frites.

Nous prenons un dernier verre et décidons de ne pas nous attarder. Nous allons suivre l'exemple de Justine et aller nous coucher.

J'entends des textos qui rentrent. Ce n'est pas pour moi.

— C'est toi, Ève ?

— Oui, c'est Mathieu. Je ne sais pas ce qui lui prend, mais il ne cesse pas de me texter depuis hier.

— Il veut quoi ? m'informé-je.

— Il voulait juste me souhaiter bon voyage. Là, il voulait s'assurer que j'étais bien arrivée. Je suis ici pour l'oublier, je vais devoir le lui dire, fait-elle remarquer.

— Oui tu as raison. Je ne voudrais pas que tu passes ta semaine encore plus mélangée. Tu as le droit de t'amuser, Ève.

— Je sais.

Pauvre Ève. Elle se montre forte, mais je sais que ce n'est pas facile pour elle. Depuis les derniers mois, je n'ai pas souvent vu sa bonne humeur légendaire. J'aimerais bien prendre son téléphone et répondre à Mathieu.

Nous revenons à la chambre. En plus des deux lits, qui semblent plus petits que deux places, il y a un lit à une place en plus, où Justine s'est installée. Je ne l'avais même pas remarqué. Nous ne voulons pas la réveiller, alors nous ne tardons pas à nous mettre au lit. Les valises peuvent attendre à demain.

— Je suis fatiguée, finalement, reconnais-je.
— Moi aussi. Bonne nuit, Annie.
— Bonne nuit... j'ai trop hâte à demain !
— C'est déjà demain !

Chapitre 4

Dès que j'ouvre les yeux, l'excitation me prend. Je vois qu'Ève a son téléphone à la main.

— Bonjour!

— Bonjour! Tu as bien dormi?

— Oui, je ne me suis pas réveillée du tout, énoncé-je.

Je remarque que Justine n'est pas dans son lit.

— Notre troisième mousquetaire n'est pas là?

— Tu la connais : couche-tôt, lève-tôt!

— Je suis jalouse, elle va voir le site avant nous.

— Voyons, Annie, nous l'avons vu hier soir, me raisonne Ève.

— Ça ne compte pas, il faisait noir.

Nous rions. Elle sait bien que la jalousie n'est pas mon genre, bien qu'il peut m'arriver d'être un peu bébé; je suis quand même la benjamine d'une famille de quatre, et je suis la seule fille. J'ai appris bien jeune que je passerais mon tour si je ne prenais pas ma place, car j'étais facilement mise à l'écart. Les petites crises m'ont souvent permis de m'affirmer et d'ainsi obtenir ce que je voulais.

Mais je n'ai pas l'intention de faire ressortir ce côté de moi cette semaine, encore moins avec mes merveilleuses amies.

— Je vais dans la douche, je ne veux pas passer la journée dans la chambre, annoncé-je.

— Vas-y, j'irai après.

Je commence aussi à défaire ma valise. J'aurais dû le faire hier soir, j'ai l'impression que tout est fripé. Je ne laisserai tout de même pas quelques plis gâcher mes vacances. Je m'empresse de me préparer et de mettre mon bikini sous une robe de plage. C'est inévitable, je sauterai dans la mer aujourd'hui. Si je me fie à la chaleur d'hier soir, il est évident que je ne suis pas de ce pays parce que même si c'est l'hiver à Cuba, j'ai bien l'intention de me baigner.

Comme je m'installe pour regarder mes textos (avoir trois frères plus des parents à l'affût des technologies, ça fait plusieurs personnes à rassurer quand on part en voyage), Justine rentre dans la chambre. Je vois qu'elle transporte plusieurs cafés ; elle a lu dans mes pensées.

— Ah, je t'aime, Justine ! Merci de penser à mes besoins.

— C'est avec plaisir que je contribue à ta survie, réplique-t-elle. Il paraît que ces cappuccinos sont les meilleurs.

Elle nous menace par contre de ne pas nous les donner si nous ne rangeons pas nos téléphones. Elle n'est pas sous l'emprise de son appareil. Elle est toujours au-dessus de toutes ces béquilles dont tant d'autres ont besoin au quotidien. Je suis secrètement heureuse qu'elle ait besoin de caféine autant que moi.

— J'ai pris les plus belles photos, le site est magnifique. Vous devriez voir la plage !

Elle est soudainement toute rouge. Je ne comprends pas. Elle a peut-être juste chaud ?

— Est-ce que le soleil est déjà fort ?

— Oui, c'est ça. Je vais prendre ma douche, dit-elle.

Nous sortons enfin de la chambre pour aller prendre le petit-déjeuner. J'ai encore faim. C'est vrai que le site est beau. Je remarque que c'est propre et que le personnel est souriant. Je salue tout le monde en lançant des *hola*[2] avec bonheur ; je fais comme si je pouvais parler espagnol, bien sûr, pas de *problemo*[3] !

Le petit-déjeuner est un buffet.

— Les filles, je vais me servir, j'ai trop faim, affirmé-je.

Je fais le tour. Il y a un petit-déjeuner typiquement américain : des œufs, des crêpes, du pain perdu, plusieurs sortes de saucisses qui me semblent beaucoup trop grasses. Je vois qu'un cuisinier prépare des omelettes sur mesure, et je me mets en file en espérant que je n'attendrai pas trop longtemps.

Je n'ai pas assez de patience, finalement, pour ce genre de file. Je change d'idée et je quitte ma place.

— Tu n'as pas besoin de tes pesos, c'est un tout inclus.

Je lève mes yeux. Mon beau grand blond de l'aéroport, encore plus charmant sous la lumière du jour, se tient devant moi.

— Je ne pensais pas te revoir !

Mais quelle banalité à dire, il va penser que j'en avais envie ! Même si c'est vrai, je ne suis pas obligée de me jeter à ses pieds.

— Ça va passer vite, attends avec moi, propose-t-il.

Je ne sais pas si c'est l'omelette ou ses beaux yeux qui me retiennent, mais je décide de rester.

— Maxime, se présente-t-il.

— Moi, c'est Annie.

---

2. Bonjour.

3. Problème.

— Enchanté, Annie.

Nous discutons de nos premières impressions sur Cuba. Il dégage quelque chose, ce Maxime. Mon cœur palpite, mais je garde mon calme. Tous mes sens sont en alerte. Bien sûr, il est à mon goût, mais je ne sais pas si j'ai envie de ce genre d'aventure cette semaine.

Il me semble que j'en ai trop connu, des histoires où le cœur n'y était pas vraiment, mais où je me laissais séduire par de belles paroles, comme si j'allais trouver quelque chose de plus si je restais un peu plus longtemps. Je me demande pourquoi je me laisse tenter par ces aventures qui ne mènent presque toujours nulle part. Bien sûr, j'aime bien me retrouver dans les bras d'un amoureux pour me faire dire que je suis extraordinaire, et je ne cache pas non plus mon attirance certaine pour le sexe opposé, mais il me semble que j'ai besoin de recul.

Je devrais lui dire tout de suite : *Maxime, je ne te cacherai pas qu'habituellement, je me laisserais séduire par tes beaux yeux, mais tu n'étais pas au programme cette semaine. Ne me lance surtout pas que je ne sais pas profiter de la vie ou une autre banalité.* Mais je ne veux pas fermer la porte. Je lui fais encore un beau sourire.

— Bonne journée, Maxime.

Je le quitte avec mon omelette. Je me trouve un peu indépendante, mais je ne me fais pas confiance en sa présence. De toute façon, c'est inévitable, je vais le recroiser.

— Mon Dieu, Annie, c'était bien long ! Nous avons déjà terminé ! formule Ève.

— Bien sûr, Justine mange comme un oiseau et toi, tu n'as pas attendu pour une omelette !

Je ne vais certainement pas leur dire que j'étais en train de me faire draguer dans la file du petit-déjeuner. Ève n'a pas besoin de ce genre d'histoire cette semaine, je suis solidaire avec elle. Quant à Justine, quoi dire? Je ne me souviens même pas de la dernière fois qu'elle nous a parlé d'un homme dans sa vie. J'ai trouvé! C'est là que je vais consacrer mon énergie cette semaine : beau blond et Justine, quelle bonne idée!

— Tu vas manger ces rôties, Justine? la questionné-je. Je n'ai même pas pensé à m'en prendre.

— Bien sûr, mange-les. Mais ne tardons pas trop, je veux aller à la rencontre avec le représentant. J'ai plein de questions.

— Ah oui, moi aussi.

J'ose à peine en parler, mais je cherche de l'inspiration pour mes nouvelles toiles. J'ai entendu dire qu'il y a des plages naturistes, et je veux les voir. Je ne suis pas du tout du genre voyeur, mais ma collection porte sur la passion entre les hommes et les femmes, et je suis certaine que je serais inspirée. Je dois les trouver. Peut-être que les filles voudront venir avec moi? Sinon, j'irai toute seule.

— Est-ce que vous êtes aussi excitée que moi, ce matin? Je suis tellement heureuse d'être ici, je ne peux presque pas y croire.

— Moi aussi, Annie, j'en avais tellement besoin. Ça va me faire du bien de réfléchir. Je dois penser à mon avenir, je ne peux pas habiter avec toi indéfiniment, émet Ève.

— Voyons, rien ne presse, ça va bien chez moi, non?

— Oui, c'est super, mais je dois voler de mes propres ailes. Ton appartement est bien loin de mon travail aussi.

— Oui, c'est vrai que tu dois te lever tôt, concédé-je.

— Tu vois… Je sais que ce n'est pas de tout repos, ta routine aussi est affectée.

— Tu sais quoi ? Laissons nos préoccupations de côté. Nous sommes en VACANCES ! Profitons-en, laissons-nous porter par ce paradis. Qu'en pensez-vous ?

Mes deux amies me répondent un gros *oui* à l'unisson. J'ai hâte de leur donner le cadeau que j'ai apporté pour elles dans ma valise : un beau verre rose brillant pour toutes nos consommations sur lequel est inscrit mon mantra des sept prochains jours : KEEP CALM GIRLS JUST WANNA HAVE FUN[4] !

---

4. Restez calmes, les filles veulent juste s'amuser !

Chapitre 5

Nous arrivons enfin à la plage. J'avais tellement hâte de mettre mes deux pieds dans le sable! Le paysage est magnifique. La mer est calme malgré quelques petites vagues. Elle est d'un bleu turquoise aussi limpide qu'un verre d'eau.

— Allez, les filles, trouvons-nous des chaises. Moi, je veux sauter à la mer!

— Je vous l'avais dit, que notre plage est à faire rêver, relance Justine.

— Tu as raison, mais tu sais, c'est impossible d'imaginer que c'est si beau. Cette plage est une carte postale. Tu ne devrais pas manquer d'idées pour tes photos.

Je vois qu'elle rougit à nouveau, je ne peux pas laisser passer cette occasion.

— Pourquoi tu es si rouge, ma belle Justine? la nargué-je.

— Rien du tout, j'ai juste chaud, je crois…

Elle me cache quelque chose.

Un beau Cubain arrive pour nous offrir des chaises. Je dois avouer que c'est vraiment extraordinaire d'avoir autant de service, même si nous devons bien sûr toujours laisser un pourboire pour y avoir droit. C'est du moins ce que le représentant nous a suggéré. Mais ça me fait plaisir, les employés sont si accueillants et gentils. Nous nous installons tout près de l'action. On joue au volleyball à proximité, la musique se fait entendre, le bar est à quelques pas ; je crois que je pourrais m'installer ici pour les sept prochains jours.

Je prends le temps de bien m'appliquer de la crème. Pas besoin de dire qu'une rousse aux yeux verts a la peau super fragile au soleil. Pas besoin non plus de faire bronzer davantage ma panoplie de taches de rousseur qui se démarque déjà assez.

Je commençais le secondaire quand l'envie m'avait prise de les faire disparaître, surtout celles qui me couvraient le nez et les pommettes. J'avais suivi les conseils de tous ceux qui avaient bien voulu m'en donner, comme si j'avais raison de vouloir m'en débarrasser. Je m'étais mise à frotter mon visage avec du jus citron. Rien n'avait fonctionné. J'ai eu la chance de ne pas trop me faire intimider. J'imagine que la présence de mes trois frères dans l'école avait dû faciliter mon intégration. Avec le temps, j'ai appris à vivre avec cette particularité. Je dirais même qu'elles me donnent un certain charme. Bien sûr, je suis encore secrètement jalouse des belles peaux parfaites, surtout comme celle de Justine ; on dirait de la fine porcelaine de Chine tellement elle est blanche et pure. Heureusement que je l'aime inconditionnellement.

— Je crois que le seul bémol de ces vacances sera cette session d'application de crème que j'aurai à subir plusieurs fois par jour, me plains-je.

— Mon Dieu, tu lis dans mes pensées, Annie ! Nous sommes pas mal toutes les trois dans ce même bateau, confirme Ève.

— Oui, j'ai tellement peur de brûler, rappelez-moi de me mettre de la crème, nous demande Justine.

— Notre première baignade dans la mer, je suis si excitée !

Nous sommes comme des enfants qui sautent à l'eau pour la première fois de l'été, comme si nous ne nous étions jamais baignées de notre vie.

— Ah, l'eau est parfaite, remarqué-je.

— Elle est un peu froide, mais ça fait du bien, souligne Ève.

— Tu es bien exigeante, Ève, je suis au paradis, rétorque Justine.

— Ah les filles, est-ce que je peux répéter comment nous avons de la chance d'être ici, ensemble en plus ?

Nous sommes toutes les trois reconnaissantes d'être là. Nous profitons de ce moment. Je vois même mes orteils sous l'eau ; mon pédicure corail est parfait. C'est mon premier pédicure, je me suis laissée convaincre par Ève lorsque je l'ai accompagnée pour le sien.

— Vous voyez, les filles, c'est là-bas, le Club nautique, nous dit Justine.

— Oui, j'aimerais bien aller me chercher de l'équipement pour faire de la plongée en apnée, il doit bien avoir quelque chose à voir dans cet océan, déclaré-je.

— Oui, tu as entendu le représentant ce matin, il faut apporter du pain dans un sac en plastique refermable, ça va attirer la faune marine, m'informe Justine.

Elle est toujours attentive aux consignes.

— Nous en prendrons au buffet, suggéré-je.

— Vous avez vu aussi les catamarans ? C'est là qu'ils font des balades aux 20 minutes, nous devrions aller réserver une place, propose-t-elle.

Nous avons envie de tout faire. Je suis certaine que c'est normal, c'est notre première journée. Pourtant, moi, je pense déjà à manger à nouveau.

— Les filles, j'ai faim ! lâché-je.

— Seigneur, Annie, je me demande bien où tu mets tout ce que tu manges ! prononce Ève.

Je sais que ce n'est pas juste : je mange tout ce que je veux, quand je veux et je demeure la même contrairement, par exemple, à mon amie Ève, une blonde parfaite aux yeux pers, qui a dû se battre toute sa vie pour garder sa taille. C'est injuste, je le sais, je n'irais jamais m'en vanter comme si c'était une qualité.

— Il y a un casse-croûte au bar de la plage, ça vous intéresse ? offré-je.

— Oui. Ramène-nous la même chose que toi et aussi quelque chose à boire. Il est midi, nous pouvons bien prendre un verre, non ? intervient Justine.

— Justine, comme on dit, il est 17 h quelque part !

— N'oublie pas nos super verres !

— Je n'ai pas pu résister quand je les ai vus.

Lorsque je les quitte, Justine se plonge dans son roman et Ève a déjà le nez collé sur son téléphone.

J'arrive au bar. Comme la vie est facile et agréable en vacances. De la musique joue, et je commence à avoir hâte de sortir danser.

— Bonjour, vous me conseillez quoi ? demandé-je au barman.

— Pour vous, belle *señorita*[5], nous avons des rhum punch, des pina colada, des mojitos...

— Je vais en prendre un de chaque !

5. Demoiselle.

Je lui présente nos trois verres. Je m'empresse de passer ma commande au casse-croûte : encore des frites, mais avec de la pizza. J'ai hâte d'y goûter. Je discute avec d'autres touristes, qui m'indiquent où est le meilleur resto le jour ; on peut même y manger des poutines. Il faut bien aimer les Québécois pour avoir pris le temps de penser à préparer ce plat typique. J'ai enfin toute ma commande, mais je ne sais pas comment je vais apporter le tout. Bien sûr, le beau blond choisit ce moment pour arriver.

— Bonjour, Annie. Tu vas manger tout ça ?

— Non, mais je vais peut-être boire les trois verres !

Son sourire me fait craquer. Je dois me rendre à l'évidence, il me plaît bien, ce Maxime.

— Je peux t'aider, propose-t-il.

— Je crois que je vais y arriver, mais si tu veux, nous ne sommes pas loin, viens nous rejoindre plus tard pour jouer au volleyball.

— Je n'arrive pas à y croire, tu m'invites !

— Tout le monde peut jouer.

Je lui fais un autre beau sourire. Je ne veux plus le présenter à Justine, j'ai soudainement envie de le garder pour moi. Pourquoi pas ? Je suis en vacances après tout.

— Annie, j'aurais dû venir avec toi, tu as les mains pleines, remarque Justine.

— Voyez comme je suis une championne, j'ai tout apporté. Par contre, j'espère que les pizzas ne seront pas trop collées les unes sur les autres.

— Merci, Annie.

— Prenez vos verres, je vais vous apprendre un nouveau mot. Au lieu de dire santé, on dit *salud* en espagnol, nous informe Justine. Alors, *salud* !

— *Salud!*

— À nos vacances! s'empresse d'ajouter Ève.

Je suis encore plus près du bonheur. Je ne peux m'empêcher de penser au beau Maxime qui viendra peut-être me rejoindre pour jouer une partie.

Je sais que je n'en ai pas l'air, mais avec trois frères, j'ai compris bien jeune que si je voulais jouer avec eux, je devais pratiquer tous les sports imaginables. Ils ne me laissaient pas de chance, alors j'ai dû me débrouiller. Aujourd'hui, j'en suis reconnaissante. Bien que je sois une artiste, je suis aussi très physique. Cet aspect peut surprendre, mais je me dis que c'est tant pis si un garçon sent sa virilité menacée parce que je suis meilleure que lui dans un sport. Allez, Maxime, arrive, j'ai bien hâte de jouer une partie avec toi pour te montrer que je sais m'amuser! Je me surprends encore à penser à lui. Je suis déjà sous son charme. Comment résister à ses beaux yeux?

Chapitre 6

C omme je suis prête à me lever, les gentils animateurs arrivent et commencent leur recrutement pour la partie.

— Les filles, allons jouer! suggéré-je.

— Oui, ça me tente même si je ne suis pas très douée, ça va faire du bien de bouger un peu, émet Ève.

— Les filles, je vais passer mon tour, refuse Justine, je vous ferais perdre.

— Bien non, Justine, c'est pour s'amuser, insisté-je.

— Tu as vu les gars qui arrivent? Ce n'est jamais pour s'amuser avec eux.

— Tu sais, Justine, ça serait peut-être une bonne idée que tu t'amuses un peu avec le sexe opposé. Tu es en vacances, tu sais, reprends-je.

— Annie, ne commence pas à vouloir me caser. Ma semaine, je la passe avec vous, m'avertit Justine.

— Pour ma part, ça va me faire du bien de me rincer l'œil, Annie a raison, intervient Ève.

— Allez-y, je vais aller lire un peu à l'ombre, conclut Justine.

— Ève et moi allons garder tous ces beaux gars pour nous, dommage pour toi!

Je le dis en riant. Elle sait bien que je la taquine, mais cette Justine, il est temps qu'elle sorte de sa zone de confort. Elle va devenir une vieille fille si elle continue dans cette voie. Je crois qu'elle a déjà un chat, en plus !

Je vois le beau Maxime qui s'approche.

— Tu veux être dans mon équipe ? m'offre-t-il.

— Je pensais avoir plus de plaisir à jouer contre toi !

— Je pensais que tu aurais voulu être dans l'équipe gagnante.

— Tu es pas mal sûr de toi. Viens, Ève, allons avec l'autre équipe.

Je vois bien qu'Ève ne comprend pas du tout ce qui se passe, car elle me regarde et regarde Maxime.

— Bonjour, moi, c'est Ève, s'empresse-t-elle de se présenter.

— Maxime. Voici Charles. Tu devrais te mettre dans mon équipe, Ève.

Il lui fait ses plus beaux yeux ; je vois bien qu'il veut me provoquer.

— Ève est une fille sensée, elle va me suivre, tranché-je.

— Ma copine a raison, je dois me ranger derrière elle. Tu sais, solidarité féminine et tout.

— Je vous souhaite bonne chance.

Il s'approche de moi.

— Je vais avoir beaucoup de plaisir à te regarder jouer, Annie.

Je sens la chaleur monter, mais je reste calme.

— Bonne chance, Maxime, que les meilleurs gagnent !

Je m'éloigne, mais je sens son regard posé sur moi.

— Tu veux me dire ce qui se passe, Annie ? s'informe mon amie.

— Pas si fort, Ève, il va t'entendre, m'insurgé-je.

— Je t'ai vue te mordiller la lèvre du bas. Il sort d'où, ce beau grand blond ?

— Je l'ai rencontré hier en sortant de l'aéroport, c'est lui qui nous a payé la bière ! lui apprends-je.

— Tu ne nous as rien dit ?

— Il n'y a rien à raconter.

— Tes yeux sont brillants, Annie, mais si tu dis que ce n'est rien, ce n'est rien !

Elle est très perspicace, cette amie. Je ne me suis même pas aperçue que je me mordillais la lèvre, une fâcheuse habitude qui apparaît quand je deviens nerveuse. Il n'y a rien à raconter, c'est vrai. Un beau gars que je n'arrête pas de croiser depuis que je suis là, ce n'est rien ! Pas besoin de lui dire comment je pourrais me perdre dans ses yeux. Pas besoin non plus de lui confier à quel point son corps parfait me fait de l'effet. Il aurait bien pu garder son t-shirt pour venir jouer avec nous. La partie va être longue !

Les animateurs tentent de garder un minimum de maîtrise sur les règles, mais c'est chaque équipe pour soi. Les points se comptent, mais ils ne sont pas très fiables, il y a pas mal de tricherie. Je m'amuse bien, Ève aussi. Elle peut être compétitive quand elle le veut.

— J'ai chaud, j'espère que la partie se terminera bientôt, énoncé-je.

— Oui, j'irais bien me lancer à la mer ! renchérit Ève.

— Allez, les filles, on ne lâche pas, nous encourage le charmant animateur, Carlos, qui est dans notre équipe.

Il semble être sous le charme d'Ève. Une belle grande blonde aux yeux pers avec toutes les courbes aux bonnes places... qui ne le serait pas ? Elle a toujours attiré des regards, mais finalement, c'est sa super personnalité, toujours souriante, douce et patiente qui séduit tout le monde.

— Finissons cette partie, nous pouvons la gagner!

Nous déployons tous un dernier effort. C'est moi qui ai le service, peut-être le dernier de la partie. Le point se joue maintenant. Je ne dois pas faire gagner l'autre équipe. Je réussis à envoyer le ballon de l'autre côté, il revient du nôtre. Ève, qui est au filet, s'élance et frappe le ballon; son coup ne donne aucune chance à nos adversaires. C'est gagné!

— Bravo, Ève! la félicité-je.

— J'ai bien fait de choisir ton équipe.

Elle le dit assez fort; je sais qu'elle taquine Maxime, qui a un air un peu tristounet.

— Félicitations, les filles. Je vous ai sous-estimées, je ne le ferai plus, nous assure-t-il.

— Ne t'en veux pas trop, ma copine Annie a plusieurs talents cachés comme ça.

— Ève! Ce que mon amie tente de dire est que j'ai trois frères, je n'ai pas le choix d'être compétitive!

— Je suis bien heureux qu'ils ne soient pas ici avec toi.

Ses yeux ne laissent pas les miens.

— Nous devons retrouver notre amie Justine. Nous nous croiserons peut-être ce soir?

— Oui, j'ai déjà hâte de te revoir.

Nous nous éloignons.

— Annie, nous aurions pu les inviter à venir se baigner avec nous, souligne Ève.

— Ah, je ne sais pas ce que je veux. Ce n'était pas dans mes plans pour la semaine, un beau grand blond aux yeux bleus qui me font fondre comme du chocolat au soleil!

— J'aimerais bien me laisser fondre dans ses bras, reconnaît-elle en riant.

— Désolée, je le garde en réserve pour le moment! Assez parlé de moi : le beau Carlos, je l'ai vu te mettre la main autour de la taille une fois ou deux.

Ève rougit, c'est tellement son genre.

— Le soleil te fait imaginer des choses, Annie, nie-t-elle.

— Tu sais, une amourette de vacances, ça pourrait justement être ce dont tu as besoin.

— Non merci. Mon Dieu, je viens de me rappeler, j'ai rendez-vous pour un massage. Il est quelle heure?

Elle peut bien changer de sujet, j'ai vu les étincelles entre eux pendant la partie.

— Allons voir.

— J'aurais peut-être dû attendre et me faire masser plus tard dans la semaine, mais ça va me faire du bien.

— Va en profiter, chanceuse.

Nous arrivons à nos chaises et Justine revient en même temps que nous; elle a dû suivre la partie au loin.

— Nous avons gagné! annoncé-je.

— Oui, c'est ce que j'ai cru comprendre, bravo! Pour ma part, j'ai lu, ça fait du bien de prendre le temps sans se sentir coupable.

— Coupable de quoi, Justine? Ton temps, il est à toi, non? riposté-je.

— Pas toujours. Il me semble que j'ai toujours une liste de choses à faire, alors je me sens toujours prise entre mon envie de me reposer un peu et mon devoir d'avancer mes tâches pour avoir du temps, mais le problème, c'est que la liste semble interminable.

— Il faut que tu prennes le temps, Justine, le reste va t'attendre, tu sais, la raisonné-je.

— Je dois partir dans 15 minutes, allons nous baigner avant que je parte, propose Ève.

— Oui, bonne idée, allons-y.

Après notre baignade, Ève nous quitte pour son massage, Justine s'offre pour aller nous chercher des consommations. Je ne me rappelais pas que c'était aussi merveilleux, d'être en vacances au bord de la mer, surtout en plein hiver. Pourquoi ne le faisons-nous pas plus souvent ? Il faut que j'en parle aux filles. Un an pour planifier le prochain voyage, c'est parfait.

Je repense à Maxime. Un courant passe entre nous, et je ne sais pas trop ce que je devrais faire. C'est la beauté des vacances : je n'ai pas besoin de trop m'investir, je ne vais certainement pas le revoir après. Je devrais juste me laisser porter et voir ce qui viendra. Il semble lui aussi être ici pour s'amuser, j'adore son attitude super décontractée et facile d'approche. Il a toujours l'air de bonne humeur. Il est aussi avec un ami, Charles, si j'ai bien entendu. Il pourrait plaire à Justine ou Ève ? J'ai déjà hâte de sortir ce soir pour le recroiser.

Chapitre 7

— Désolée, Annie, ça semble être le moment où tout le monde veut un dernier verre avant de quitter la plage, s'excuse Justine.

— Ça va, je profite de cette vue magnifique.

— Oui, c'est tellement beau. Ce matin j'ai pris plusieurs photos de la mer, elle était beaucoup plus calme.

— Ça me donne envie de peindre, je pourrais m'installer ici avec une toile et mes pinceaux.

— J'avoue. Mais dis-moi, tu avances avec ta nouvelle collection ? s'informe-t-elle.

— Ça avance bien. La galerie qui expose mes toiles m'offre de me faire un vernissage dès que je serai prête. Il m'en manque encore plusieurs pour faire une collection, mais je suis comme toi, le temps me manque.

— Pas facile de trouver du temps quand il faut gagner sa vie, admet-elle.

— Je commence à être épuisée de concilier le tout, j'aimerais bien me consacrer juste à mon art.

— Tu as tellement de talent, Annie, je suis certaine que tu vas y arriver, m'encourage-t-elle.

— Merci de croire en moi.

Ce n'est pas que je manque de confiance, ni même d'imagination. J'ai toujours cru que j'y arriverais. Aller étudier à Montréal avait été la première étape, et j'étais prête à faire ce sacrifice. Je commence à me demander s'il aura valu la peine, surtout si je ne réussis jamais à vivre de ma passion. Au début, je m'ennuyais bien sûr de ma famille, mais c'était Gabriel qui occupait toutes mes pensées. Je rêvais de le revoir dès que je quittais ses bras le dimanche. Je ne pensais jamais renoncer à lui quand j'avais pris cette décision. Je me disais que notre amour était plus fort que tout, que des kilomètres ne nous sépareraient pas. L'adage *Loin des yeux, loin du cœur* s'est avéré pour nous.

Il ne faut pas que je me replonge dans ces souvenirs. Pourquoi faut-il que je pense à lui maintenant? Je voulais réfléchir à mon avenir pendant ces vacances. Mon passé devrait rester où il est : derrière moi. Je sais qu'il fera toujours partie de mon histoire. Il est peut-être normal d'y penser parce que je me questionne sur ma vie en ce moment? Il avait tellement cru en moi, m'avait encouragée à poursuivre mon rêve. Pourtant, dès que je m'étais engagée à le faire, j'étais vite passée aux oubliettes pour lui. Malgré tant de belles promesses, notre jeune couple idyllique n'avait pas été assez fort pour contrer les aléas de la vie.

Comme je l'ai aimé dès le premier moment! Je n'ai jamais eu des papillons pour personne comme j'en ai ressentis pour lui dès qu'il m'avait raccompagnée à la maison ce premier vendredi soir. Je ne pouvais pas croire ma chance d'avoir ce beau gars qui acceptait de me raccompagner. Nous avions surtout parlé de l'école et de ce que nous voulions faire plus tard. Il rêvait de voyager. Il ne savait pas s'il allait prendre une pause après le secondaire. Il se passionnait pour le sport, mais ne voyais pas comment il pourrit gagner sa vie avec ça.

Nous étions restés stationnés près de ma maison à discuter pendant un bon moment. J'avais bien avisé ma mère avant de quitter le dépanneur de ne pas s'inquiéter. Je le trouvais tellement intéressant. Dès que j'osais le regarder, je me sentais comme dans un rêve. Je ne comprenais pas que nous ayons tant de facilité à nous parler ; je me confiais à lui comme je l'aurais fait avec une bonne amie. J'avais été encore plus conquise quand il m'avait parlé de ma toile.

— J'ai beaucoup aimé ta toile.

Il devait se moquer de moi.

— Ah oui, tu as aimé quoi ?

— J'ai aimé la vulnérabilité de tes personnages, avait-il répondu.

Je ne savais pas quoi dire. J'avais peint un couple d'amoureux qui s'embrassait sous la pluie, on ne voyait pas vraiment leur visage. Comment pouvait-il y voir de la vulnérabilité ?

— C'est peut-être juste des amoureux qui partagent un baiser, avais-je contré.

— Non, il y avait plus que ça. La pluie, ça annonce une épreuve, non ?

Je n'allais pas lui dire qu'il avait raison, il allait penser que j'étais une ado tourmentée ou trop romantique.

— Est-ce que c'est toi dans la toile ? Est-ce qu'on t'a déjà embrassée sous la pluie ? m'avait-il interrogée.

Je ne savais pas quoi lui répondre.

— Tu te trouves drôle ?

— Je te taquine. Tu as du talent, c'est tout ce que je voulais dire.

— Merci.

— Mais tu peux me répondre, avait-il ajouté.

— Répondre à quoi ?

Je ne pouvais pas croire à quelle vitesse notre conversation devenait sérieuse.

— Moi, j'aimerais t'embrasser sous la pluie.

Qu'est-ce que j'étais censée lui répondre ?

À ce moment, il s'était rapproché ; je n'avais pas remarqué que nous étions déjà si près dans sa voiture. Il avait levé la main pour me caresser la joue. Sa main était si douce. J'avais fermé les yeux, je voulais que le moment dure pour toujours.

— Est-ce qu'on t'a déjà dit que tu es jolie ?

Je ne m'étais jamais trouvée si près d'un garçon, et aucun ne m'avait encore fait ce genre de compliment. J'avais l'impression que j'allais manquer d'air. Quand je l'avais enfin regardé, ses yeux étaient perçants. Nous nous sommes fixés pendant plusieurs minutes avant que ses lèvres s'approchent des miennes. Je ne pouvais pas croire qu'il allait m'embrasser. Quand il a déposé ses lèvres chaudes sur les miennes, un frisson a parcouru tout mon corps. Il m'embrassait tendrement, tentait de me guider sans trop me brusquer. Je n'avais jamais fait ça, il devait s'en rendre compte. Quand sa langue s'était glissée sur mes lèvres, je ne savais pas si je devais sortir la mienne. Je crois que je ne savais même plus mon nom à ce moment.

Mes mains ne savaient pas où se poser. Notre baiser s'était intensifié. C'était à ce moment que j'avais entendu un de mes frères crier à l'extérieur comme s'il appelait notre chien. J'étais très rapidement revenue à la réalité, mon rêve prenait fin.

— Je suis désolée, Gabriel, je dois rentrer.

— Pas déjà, reste encore un peu avec moi, avait-il protesté.

— C'est un de mes frères, je suis déjà surprise que ma mère ne l'ait pas envoyé avant.

J'étais morte de honte, mais jamais je n'ai regretté cette soirée.

— Merci de m'avoir raccompagnée, Gabriel.

— Attends, Annie, quand est-ce que je peux te revoir?

— Nous nous verrons à l'école lundi.

J'étais sortie de sa voiture malgré moi. Je n'arrivais pas à croire qu'il puisse s'intéresser réellement à moi. Je ne pouvais pas en vouloir à mon frère, j'étais soulagée de ne plus avoir à faire face à toutes les sensations que j'avais ressenties quand il m'avait embrassée.

— Allez, Annie, rentrons à la chambre, j'ai hâte de découvrir ce site en soirée.

La voix de Justine me ramène à la réalité, j'étais loin dans mes souvenirs.

— Oui, allons-y. Pour ma part, j'ai hâte de sortir danser.

Je dois me changer les idées; je ne veux pas penser au passé. Nous quittons la plage pour aller nous préparer. Il faut bien être dans le Sud pour prendre deux douches par jour au minimum, en plus de se baigner.

— Je me demande bien si Ève profite de son massage, enchaîné-je.

— Moi aussi, j'aimerais bien me faire masser cette semaine. J'ai hâte d'avoir ses commentaires.

Ève nous revient un sourire aux lèvres. Je ne croyais pas que c'était possible de la voir encore plus calme. Je ne sais pas si c'est l'air de Cuba ou les consommations que nous avons rapportées de la plage, mais moi aussi, je commence à être pas mal zen.

— Les filles, est-ce que je peux vous dire encore comment je suis au paradis ici avec vous ? lancé-je.

Je me colle à elles.

— Tu sais, Annie, si j'avais ce beau Maxime en vue ce soir, moi aussi, je serais au paradis ! rétorque Ève.

— Voyons, Ève, il regardait toutes les filles.

— Comment tu peux dire ça ? Il t'a dévorée des yeux pendant toute la partie.

— Mais qu'est-ce que j'ai manqué ? s'enquiert Justine.

— Ah, Justine, tu aurais dû voir ce beau grand blond cet après-midi faire de l'œil à notre amie.

— Tu exagères, Ève ! protesté-je.

Je dois avouer que d'avoir ce regard sur moi m'a fait du bien. Je ne sais pas où la soirée me mènera avec Maxime, mais j'ai pensé à lui en m'habillant de ma petite robe blanche, un peu trop moulante, assurément la plus affriolante dans ma valise.

Chapitre 8

Je ne sais pas ce qu'il y a dans l'air, mais une soirée à Cuba, ce n'est pas comme une soirée à Montréal. Je sens que je pourrais rester debout toute la nuit tellement j'aime l'ambiance. Je constate que j'ai travaillé beaucoup dernièrement; je ne me souviens même pas de la dernière fois que je suis sortie pour m'amuser un peu. C'est vrai que l'hiver, tout le monde sort moins, c'est comme si nous hibernions, d'une certaine façon. Ce soir, je me sens comme si c'était la première fois que je m'assoyais sur une terrasse au mois d'avril. L'air est vivifiant à ce point, je me sens revivre, je sens que tout est possible.

Nous ne tardons pas au restaurant. De toute façon, à part pour manger, ce n'est pas un endroit où nous voulons nous attarder. Il y a beaucoup trop de bruit et d'action avec tout le monde qui se lève pour aller au buffet. Il y a des files à toutes les stations; je sens que je ne mangerai pas assez cette semaine. C'est peut-être moi qui ne tiens pas en place, j'ai envie de bouger. Que la soirée commence!

— Vous feriez mieux de me suivre ce soir! les intimé-je.

— Bien sûr, Annie, chose promise, chose due! accepte Justine.

— J'ai bien hâte d'aller danser, c'est dommage que la discothèque n'ouvre pas maintenant.

— Je suis certaine que nous allons nous amuser au spectacle, tu as rendez-vous après tout, me nargue Ève.

— Ma belle Ève, Maxime est un gars en vacances, je n'ai pas d'attentes.

— C'est parce qu'il ne te fait aucun effet que tu as mis cette petite robe ? Tu sais, si elle était plus moulante, tu aurais du mal à respirer, ironise-t-elle.

— Ce que notre amie tente de te dire, intervient Justine, c'est que ton Maxime n'a aucune chance si tu décides qu'il mérite ton attention.

— Je ne sais pas ce qu'il mérite, mais je dois avouer que je ne suis pas indifférente à ses regards, admets-je.

— Je le savais ! s'exclame Ève.

— Ne va pas trop t'exciter, Ève, laissons-le courir un peu, on verra bien ce qu'il mérite !

Nous arrivons au spectacle après avoir marché un peu sur le site. Je vois tout de suite Maxime et son ami Charles qui nous font signe d'aller les rejoindre. Ils sont assis près du bar. Je m'installe à la chaise libre à côté de lui. Justine prend une place à côté de son ami, qui semble déjà être sous son charme. Qui ne le serait pas ? Elle est bien sûr très réservée, mais elle n'a pas conscience de tout ce qu'elle dégage. Je crois que c'est cette naïveté qui la rend encore plus attirante. De s'amuser cette semaine lui ferait aussi du bien, c'était une bonne idée de venir les rejoindre. Je me sens un peu mal pour Ève, mais je suis certaine qu'elle s'amusera également.

— Je suis heureux que tu aies décidé de venir me rejoindre, Annie, commence Maxime.

Je dois dire que j'admire sa franchise.

— Ne sois pas si sûr de toi, le rabroué-je.

— Tu sais, plus tu me résistes, plus que j'ai envie de m'approcher.

Il le fait, et j'ai soudainement chaud.

— Tu comprends mal, Maxime; je n'ai pas envie de te résister, répliqué-je.

— Ne me dis pas ça, Annie, tu ne sais pas quel effet tu me fais.

Qu'est-ce que je suis censée lui répondre?

— Profitons de la soirée, nous verrons bien où ça nous mènera.

— Tu n'as qu'à me dire quand, Annie, je suis tout à toi, m'assure-t-il.

Son regard me dit tout. Pourquoi est-ce si simple pour un gars? J'envie leur liberté à suivre leur intuition pour combler leurs besoins. Moi aussi, j'ai des besoins, mais je m'imagine mal les dévoiler si ouvertement.

— J'apprécie ton honnêteté, Maxime.

— Tu sais, Annie, je peux te dire tout ce que tu veux entendre, mais je ne te cacherai pas que quand je t'ai vue arriver au restaurant ce soir avec cette robe, le contraste avec tes cheveux brûlants… je dois te confier que je sais exactement où j'aimerais que ça nous mène.

Cette discussion commence à me rendre mal à l'aise. Je suis partagée entre mon envie de lui sauter dessus et celle de me sauver en courant. Je décide de m'enfuir.

— Allons danser, les filles!

D'un seul élan, je me lève, mais je ne veux pas qu'il pense qu'il ne m'intéresse pas. Je me retourne et m'approche de lui en déposant une main sur son épaule. Comme il sent bon! Je lui chuchote à l'oreille:

— Je l'ai mise pour toi, cette robe.

Je ne sais pas où j'ai trouvé ce courage (peut-être dans tous les verres que son ami nous a rapportés du bar), mais ce petit jeu entre nous me fait du bien. Je ne peux pas cacher que j'ai envie de lui, mais je dois penser à mes amies : elles ne sont pas ici pour me voir tomber dans le lit du premier gars qui me fait de l'œil. Quand je suis avec elles, on dirait qu'il y en a toujours un qui me tourne autour. Pourtant, je ne fais rien pour les attirer.

Je ne sais pas s'il va nous suivre, mais je souhaite bien qu'il le fasse.

— J'ai hâte de danser !

— J'ai l'impression d'être replongée à notre première année de cégep. Comme nous sommes sorties cette année-là ! nous rappelle Ève.

Nous sommes toutes les trois fébriles. C'est vrai que la soirée me rappelle de bons souvenirs aussi.

Nous arrivons enfin à la discothèque, qui est en retrait des blocs de chambres. Je comprends bien pourquoi : la musique est très forte, nous l'entendons de l'extérieur. Je suis surprise quand nous entrons. C'est une vraie discothèque avec un grand plancher de danse, des lumières multicolores qui vont dans tous les sens ; je suis comblée.

Nous nous trouvons rapidement les trois à nous déhancher. Je pourrais danser toute la nuit. Au bout d'un moment, je vois Maxime et son ami Charles arriver. Ils s'installent pour prendre un verre, mais je n'ai pas envie d'arrêter de danser.

— Annie, j'ai soif, nous arrêtons un peu ? propose Justine.

— Non, j'aime cette chanson. Arrêtez, je viendrai vous rejoindre.

Comme par magie, Maxime choisit ce moment pour arriver près de moi.

— Je peux danser avec toi ?

— Bien sûr.

Il danse bien, je suis surprise. Je me laisse porter par le rythme de la musique sous le regard perçant de Maxime.

Au bout d'un moment, Justine revient seule et me dit qu'Ève est rentrée. Je me demande si nous aurions dû l'accompagner, même si je n'ai aucune envie de partir. Lorsqu'une chanson plus langoureuse commence, Maxime m'attrape par la taille pour danser avec moi. Je ne lui résiste pas. Je vois que Justine commence à danser avec Charles.

— Tu danses bien, Annie.

— Toi aussi, tu n'es pas si mal.

Nos corps s'entrelacent dans tous ces mouvements, mes cuisses ne cessent de se coller aux siennes, son corps chaud se moule au mien ; c'est trop. Je suis soulagée quand la chanson s'arrête.

— Allons nous asseoir pour prendre un verre, suggéré-je.

Justine et Charles ne sont plus là. Ils ne doivent pas être bien loin. Je ne pourrai pas résister longtemps si je passe la soirée près de Maxime ainsi. Pendant qu'il va nous chercher un verre, je tente de calmer mon corps qui a bien aimé se trouver si près de lui. Je suis partagée entre mon envie d'être une fille sage ce soir et celle de me laisser séduire par ses beaux yeux bleus qui me fixent.

— Tiens, ma belle Annie.

— Merci.

Quand Justine et Charles reviennent nous rejoindre, il semble s'être passé quelque chose, car je perçois un froid entre eux. Je ne suis peut-être pas la seule à vivre des rapprochements ce soir.

— Annie, est-ce que tu es prête à rentrer ? me demande mon amie.

— Non.

Ma réponse sort toute seule, mais je ne suis pas prête.

— J'aimerais rester, mais tu peux y aller si tu veux.

— Je n'aime pas te laisser seule, proteste-t-elle.

Comme j'allais lui répondre de ne pas s'inquiéter, Maxime s'empresse de la rassurer qu'il me raccompagnera. Est-ce vraiment ce que je veux ? Il glisse une main sur ma cuisse.

— Ça te va, Annie ? vérifie-t-il.

Il m'offre le choix, mais il est évident que si je reste, il saura que c'est pour être avec lui, je n'aurai plus mes amies.

— Ne m'en veux pas, mais j'ai encore envie de danser. Je te promets que je laisse Maxime me raccompagner.

Je vois que Justine semble inquiète, mais je la rassure du mieux que je peux. Que peut-il m'arriver ?

Chapitre 9

*N*ous restons à la discothèque encore un peu. J'adore me perdre sur la piste de danse au rythme de la musique. Maxime ne me laisse pas; nous avons une belle complicité quand nous dansons. Je sais qu'il commence à être tard et que je dois rentrer si je veux suivre les filles demain.

— Tu me raccompagnes, Maxime?

— Bien sûr, beauté, tout ce que tu désires, accepte-t-il.

Nous sommes seuls, Charles a disparu. Je ne sais toujours pas ce que je veux qu'il se passe entre nous. Comme j'aimerais avoir l'insouciance de ma jeune vingtaine, quand je ne pensais jamais aux conséquences! Mais je n'ai aucune envie de gâcher ma semaine en ayant à le revoir tous les jours si j'ose m'aventurer un peu trop loin avec lui.

Nous avançons sur un des petits chemins qui mènent aux chambres. Il me prend la main et nous marchons dans le silence, mais je sens toute notre attirance qui a du mal à se faire discrète. Je tente de me rappeler la dernière fois que je suis sortie d'un bar aux petites heures au bras d'un inconnu. Ça fait longtemps.

Nous arrivons près de la piscine, pas trop loin de ma chambre. Malgré le bruit du bar qui n'est pas loin, tout est calme autour de nous.

— Tu veux un dernier verre? propose Maxime.

— Je ne sais pas si c'est bonne idée. Je ne m'en rendais pas trop compte pendant que je dansais, mais là, je sens tout l'alcool de la soirée me monter à la tête.

— Tu veux t'asseoir un peu avec moi sur le bord de la piscine ? J'aimerais profiter d'un dernier moment avec toi.

— Je veux bien rester avec toi, Maxime.

J'ai passé une belle soirée, il me plaît bien, mais qu'est-ce que je souhaite trouver derrière tous ces mots doux ? Il me semble que j'ai fait le tour de ces relations sans avenir, j'ai 28 ans quand même. Le film que j'ai visionné dans l'avion me revient en tête. Maxime, un beau superhéros, avec qui je pourrais partager quelques baisers passionnés et même encore plus si je me fie à la manière dont mon corps réagit au sien, mais après ?

Nous nous approchons des chaises longues. Il s'installe en premier et m'approche pour que je vienne m'asseoir devant lui. Je vois tant de désir dans ses yeux. Lorsque je m'avance, il s'empresse de passer ses bras autour de ma taille, comme s'il voulait me retenir. Je sens immédiatement toute la chaleur de son corps derrière le mien. Je me recule un peu pour être encore plus collée à lui. Son érection est maintenant bien appuyée dans mon dos et j'entends sa respiration qui s'accélère.

— Tu vois ce que tu me fais ? Si je ne partageais pas ma chambre avec Charles, je te demanderais de m'y accompagner.

— C'est bien plus excitant être ici, non ?

— Je n'ai pas besoin d'être plus excité, Annie.

Il commence à m'embrasser dans le cou. Puisque mes cheveux sont attachés, il a un accès parfait. Un frisson me traverse. Il glisse ses lèvres chaudes sur ma peau, et je les imagine sur tout mon corps.

— Maxime.

Je ne veux pas qu'il s'arrête. Je me retourne pour déposer mes mains sur lui. Je le fixe un moment. Comme il est séduisant! J'ai envie qu'il m'embrasse.

— Embrasse-moi.

Son baiser est tout en douceur, comme s'il voulait faire durer le moment. Par contre, nos corps nous trahissent et voudraient bien que nous accélérions cette séduction. Je glisse mes mains dans ses cheveux. Nous nous embrassons un peu plus intensément. Il caresse mon corps jusqu'à ce que ses mains arrivent à mes seins. Je ne veux pas qu'il s'arrête. Ma robe est si ajustée que lorsqu'il commence un doux massage par-dessus le tissu, je sens mes mamelons qui se pointent pour lui; ils veulent qu'on s'occupe d'eux. Il comprend bien ce que j'aimerais et il les serre entre ses doigts habiles avec juste assez de pression. Sa bouche m'embrasse à nouveau le cou; je voudrais tellement plus. J'ai envie de me perdre dans ses bras.

Je commence à glisser mes mains sur son torse chaud. Je n'hésite pas à les faufiler sous son chandail.

Je ne rencontre que des muscles; je reconnais son corps que j'ai vu à la plage. Il est parfait. Je continue mon exploration en me dirigeant sur son ventre. J'ose descendre jusqu'à son érection, que je caresse sur toute sa longueur par-dessus son pantalon; son excitation m'excite davantage.

— Annie, tu vas devoir arrêter, sinon ça va être gênant pour moi.

Je le regarde dans les yeux et je comprends ce qu'il vient de me dire.

— Je pensais que tu pourrais tenir plus longtemps.

— Ne me tente pas, Annie, parce que je vais te montrer à quel point je peux tenir longtemps.

J'hésite. Je ne sais pas ce que je veux. Je me rapproche pour continuer de l'embrasser. Il a si bon goût, ses doux baisers me font oublier que nous sommes toujours sur le bord d'une piscine. Je sors de ma bulle quand j'entends un groupe de filles qui discutent de plus en plus fort près de nous. Je me décolle rapidement de son corps brûlant. J'ose à peine le regarder, je sais qu'il est aussi excité que moi.

— Je devrais rentrer, indiqué-je.

— J'aimerais que tu ne te sauves pas.

— Je suis sur cette île pour la semaine, je ne peux pas me sauver bien loin.

— Tu sais ce que je veux dire.

— J'ai envie de te revoir, Maxime, mais…

Les filles choisissent ce moment pour se rapprocher. Je reconnais le petit groupe qui a dansé avec moi plus tôt.

— Ah, Annie! Nous pensions bien que c'était toi, s'exclame l'une d'entre elles.

Je regarde Maxime. Notre moment est vraiment terminé.

— Désolée, m'excusé-je.

Il se lève et me chuchote à l'oreille :

— Tu as de la chance que ces filles soient arrivées. Ce n'est que partie remise, je suis patient.

Il m'embrasse tendrement le front.

— Merci de m'avoir raccompagnée.

Il me quitte en me laissant avec les filles qui ne se sont pas gênées pour s'asseoir à côté de nous.

— J'espère que nous ne l'avons pas fait fuir, dit l'une d'elles.

Elles sont bien jeunes, je vois bien qu'il n'y a pas de malice dans leur intervention.

— Ne vous inquiétez pas, les filles, mais moi aussi, j'allais rentrer, annoncé-je.

— Non, reste, nous venons de nous prendre une autre tournée en passant à côté du bar. Tiens, fête avec nous !

Elle me passe une belle petite boisson colorée. Je me dis : *Un dernier et je rentre.*

— Salud !

Nous restons sur le bord de la piscine à bavarder de tout et de rien. Sans trop m'en rendre compte, je bois quelques verres de plus. Il y a toujours une volontaire pour aller en chercher d'autres.

— C'est tellement le paradis ici, non ?

— Tu as raison, si nous étions au Québec, nous ne serions pas assises à la belle étoile à profiter du beau temps, rétorqué-je.

La fatigue me gagne, je dois rentrer. Comme je me lève, je constate à quel point j'ai la tête qui tourne. Lorsque je regarde la piscine, il me semble que de me baigner pour me rafraîchir avant de me coucher me ferait du bien. Même si Maxime m'a quittée, la chaleur de son corps est restée imprégnée sur le mien. Je ne peux pas croire qu'il m'a quittée sans insister pour aller plus loin. Est-ce que je l'aurais laissé faire ? J'en avais tellement envie.

— Comme la piscine est belle à cette heure ! Nous devrions nous baigner, proposé-je.

— Tu n'as pas peur ? Quand je ne vois pas le fond, tu devrais me payer cher pour y aller.

— J'ai chaud, il me semble que ça me ferait du bien avant de me coucher.

Sans réfléchir, je saute.

— Non, ne saute pas !

J'entends à peine la voix des filles qui crie leur surprise. Comme l'eau est bonne, je profite de ce moment de calme. Je n'ose même pas imaginer de quoi j'aurai l'air en sortant, mais je me dis qu'il fait noir, que personne ne va me voir et qu'en plus, ma chambre n'est pas loin. Je nage doucement sur le dos, je me sens seule au monde. Le ciel étoilé est magnifique.

Une voix m'appelle, celle d'un homme. Je ne peux pas croire que ça serait quelqu'un qui travaille ici. J'entends qu'il parle français, donc ce n'est pas un employé. Cette voix m'est familière... Est-ce Maxime ? Je me dirige vers le son de la voix en continuant de nager. Il m'invite à sortir. Je crois que ma petite folie a assez duré. Je ne reconnais toujours pas l'homme qui veut m'aider à sortir lorsque je commence à monter les marches. Je lève la tête pour prendre la main de cet inconnu que j'ose à peine le regarder dans les yeux. C'est à ce moment que j'entends mon nom. Cette voix, je ne l'ai jamais oubliée.

— Gabriel !

— Je vois que tu aimes vivre pleinement, Annie.

Comment peut-il être ici, comme si de rien n'était, tout bonnement, au milieu de la nuit, à Cuba !

— Mais... mais qu'est-ce que tu fais là ?

— C'est moi qui devrais te demander à quoi tu as pensé de sauter dans cette piscine tout habillée.

— Ah, mon Dieu, ma robe !

Je tente de me cacher.

— Ne te cache pas, Annie, tu es magnifique.

— Je ne comprends pas.

Je suis sans mot. Il enlève son t-shirt et me l'offre pour m'essuyer ou me cacher, je ne sais pas trop. J'hésite à le prendre, mais je ne peux m'empêcher de fixer son torse nu devant moi. Il est vraiment là, c'est lui. J'ai juste envie de le toucher pour m'assurer que je ne rêve pas.

— Mets mon t-shirt, je ne veux pas que tu te mettes à grelotter. Je vais t'accompagner à ta chambre.

— Non! m'exclamé-je un peu trop vigoureusement. Désolée, ce que je veux dire est que ma chambre est juste à côté.

Lorsque son odeur me vient, je me dis que je n'enlèverai jamais ce t-shirt. Pourquoi faut-il qu'il soit là après toutes ces années?

— Merci, mais je dois rentrer, mes copines vont s'inquiéter, insisté-je.

— Je comprends. Tu sais, c'est un choc pour moi aussi de te revoir.

Un choc! J'ai l'impression d'être replongée 10 ans en arrière. Il est encore plus beau que dans mes souvenirs. Je sens mon cœur qui bat si fort, et j'espère qu'il ne l'entend pas.

— Je dois rentrer.

— Attends, lance-t-il.

Je ne sais même pas comment je rentre à la chambre. Nous devons avoir la capacité de nous mettre en mode automatique quand nous sommes en état de choc parce que quand ma tête se dépose enfin sur mon oreiller, je ne sais plus ce qui est réel et ce qui ne l'est pas.

Chapitre 10

Gabriel

J'espère que je ne ferai pas une folie. Je n'ai pas encore confié à Simon la raison principale de ce voyage. Il pense que notre destination a tout à voir avec l'essai d'un nouveau jouet que je veux commercialiser, mais il ne sait pas que ce n'est qu'une excuse. J'aurais peut-être dû venir tout seul, mais je trouvais que ça n'aurait pas été aussi plausible comme coïncidence. Comme je rêve de la revoir ! Elle ne sait pas ce qui l'attend.

Mon Annie. J'ai hâte que nos regards se croisent à nouveau. J'aimerais retourner en arrière te faire toutes les promesses qu'un jeune amoureux naïf peut faire. Je sais que je t'ai fait de la peine, même si je ne sais toujours pas pourquoi. Je t'ai attendue des semaines sans que tu me donnes signe de vie. Tout ce que tu as pu faire, quand je t'ai enfin parlé, a été de me souhaiter de réaliser mes rêves. Tu étais la seule à connaître mes rêves les plus fous. Tu m'as tout bêtement laissé tomber, comme si tout ce que nous avions vécu ne revêtait aucune importance. J'aimerais te prouver que tu as eu tort.

Même si j'ai longtemps pensé que je m'attachais à une idéologie de jeunesse, que notre relation ne pouvait pas être aussi parfaite que dans mes souvenirs, je suis persuadé qu'il n'y a qu'avec toi que je serai heureux. Comme j'aurais aimé être là pour toi quand tu as enfin reçu ton diplôme en beaux-arts. Je n'ai jamais rien senti de mieux que ton odeur après que tu as passé un moment avec tes tubes de peinture. Je sais que je devrai faire preuve de beaucoup de finesse pour ne pas te faire peur. Je donnerais tout ce que j'ai accumulé pour que ton regard amoureux se pose à nouveau sur moi. Il faut que je me maîtrise, je suis redevenu l'adolescent qui est tombé amoureux de sa belle sirène.

— À quoi tu penses, Gabriel ? s'enquiert Simon. Je ne t'ai jamais vu aussi distrait.

— Ce n'est rien, je tentais juste de me souvenir si j'avais pensé à tout pour ce voyage.

— Tu penses toujours à tout. Tu sais, ces vacances vont te faire du bien, tu travailles beaucoup trop.

— Travailler ? Tu sais, Simon, c'est exactement pourquoi je fais ce que je fais : je n'ai jamais l'impression de travailler, je gagne ma vie en m'amusant, répliqué-je.

— Je pense que c'était vrai, mais avec tous tes projets d'expansion, tu n'auras bientôt plus un moment à toi pour faire ce que tu aimes vraiment.

— J'admire ta jeunesse, Simon, mais je dois avouer que j'en ai assez de m'amuser autour du monde avec mes jouets. Je crois avoir fait le tour.

— Tu ne peux pas dire ça, tu es reconnu pour tous tes périples ! Ton fan-club ne te le pardonnera jamais si tu les laisses tomber.

— C'est pourquoi je vais leur offrir de vivre les mêmes expériences que moi. C'est génial quand on y pense, remarqué-je.

— Oui, il y en a plusieurs qui aimeraient bien suivre tes traces.

C'est le vol le plus long de ma vie même si j'ai fait le tour du monde avec mes sports extrêmes. Il n'y a jamais rien eu à mon épreuve. Les premières années après notre rupture, je ne ressentais plus rien, j'avais eu besoin de sentir que le sang circulait encore dans mes veines. J'ai pris une année pour réfléchir à mon avenir quand Annie m'a laissé tomber. Voyant que je n'avais plus de ses nouvelles, j'ai rempli mon sac à dos et je suis parti rechercher les sensations fortes de la vie. J'ai commencé avec les sauts en parachute. Je m'étais dirigé vers le Grand Canyon pour y vivre cette expérience. Avec le temps, j'avais rencontré des gens aussi passionnés que moi, et nous nous donnions rendez-vous partout sur la planète.

À cette époque, j'ai commencé à travailler dans une boutique de sports près de Québec, six mois par année, pour financer mes aventures. Le propriétaire m'a pris sous son aile quand il a vu à quel point j'étais passionné, mais qu'il a compris que je n'avais absolument aucun plan pour mon avenir. Je ne me voyais plus retourner sur les bancs d'école. Il m'avait incité à suivre des cours de gestion en me promettant que je pourrais acheter son commerce quand il déciderait de prendre sa retraite. Je n'en croyais pas ma chance; il a été comme un père moi. J'ai des parents extraordinaires, mais ils n'avaient jamais su quoi faire avec toute mon énergie. Mon patron, qui est devenu mon ami et mentor, avait su la canaliser. J'ai étudié pendant des années, le soir et les week-ends, jusqu'à ce que j'obtienne l'équivalent d'un baccalauréat en gestion des affaires. Il avait cru en moi quand je tentais de fuir la réalité de ma vie.

Me voici maintenant à Cuba, endroit que je n'ai jamais eu la chance de visiter même si je rêve de venir y faire de la planche aérotractée depuis des années. J'ai commencé il y a quelques années à offrir ce genre d'équipement après avoir eu la piqûre pour la planche à neige aérotractée. C'est le même sport, mais au lieu de glisser sur l'eau, c'est sur la neige que ça se passe. J'ai même ouvert une école pour pouvoir offrir à mes clients qui embarquent dans toutes mes folies un endroit pour apprendre à en faire, mais surtout pour profiter de ce sport tellement exaltant. Il semblerait que je ne suis pas le seul adulte en quête de sensations fortes ou qui a des choses à oublier. Simon est mon nouveau gérant de boutique. Il est encore jeune, mais je sais qu'il a besoin de sport autant que moi. Je ne pouvais trouver mieux pour prendre ma place à Québec pendant que je m'occupe de l'ouverture prochaine d'une nouvelle succursale sur la Rive-Sud de Montréal. Les projets ne cessent pas depuis quelques années avec l'ajout d'une agence de voyages qui organise des excursions intenses partout à travers le monde.

Nous arrivons vers midi. Simon et moi passons l'après-midi sur le bord de la piscine à profiter de la belle journée. Je ne tente même pas de la chercher, car je me dis que je la croiserai bien assez vite. J'ai peine à y croire. J'aimerais avoir un plan, mais je n'en ai pas. Le soir, nous sortons manger, mais Simon n'a pas envie de sortir. Je n'insiste pas, nous prenons une dernière bière ensemble avant qu'il entre à sa chambre. C'est vrai que nous nous sommes levés très tôt, il fallait arriver à l'aéroport pour quatre heures. Je ne regrette pas qu'il me laisse tomber : je dois commencer mes recherches.

Elle doit être sortie ce soir avec ses copines. Elle ne sait pas que je sais tout ce qui se passe dans sa vie. Elle est devenue amie avec ma sœur sur Facebook, alors je sais tout d'elle. C'est sur un coup de tête que j'ai décidé de réserver ce voyage quand j'ai vu qu'elle partait avec ses copines. Vive Facebook! Je commence à me demander si c'est une bonne idée de la croiser à cette heure dans la soirée. Elle ne comprendra pas ce que je fais là, et je ne veux certainement pas qu'elle parte en courant quand elle me verra.

Je me dis que je vais reporter mes recherches à demain. En plein jour, avec Simon, c'est une meilleure idée; elle va croire à la coïncidence. Je rebrousse chemin. Le site est assez grand, mais il est facile de s'y retrouver. Je croise un dernier bar pas trop loin de ma chambre et décide d'y jeter un coup d'œil en passant.

Un petit groupe bavarde fort sur le bord de la piscine. On dirait des filles qui ont pris un verre de trop. L'une d'entre elles dit qu'elle n'a pas peur de se baigner même s'il fait noir. Ça me rappelle un souvenir bien lointain : mon premier été avec Annie. Tout avait été magique avec elle. Nous nous donnions rendez-vous le soir au lac près du chalet de sa famille pour aller nous baigner. Je ne sais pas où nous trouvions notre courage de rentrer dans un lac si noir. Je me souviens juste de comment j'avais envie d'elle et que toutes les occasions étaient bonnes pour me coller à son corps de déesse. Nous étions seuls au monde dans ces moments de passion.

Les filles parlent de plus en plus fort.

— Non, ne saute pas!

— Pourquoi pas ? J'ai chaud !

Juste au moment où je reconnais cette voix, j'entends des éclaboussures dans l'eau. Mon Annie, ça ne peut être qu'elle. J'entends des filles qui se mettent à hurler.

— Tu dois sortir de là !

Mais ma belle sirène ne les écoute pas et nage comme si elle était seule au monde. Elle m'a toujours impressionnée ; elle nage très bien. Je dois la sortir de là avant qu'elle attire trop d'attention. Je m'approche de la piscine. On dirait un ange avec sa robe blanche qui enveloppe son corps. C'est vraiment elle !

— L'escalier est par ici, viens, je vais t'aider à sortir, lui indiqué-je.

Je ne sais pas si elle reconnaît ma voix, mais elle s'approche. J'enlève mes souliers pour descendre sur les premières marches.

— Oui, c'est ça, par ici, l'encouragé-je.

Elle commence à monter les marches et arrive directement en face de moi.

— Salut, Annie, je ne pensais jamais te croiser ici !

JOUR 2

Chapitre 11

Je ne veux pas ouvrir les yeux. Je faisais le plus beau rêve; mon Gabriel, ici, à Cuba. Pourquoi faut-il qu'il choisisse ce moment pour réapparaître dans ma vie? Que devait-il penser de moi? Il me retrouve 10 ans plus tard dans une piscine tout habillée au milieu de la nuit. Comme j'ai honte!

Je ne peux pas croire que je vais devoir lui faire face. Est-ce que je pourrais rester caché dans ce lit? J'ouvre les yeux pour m'apercevoir qu'il n'y a personne dans la chambre, mais j'entends la douche. Comme je m'assois, je sens que j'ai la tête qui tourne et le mal de cœur m'assaille. Dormir quelques heures n'a pas été assez.

— Bonjour, Annie! me crie Ève en sortant de la salle de bain.

— Pas si fort.

— Je parle normalement. Pauvre Annie, tu es verte.

— Merci du compliment. Je crois que je vais vomir.

— Nous aurions dû rester avec toi hier.

— Tu penses que j'aurais moins fêté? rétorqué-je

— Peut-être pas, mais tu serais rentrée plus tôt. Tu t'es couchée à quelle heure?

— Je ne sais plus, mais je sais que je mangeais des frites sur le bord de la piscine vers deux heures !

— Finalement, les frites ne sont pas si mal ? ironise-t-elle.

— J'apprécie ton humour, mais ma tête va exploser.

— Je te sors des comprimés. Va prendre ta douche, ça te fera du bien.

— Si je peux me rendre.

— Justine ne devrait pas tarder à revenir. Tu n'as pas oublié que nous faisons l'excursion de catamaran aujourd'hui ? vérifie-t-elle.

— Ah, mon Dieu, j'irais m'échouer sur la plage à la place.

— Nous avons déjà payé et il n'est pas question que tu ne nous suives pas à ton tour.

— Ah, ah !

Je me rends enfin dans la salle de bain pour prendre ma douche. Je crois que je vais être malade. Je me regarde de longues minutes dans le miroir et tente de me reconnecter avec la fille devant moi parce que tout me semble surréel ce matin. Seul mon mal de cœur me confirme que je n'ai pas imaginé la soirée d'hier. Je ne peux pas croire que cette semaine au paradis vient de prendre un tournant que je n'aurais pas pu prévoir, même avec mon imagination fertile. Même Justine, la plus romantique que je connaisse, ne le croira pas quand je lui dirai que Gabriel, mon premier grand amour (mon seul amour, pour tout dire), est ici. Mais qu'est-ce que j'ai fait pour mériter un sort pareil ?

Bien sûr, il m'a semblé encore plus beau et charmant qu'il y a 10 ans, mais je ne l'ai pas laissé pour rien. Ressaisis-toi, Annie, tu ne vas pas te replonger dans cette histoire qui t'a fait tant de peine, peu importe à quel point ton Gabriel te fait de l'effet. Ah, mon Dieu, qu'est-ce que je vais faire?

L'eau de la douche me fait le plus grand bien. Je sais que mes copines m'attendent, du moins je pense bien... À moins qu'elles aient décidé d'aller manger sans moi. Il est évident que je ne mangerai pas ce matin. Tous les souvenirs de ma fin de soirée refont surface; je ne sais pas comment je vais faire face à Gabriel. Je repense aussi à Maxime, que j'ai presque oublié. La semaine s'annonce digne d'une téléréalité avec ce possible triangle amoureux. Il faut que j'arrête de réfléchir, je ne suis pas en état de penser clairement. *Pourquoi* est le seul mot qui se répète dans ma tête.

Heureusement que j'ai mes copines pour me changer les idées ce matin. Vu mon état, elles ne s'attendent pas à ce que je fasse la conversation; c'est parfait. Je les ai accompagnées au buffet pour tenter de manger au moins des rôties, car mes amies m'ont fait comprendre que mon mal de cœur allait s'amplifier avec le trajet en autobus et en catamaran par la suite si je ne mangeais pas un peu. Elles sont si prévenantes! C'est surtout les espressos qui m'ont fait du bien. J'en ai pris une triple dose en passant par le bar avant de venir manger mon petit-déjeuner; le café du resto n'est pas aussi fort.

J'aimerais leur parler de ma soirée, mais je ne sais pas par où commencer. *Les filles, je me suis laissée séduire par Maxime hier soir. Ç'aurait pu aller plus loin, mais j'ai décidé d'être sage et de prendre mon temps parce que je l'aime bien. Ah oui, j'ai aussi décidé de sauter dans la piscine tout habillée parce que j'avais chaud et je n'avais plus toutes mes facultés. Bien sûr, j'aurais pu me noyer étant donné la quantité d'alcool que j'avais consommé, mais* il faut croire que mes cours de natation ont dû servir, parce que j'étais comme un poisson dans l'eau. *Si vous pensez que tout ça, c'était excitant, imaginez-vous donc que ce n'est nul autre que Gabriel, oui, oui, mon grand amour de jeunesse, qui m'a sortie de la piscine. Bien oui, il est apparu au beau milieu de la nuit, ici, à Cuba, comme si les 10 dernières années n'avaient jamais existé. Comment s'est passé le reste de votre soirée ?*

Je vais leur en parler plus tard quand j'aurais dormi un peu. Je réussis à me cacher sous mes lunettes soleil, soulagée de n'avoir vu aucun de mes deux hommes à bord de l'autobus ni du catamaran.

— Pauvre Annie, tu ne l'as pas facile ce matin, me plaint Ève avec son regard de petite maman.

Elle doit être tellement bonne avec les enfants de la garderie où elle travaille.

— Ça va aller, j'ai juste hâte de m'installer sur une chaise longue à la plage, la rassuré-je.

— J'ai tellement hâte de faire de la plongée en apnée. Justine, est-ce que tu as compris ce que le guide expliquait avant que nous débarquions du catamaran ?

— Bien sûr. Je dois avouer que son accent n'était pas facile à saisir, il mélange le français, l'espagnol et l'anglais. Il a dit qu'il y aura de l'animation toute la journée, que le déjeuner sera servi vers midi et que l'endroit pour faire de la plongée est situé de l'autre côté de cette petite île. Nous n'avons qu'à prendre l'équipement quand nous aurons envie d'y aller.

Nous nous trouvons un coin de plage parfait.

— Allons nous baigner, Ève, laissons notre amie se reposer, suggère Justine.

— Merci d'être sympathique à ma cause, je ne veux plus bouger. Amusez-vous.

Mes copines me laissent seule sur cette plage paradisiaque. Même si je ne vais pas trop bien, je suis capable de reconnaître que c'est magnifique. Je ferme les yeux. Le bruit des vagues me porte doucement et le petit vent salé caresse ma peau, qui me semble bien sensible ce matin. Je repense aux doux baisers de Maxime, à tout ce que j'ai ressenti dans ses bras, mais les souvenirs de Gabriel viennent rapidement les remplacer.

Je ne sais presque rien sur sa vie, encore moins sur ce tout ce qu'il a fait depuis que nous nous sommes quittés. J'avais coupé tout contact avec ce qui me faisait penser à lui. Même quand je visitais ma famille, je me faisais un devoir d'aller les voir sans me promener dans les environs de peur de le croiser. Il y a quelque temps, sa sœur m'a fait une demande d'amitié sur Facebook. J'ai hésité avant de l'accepter, mais j'ai conclu que je n'avais pas eu de ses nouvelles depuis longtemps et que j'aimerais bien en avoir. Nous avions quand même été proches, elle avait à peine un an de moins que moi. Je dois avouer que j'étais aussi curieuse de voir ce que Gabriel était devenu. Par cette amitié virtuelle, j'ai appris que Gabriel était encore célibataire et qu'il semblait avoir une boutique de sports dans le coin de Québec. Le voir en photo m'avait encore donné des papillons dans le ventre.

J'ai dû dormir un peu parce que lorsque je tente de m'ouvrir les yeux, je constate qu'une ombre me bloque maintenant le soleil. Je ne peux pas croire qu'il y a des nuages, le ciel était si bleu ! J'ouvre enfin les yeux pour voir que ce n'est pas un nuage qui cache le soleil, mais bien Gabriel, qui me regarde avec son plus beau sourire. Il semble être bien fier de m'avoir retrouvée. Moi qui pensais être bien cachée. Je l'observe sans enlever mes lunettes ; je ne veux pas qu'il voie toute mon humiliation de la veille.

— Je suis heureux de te revoir, Annie. Tu es seule ? s'informe-t-il.

— Mes amies se baignent. Toi, tu es seul ?

Je souhaite profondément qu'il ne soit pas accompagné d'une fille, je ne pense pas que je pourrais le supporter.

— Non. Je suis avec un ami.

Je suis soulagée que ce ne soit pas avec une petite amie.

— Merci encore pour ton t-shirt.

Quelle bêtise ! Pourquoi je perds tous mes moyens auprès de lui après tout ce temps ?

— Je ne pensais jamais te retrouver de cette façon, mais je ne peux te cacher que je suis heureux de te revoir, admet-il.

Il me regarde si intensément. J'aimerais lui dire tellement de choses, mais je dois d'abord retrouver mes capacités. Je ne peux pas croire qu'il est là. Mais où est allé le temps ? Il me semble qu'hier seulement, j'étais si follement amoureuse de lui. Je suis envahie par tous mes souvenirs et je vois dans ses yeux qu'il semble penser à la même chose que moi. Quelles étaient les chances que je le croise ici, en vacances ?

J'aimerais fermer mes yeux et me réveiller 10 ans plus tôt. Ce que je donnerais pour me retrouver à nouveau collée à son corps ! Malgré notre rupture, mes moments avec lui demeurent les meilleurs souvenirs de ma vie. Nous étions si amoureux, et j'ai longtemps pensé que nous n'étions plus ensemble à cause de lui, mais je sais que c'était aussi ma faute. Je l'avais quitté sans qu'il puisse s'expliquer, sans même nous donner une chance. J'imagine que j'avais eu peur. J'avais préféré le fuir. Je ne voulais pas l'entendre me dire qu'il ne m'aimait plus, que c'était terminé.

Chapitre 12

Nous restons là à nous fixer un bon moment. Nous ne savons pas quoi nous dire. Je vois que les filles reviennent. Je n'ai pas le choix, je devrai le leur présenter. C'est peut-être une bonne chose, parce que j'ai besoin d'en parler, j'ai besoin de leur soutien en ce moment.

— Gabriel, je te présente Justine et Ève. Tu te souviens, c'était mes colocataires quand je suis déménagée à Montréal ?

— Bonjour, ça me fait plaisir de vous rencontrer. L'eau était bonne ? interroge-t-il mes amies.

— Oui, il faut absolument se baigner, la mer est tellement belle, commente Justine.

— Je n'y manquerai pas. Nous nous reverrons plus tard, ma belle Annie !

Il nous quitte simplement, comme il est apparu, comme si c'était normal qu'il entre et sorte de ma vie de cette manière depuis hier soir.

— Ah, mon Dieu, Annie ! Gabriel est ici ! me lance Ève.

Je vois que Justine comprend au même moment que c'est bel et bien mon Gabriel. J'ai de la chance d'avoir mes copines en ce moment. J'ai soudainement les larmes aux yeux. C'est trop, toutes ces émotions.

— Ne pleure pas, Annie, nous sommes là. Dis-nous ce qui s'est passé.

Mes deux amies viennent se coller à moi.

— Ça va, je ne sais pas pourquoi je pleure, je crois que je suis juste fatiguée, me défends-je.

— J'espère qu'il ne t'a rien dit pour te faire de la peine, énonce Justine, toujours prête à se battre pour ses amies.

— Non, pas du tout. C'est un choc de le revoir, c'est tout. Quelles étaient les chances que je le recroise ici, en vacances ? Je ne l'ai jamais revu en 10 ans et nos parents habitent le même coin.

— Ça doit être le destin, commente Ève.

— Tu crois que le destin serait si cruel ? riposté-je.

— Je ne vois rien de cruel, Annie. Il est évident que tout ce qui s'est passé entre vous deux n'est pas terminé. Il faut être aveugle pour ne pas voir comment vous vous regardiez. Je pense que tu as la chance de pouvoir enfin avoir tes réponses. Je sais que ta rupture avec lui n'a pas été facile, reprend Ève.

— Je n'ai aucune envie de me replonger dans ces vieux souvenirs. Je ne vous l'ai pas dit, mais hier soir, je me suis retrouvée dans les bras de Maxime. Pour la première fois depuis longtemps, j'ai enfin eu espoir que j'étais enfin prête à m'investir avec quelqu'un. Pourquoi fallait-il que Gabriel vienne tout gâcher ?

— Je crois qu'Ève a raison, intervient Justine. Je suis heureuse que tu comprennes que de fuir tes sentiments n'était peut-être pas la solution, mais au moins, tu pourras une bonne fois pour toutes comprendre pourquoi tu fuyais. C'est peut-être un cadeau de la vie que Gabriel soit là.

— Justine, nous ne sommes pas dans un de tes romans. Je ne suis pas une héroïne perturbée en attente de son prince charmant qui lui fera oublier tout son passé ou qui le ferait disparaître comme par magie. Dans la vraie vie, un ex qui se pointe après 10 ans juste quand tu rencontres un gars qui te plaît, c'est une catastrophe. Je n'ai pas besoin de me replonger dans notre histoire pour régler quoi que ce soit, ronchonné-je.

— Ne te fâche pas… Si tu penses que tu n'as rien à régler avec Gabriel, ce n'est pas moi ni Ève qui allons nous en mêler. Mais est-ce que je peux juste dire que si ton Gabriel me regardait comme il te regarde, je crois que j'en perdrais tous mes moyens ?

Elle éclate de rire. Je sais qu'elle veut me faire rire. Je ne sais pas ce qui me prend d'être autant sur la défensive.

— Tu pourrais le prendre pour toi, mon Gabriel, ma chère Justine.

Je ne sais pas pourquoi je dis une telle chose. Je me sens déjà jalouse. Il est évident que je ne le pense pas.

— Ce n'est peut-être pas une mauvaise idée, mais je dois avouer que je crois qu'Ève aussi avait les jambes molles quand tu nous l'as présenté, émet Justine.

— Tu dois avouer qu'il est quelque chose, ton Gabriel, avec ses yeux verts, ses beaux cheveux dorés attachés comme ça, et je ne parle même pas de son corps. Mais est-ce que vous l'avez vu ? On dirait qu'il passe sa vie sur une plage à s'entraîner et à se faire bronzer, renchérit Ève.

— Je n'ai pas remarqué !

Nous rions toutes les trois. Que les filles tentent d'alléger la situation me fait du bien. Je suis en vacances. Je veux m'amuser cette semaine. Pour ce qui est du sexe opposé, advienne que pourra. Je suis venue ici avec mes copines et je refuse de m'en faire ; c'est avec elles que j'ai envie de profiter de mon temps ici. Je me sens mieux et je crois que je suis prête à bouger.

— Allez, les filles, approchons-nous de l'animation, proposé-je.

— Bonne idée, acquiesce Ève. Je prendrais quelque chose à boire, il fait tellement chaud !

Nous partons ensemble en suivant le rythme de la musique. Je vois que cette île n'est pas très grande. Nous sommes du côté de la plage et nous dirigeons vers le centre, qui est couvert par des arbres, où se trouve un bar ; c'est là que nous déjeunerons, je vois qu'on installe le buffet. Des gens se dirigent de l'autre côté ; je crois que c'est là que Justine a dit qu'il y avait la plongée. J'ai hâte d'en faire.

— Regarde, Ève, c'est le beau Carlos qui se déhanche avec les autres animateurs ! lancé-je.

Un cours de danse improvisé vient de commencer. C'est plus fort que moi, j'ai envie de danser.

— Venez, les filles, les intimé-je.

— Tu as tellement de talent, Annie ! J'écrase mes propres pieds, précise Ève.

— Pauvre Ève, ne sois pas si rigide, fais comme ça, lui expliqué-je.

Le beau Carlos arrive rapidement pour s'occuper d'elle. J'avais vu juste hier à la partie de volleyball. Je me mets à danser ; c'est facile se laisser emporter par la musique, c'est une invitation que je ne peux refuser, parfaite pour me changer les idées. Justine semble un peu gênée, mais je vois qu'elle a envie de se laisser porter. Je la prends par la taille pour la faire bouger un peu plus.

— Arrête de me coller comme ça, je crois que tu donnes des idées à ceux qui nous regardent, rechigne-t-elle.

Je dois avouer que nous devons faire un beau numéro à danser de si près. C'est plus fort que moi, je commence à la faire bouger encore plus. Elle apprend vite et suit tous mes mouvements. Elle est prête à continuer sans moi. Je commence à avoir chaud quand je croise le regard de Gabriel. Il me fixe. Je sens la chaleur monter davantage. Je détourne le regard, mais je continue de danser en me déhanchant un peu plus. Je veux lui montrer que je suis heureuse, et j'ai aussi un peu envie qu'il regrette de m'avoir perdue.

De danser ainsi ouvre l'appétit ; je suis soulagée que mes facultés soient revenues.

— Allons manger.

Je cherche discrètement Gabriel du regard, mais il n'est plus là.

— Vous allez devoir m'aider à me changer les idées, je refuse de penser à Gabriel toute la semaine, leur demandé-je.

— Ça ne serait peut-être pas une mauvaise idée que tu lui parles, Annie, soumet Ève. Tu es une grande fille, tu peux lui dire ce que tu en penses, de le recroiser comme ça, non ?

— Tu es si sage, Ève, tu as raison, reconnais-je. Je dois lui parler avant de recroiser Maxime.

— Tu n'as pas donné de détails tantôt, déclare Justine. Dis-nous ce qui s'est passé avec ton beau grand blond.

— C'est Maxime, Justine, même si je dois avouer qu'il est très beau, grand et blond !

— Allez, dis-nous, insiste-t-elle.

— Il n'y a pas grand-chose à raconter, il a été un parfait gentleman. Nous avons échangé un beau long baiser, et j'aurais pu facilement me perdre dans ses bras, mais nous avons décidé d'être sages. Il faut dire que nous avons été interrompus par le groupe de filles qui a dansé avec nous à la disco, vous vous en souvenez ?

— Tu n'es pourtant pas si sage habituellement, Annie, fait remarquer Justine.

— Je sais, mais Maxime était très respectueux. Ça m'a fait du bien qu'il n'insiste pas, ça fait longtemps que je n'ai pas pris mon temps avec quelqu'un.

— Tu ferais mieux de ne pas trop prendre ton temps, il reste moins de six jours ! m'informe Ève.

— Je veux une autre langouste, c'est trop bon. Vous en voulez ? nous propose Justine.

Elle nous quitte pour aller nous en chercher.

— Toi, ma belle Ève, il me semble que le beau Carlos est revenu à la charge quand nous dansions ?

Je vois qu'elle rougit. C'est ce qu'il pourrait lui arriver de mieux, de se sentir désirée pendant ces vacances.

— Je dois dire que ça fait du bien, me faire regarder comme ça. Il est tellement charmeur.

— Il faut en profiter, ma belle Ève, tu n'es pas obligée de le marier.

— Est-ce que tu me trouves ridicule de vouloir me marier ?

— Ève, ce n'est pas ce que je voulais dire, la corrigé-je. Je comprends que tu étais rendue là avec Mathieu. Tout ce que je dis est que tu peux t'amuser cette semaine sans prendre ça au sérieux. Tu ne penses pas que ça te ferait du bien ?

— Oui, j'aimerais bien avoir un interrupteur, parce que je l'éteindrais tout de suite, mais je ne suis pas capable d'arrêter de penser à Mathieu.

— Tu sais, tu me disais que je devais peut-être parler à Gabriel et je pense que tu as raison. Je comprends que quand il reste quelque chose entre deux personnes, il faut tenter d'aller jusqu'au bout. Je crois que tu devras faire la même chose avec Mathieu quand tu vas rentrer, la relancé-je.

— Tu as raison.

Justine revient à la table bredouille, pas de langouste en vue. Je vois qu'elle est rouge et semble agitée.

— Ça va, Justine ?

— Oui, oui.

Ève et moi échangeons un regard ; nous ne reconnaissons pas notre amie.

— Tu es certaine ? m'informé-je.

— Oui, j'aimerais aller faire de la photo, est-ce que ça vous dérange si je vous laisse aller faire de la plongée sans moi ?

— Je croyais que tu voulais prendre les poissons en photo, intervient Ève.

— J'ai changé d'idée, j'aimerais explorer l'île, il y a de belles prises de vue.

Nous n'insistons pas. Que peut-elle bien nous cacher ?

Chapitre 13

Ève et moi décidons d'aller faire de la plongée en apnée après le déjeuner. La plage, pleine de rochers, n'est pas aussi belle. On nous dit que c'est parfait pour la plongée parce que tous les poissons viennent s'y cacher. Je n'en ai jamais fait, j'ai tellement hâte !

— Je ne peux pas croire que Justine va manquer ça ! m'exclamé-je.

— Je sais, je ne comprends pas ce qui se passe avec elle.

— Elle a peut-être juste besoin d'être seule ? En tout cas, je suis très excitée !

Nous recevons l'équipement et quelques consignes, on nous prête même des vestes de sauvetage parce que nous pouvons nager assez loin. Nous nous approchons du bord de l'eau. Je commence à mettre mes palmes, mais j'ai du mal à garder l'équilibre sur une jambe. Je suis en train de me dire que je devrais m'asseoir dans l'eau pour me faciliter la tâche quand je perds l'équilibre. Je n'atterris pas dans le sable, mais bien dans les bras forts de Gabriel, qui m'attrapent comme si je n'étais qu'une plume. Il me tient près de lui quelques instants ; ses bras m'entourent, je ne peux pas bouger. Il est derrière moi, mais je sens son souffle chaud dans mon cou. Mon corps, en bikini, est collé au sien.

— Je suis heureux d'encore te secourir, Annie, murmure-t-il.

Je reste immobile, perdue dans mes souvenirs avec le contact de sa peau contre la mienne. Je sais que je dois l'imaginer, mais je sens comme un courant électrique qui se promène entre nous. Il allume quelque chose en moi. Je dois me ressaisir. Je réussis à couper le contact en me décollant, et il ne me retient pas.

— Merci. Encore.

J'ose à peine le regarder.

— Nous aussi allions faire de la plongée, est-ce que nous pouvons vous accompagner?

— Bien sûr, répond Ève avec son plus beau sourire.

Je vois qu'il est accompagné, ça doit être son ami.

— Je vous présente Simon. Simon, je te présente Annie et Ève, c'est ça? Vous avez perdu *une* mousquetaire?

— Oui, elle nous a laissées tomber.

Je ne veux pas faire la bêtise de tomber une fois de plus, alors je m'avance dans la mer pour mettre mes palmes. J'ai aussi besoin de m'éloigner de Gabriel. Pourquoi veut-il nous accompagner? Il ne pourrait pas juste s'amuser loin de moi? Il y a plein de filles seules en vacances, je pourrais le présenter au petit groupe avec qui j'ai fêté hier soir. J'ai de la difficulté à le quitter des yeux. Il a changé en 10 ans. Il a les mêmes yeux verts qui me regardent comme si j'étais la seule au monde, mais son visage a perdu l'innocence de sa jeunesse. Il dégage beaucoup d'assurance malgré son air enjoué quand il sourit. Je n'ai jamais vu un visage aussi parfait. Que dire de son corps? Il doit tellement s'entraîner, il arbore des formes qui semblent avoir été soigneusement sculptées par des mains habiles. Sa peau bronzée me dit aussi qu'il doit passer beaucoup de temps dehors sans chandail! Comment est-ce possible d'avoir un teint si doré en plein mois de février? Il attire tous les regards, mais il ne semble pas s'en soucier. Je me souviens que c'était la même chose au secondaire. Tout le monde voulait être son ami. Lui, il était tellement nonchalant. Quand il était avec moi, il m'accordait toujours toute son attention. Il n'a pas perdu cette intensité quand il me regarde. De me perdre dans ses yeux serait facile. Heureusement, il nous quitte enfin pour aller chercher son équipement.

Je dois me changer les idées.

— Tu viens, Ève? N'oublie pas le sac de plastique avec le pain.

— J'arrive, j'ai l'impression de marcher comme un pingouin avec ces palmes. J'aurais dû les mettre dans l'eau comme toi.

— Tu es gracieuse comme tout. Dépêche-toi, je veux partir avant qu'ils reviennent, la pressé-je.

— Je suis désolée de lui avoir dit oui, c'est sorti tout seul, s'excuse-t-elle. Il dégage quelque chose, ton Gabriel, il est comme un aimant, on veut s'y coller!

— Très drôle. Mais tu as raison, je ne veux pas risquer d'être attirée encore par son magnétisme légendaire!

— Tu ne semblais pas trop vouloir te décoller quand il t'a rattrapée, remarque-t-elle.

— C'est lui qui me retenait! Allons-y, j'ai trop hâte de voir les poissons.

Nous installons nos masques et nos tubas avant de partir à la nage. Je mets quelques minutes à m'habituer à respirer sous l'eau, mais j'y suis. C'est impressionnant de se laisser flotter en avançant tout doucement avec l'élan de nos palmes.

Pour le moment, je ne vois que du sable au fond de la mer. On nous a dit de nager vers les rochers, que c'est dans ce coin qu'il y a des coraux magnifiques et plusieurs espèces de poissons. Je vois au loin plusieurs personnes, et nous nous dirigeons vers elles. C'est tellement paisible, le fond de l'océan ; je n'entends aucun bruit. J'ai toujours aimé nager. La scène d'hier soir me revient, je l'avais presque oubliée. Mais qu'est-ce que j'ai pensé de sauter dans la piscine tout habillée ?

Le fond de la mer est un peu plus profond et on y retrouve des roches de plus en plus grosses. Je commence à voir des poissons passer. Ceux que je vois sont tout blancs, voire transparents dans l'eau. Mon regard croise celui d'Ève au travers de nos masques. Nous sommes comme deux petites filles avec les yeux ronds devant ce spectacle qui vient de commencer. Nous en voyons de plus en plus, de toutes les couleurs. Beaucoup de bleu, de jaune et d'orangé. Je fais signe à Ève d'ouvrir le sac de pain. Elle l'ouvre un peu et laisse sortir quelques miettes. C'est la ruée vers nous. Les poissons nous tournent tout autour, n'ont aucune crainte. Je pourrais rester à les regarder des heures, le temps semble s'arrêter. Ève vide le sac. C'est la fête du monde sous-marin. Il y a maintenant de plus gros poissons qui arrivent de nulle part ; ça surprend, mais il ne s'intéresse pas du tout à nous, c'est le festin qui les attire.

J'en sens un frôler ma jambe et je n'ose pas bouger. Je ne veux pas leur faire peur. Je ressens à nouveau un effleurement sur ma cuisse, qui s'arrête juste avant d'atteindre mon maillot. Ce n'est pas un poisson qui me caresse ; mon regard arrive directement dans le masque de Gabriel. Il a un air de gamin qui veut jouer. J'ai en souvenir toutes les heures passées avec lui à nous baigner à mon chalet. Je me rappellerai toute ma vie cet été où nous étions si amoureux, où le temps semblait s'être arrêté, exactement comme en ce moment. Sous la mer, plus rien n'existe, toutes nos préoccupations s'évaporent.

Quand je peins, c'est aussi ce qui se passe. Arrêter le temps, nous y rêvons tous. Mais que gagnons-nous quand il s'arrête ? Une pause, une possibilité d'être soi, un vrai moment à savourer ? Je sens encore la main baladeuse de Gabriel sur moi. Il me regarde comme s'il ne l'avait pas fait exprès, mais son toucher est beaucoup trop précis et lent pour être accidentel. Il me touche l'intérieur de la cuisse en glissant bien doucement ses doigts jusqu'à ce qu'il arrive entre mes deux jambes. Je ressens une chaleur directement au centre de mon ventre. J'ai l'impression que le moment n'est pas réel. Comment peut-il être là après tout ce temps, à vivre cet instant si parfait avec moi ?

J'ai perdu Ève de vue. Elle ne doit pas être loin. Je vais bien la retrouver si je continue de nager. Gabriel est toujours près de moi. Je ne peux pas me sauver, et je n'en ai pas envie non plus. Les filles ont raison, je vais devoir lui parler, mais je veux continuer de profiter de cette activité magique. J'aurai le temps plus tard de mettre les choses au clair avec lui. Je sens sa main qui se glisse sur la mienne pour venir entrecroiser ses doigts entre les miens. Nous continuons de nager, comme si c'était tout à fait naturel.

Mais il n'y a rien de normal. Dix ans. Comment peut-il penser qu'il n'y a pas tout ce temps entre nous ? Toutes ces années sans nouvelles, à vivre comme s'il n'avait jamais existé ? Je comprends qu'il a toujours été là, enfoui dans le fouillis de toutes mes émotions, qu'il ne m'a jamais quittée.

Je ne l'ai jamais oublié. Je me sens envahie par un tsunami de toute cette passion refoulée. Mon cœur commence à palpiter. Il est trop près. J'ai du mal à maîtriser ma respiration. Je dois sortir d'ici.

Chapitre 14

Je sors enfin la tête de l'eau. J'enlève mon masque. Je dois respirer de l'air par le nez et la bouche. Gabriel sort près de moi.

— Est-ce que ça va, Annie?

— Oui, j'avais juste besoin de m'arrêter un moment, l'informé-je. Est-ce que tu vois Ève?

— Je crois qu'elle a suivi Simon, lui aussi avait apporté du pain.

— J'ai envie de sortir, mais j'hésite à la laisser.

— Tu peux sortir, je vais la trouver et l'aviser.

— Merci, Gabriel. Dis-lui de prendre son temps, je vais l'attendre sur la plage.

Je le fixe un moment. Nous ne sommes plus sous la mer, et la réalité me dit que je ressens encore beaucoup trop de choses pour lui. Je repars à la nage. Je rapporte mon équipement, ça fait du bien de tout enlever. Je constate que mon dos commence à chauffer; je n'avais pas pensé au soleil pendant l'activité, mais c'est vrai que de nager à la surface de l'eau expose le haut du dos et les épaules.

On me dit qu'il y a des douches près des toilettes. Je m'y rends. De me rafraîchir les épaules et d'enlever tout le sel collé à ma peau va faire du bien. Mes cheveux doivent être une catastrophe, alors je les détache. Je suis soulagée quand je retrouve de petites cabines privées, je vais enlever mon maillot pour me rincer. Ma peau est brûlante et l'eau fraîche a du mal à l'apaiser. Je repense aux douces caresses de Gabriel sous la mer. Ce n'est peut-être pas le soleil qui a surchauffé mon corps. Je glisse bien involontairement mes mains sur moi. Mes seins sont devenus si lourds. Je caresse mes mamelons entre mes doigts ; ils sont si durs. Je dois me calmer. Comment peut-il me faire autant d'effet après tout ce temps ? Je ne me suis pas trouvée avec un homme depuis trop longtemps. J'imagine que c'est la main de Gabriel qui se glisse entre mes cuisses. J'ai mal tellement mon désir m'enflamme. Ma main se dépose où j'ai besoin d'être assouvie, et l'eau de la douche vient augmenter mon plaisir. J'accélère le mouvement, ma respiration est saccadée, je sens que je vais tomber tellement mes jambes deviennent molles. Mon orgasme se manifeste rapidement, et j'ai envie de crier tellement il est puissant. J'ouvre les yeux. Je ne peux pas croire que je viens de m'offrir ce plaisir dans une douche publique.

Je dois aller me chercher un verre, j'ai besoin de me changer les idées. J'aperçois quelques chaises à l'ombre. Comme j'ai assez pris de soleil aujourd'hui, je m'y installe pour attendre Ève. Je n'ai pas revu Justine malgré un coup d'œil tout autour. La plage n'est pourtant pas si grande. Elle nous trouvera bien quand elle voudra sortir de sa cachette. Je regarde mon verre. KEEP CALM GIRLS JUST WANT TO HAVE FUN ! J'aurais dû acheter KEEP CALM AND STAY AWAY FROM YOUR EX[6] !

Santé, ma belle Annie ! Tu ne pensais pas vivre le choc de ta vie pendant ces vacances, n'est-ce pas ? Buvons à ta vie qui n'est pas

---

6. Restez calmes, et loin de vos ex !

terne! Du rhum j'veux boire, du rhum j'veux boire, du rhum j'en ai pas encore bu[7] *!*

Bien sûr, Gabriel choisit ce moment pour sortir de l'eau. Tous les regards se dirigent vers lui. Il est encore plus excitant à voir que James Bond lui-même qui sort de la mer. Quel homme il est devenu! Il sait que je le regarde, nos yeux se croisent. Il semble sortir au ralenti comme s'il voulait pavaner son corps parfait devant moi. Je ne peux m'empêcher de lui sourire. Il ne tarde pas à venir me rejoindre.

— Salut, beauté, tu viens souvent ici? lance-t-il.

— Tu te trouves drôle? Tu aurais dû sortir un peu plus lentement de l'eau, je crois que quelques femmes voulaient te prendre en photo.

— Tu as toujours eu un sens de l'humour, encore plus quand tu voulais changer de sujet ou quand ça devenait trop sérieux.

— Il n'y a rien de sérieux en ce moment.

— Au contraire, je crois que c'est très sérieux de te revoir après toutes ces années.

— Arrête, Gabriel. C'est un drôle de hasard, c'est tout. Nous n'allons pas nous questionner plus qu'il ne le faut. Je suis certaine que tu es ici, comme moi, pour profiter de tes vacances et t'amuser. Les choses sérieuses ne sont pas au programme cette semaine.

— Au contraire, Annie, toi et moi allons nous parler. Je ne vais pas insister maintenant parce que ce n'est pas le moment, mais plus tard ce soir ou demain, nous allons prendre le temps de le faire.

Nous restons dans le silence. Il approche une chaise à côté de la mienne et s'installe comme si je l'avais invité à le

---

7. Référence à une chanson folklorique québécoise.

faire. Je suis soulagée qu'on puisse arrêter de jouer à l'autruche. Lui aussi veut que nous parlions. Nous en avons besoin. Je ne peux pas croire que je l'ai laissé me flatter les cuisses. Que doit-il penser de moi? Pourquoi l'ai-je laissé faire?

— Je suis d'accord, Gabriel, nous avons des choses à nous dire, mais tu dois te rappeler que 10 ans nous séparent. Nous avons changé.

Même si tu me fais encore autant d'effet.

Je me retiens de lui partager cette dernière affirmation, mais il semble deviner le genre de pensées qui me viennent en tête. Il s'installe en mettant ses jambes entre nos deux chaises.

— Regarde-moi, Annie, exige-t-il.

J'hésite. Mon regard est fixé sur la mer. Est-ce que je veux vraiment le regarder dans les yeux? Sa main s'approche pour me caresser la joue. Comme je me souviens de ses mains douces! Son odeur me monte à la tête. Il a toujours senti si bon.

Gabriel.

Je me redresse dans ma chaise pour lui faire face. Mes jambes se déposent entre les siennes. La chaleur de sa peau ne tarde pas à se transmettre à la mienne. C'est de la folie. Il me caresse toujours le visage. Il semble rempli d'émotions lui aussi. Je sais que ce que nous avons vécu était extraordinaire, mais lui, il avait quand même tout rejeté du revers de la main.

— Tu sais, Annie, le destin a attendu trop longtemps.

Mais qu'est-ce qu'il tente de me dire? Il s'approche. Mon cœur s'accélère.

— Gabriel, je ne sais pas.

Ses lèvres se déposent sur les miennes, et je me laisse faire malgré mon hésitation. Ses doux baisers n'ont pas changé, ils sont parfaits. Il caresse mes lèvres avec sa langue, m'embrasse comme s'il voulait prendre possession de ma bouche, de mon âme, comme si son baiser allait me faire oublier tous les autres depuis qu'il n'est plus dans ma vie. Nous nous embrassons encore un moment avant qu'il se retire.

J'ai du mal à reprendre mon souffle. Heureusement qu'il réfléchit pour nous. Je n'ose pas le regarder. Pourquoi n'ai-je pas résisté? Mon corps ne tarde pas à me répondre; il l'a reconnu. Il sait tout ce que cet homme peut lui faire vivre. Un frisson me traverse. Je ne peux pas croire le destin. Pourquoi maintenant? Maxime me revient en tête. Cette semaine ne sera pas simple.

Chapitre 15

Gabriel

— **B**onjour, Simon, tu as bien dormi ?

  — Mon Dieu, Gabriel, tu as pris combien de cafés ce matin ? me demande Simon.

— Le soleil brille, nous sommes en vacances, je suis heureux !

— Heureux et en forme, comme je peux voir !

— Je suis surtout bien fébrile pour notre journée, je nous ai réservé une excursion en catamaran, nous passerons la journée sur une plage privée où il y aura de l'animation et de la plongée en apnée. C'est ton cadeau pour te remercier d'endurer ma bonne humeur !

— Je pensais que nous venions essayer tes nouveaux jouets cette semaine.

— Voyons, Simon, il faut en profiter aussi. Nous avons toute la semaine. En plus, il n'y a même pas de vent aujourd'hui. Peut-être que nous pourrons essayer à notre retour.

— Oui, mon Capitaine. Alors nous partons quand pour cette expédition ?

— Tu as le temps de manger, l'autobus part dans environ une heure.

Je me sens en effet bien fébrile aujourd'hui. Mon Annie, elle est bien là. Depuis que je l'ai revue, je suis rassuré de l'avoir suivie jusqu'ici. Je me sens comme un enfant qui a fait un mauvais coup, mais qui en valait tellement la peine. Je ne vais pas lui confier que je l'ai suivie, encore moins à Simon. Je l'ai revue ce matin avec ses grosses lunettes de soleil. Elle pensait peut-être se cacher, mais je saurais la reconnaître même si elle était un caméléon. J'étais justement à me demander comment je pourrais la recroiser sans paraître impatient de la revoir quand elle est embarquée dans un autobus avec ses copines. Je me suis empressé de découvrir leur destination et j'ai pris des billets pour le prochain départ.

— Es-tu sorti hier soir quand nous nous sommes laissés ?

— Oui, j'ai pris un dernier verre avant de rentrer, l'informé-je.

J'aimerais quand même pouvoir me confier : *Tu ne devineras jamais qui j'ai revu ! Tu ne la connais pas, mais j'ai recroisé ma première blonde. Elle est encore plus belle qu'elle était.* Il n'aurait pas besoin de savoir que c'était planifié. Mais je décide que je vais attendre, je ne sais même pas comment elle réagira aujourd'hui.

Nous arrivons à la marina où nous devons prendre le catamaran. On y retrouve quelques artisans qui vendent des souvenirs. La vie est bien simple ici, à Cuba. Lorsque nous nous approchons du quai pour attendre en file, le soleil est déjà fort.

— Regarde, Gabriel. Tu as vu comment ils sont gros, ces poissons?

— Tu sais, faire de la plongée est un des sports qui ne m'a jamais attiré à cause de ça. Tu peux t'imaginer arriver face à face avec cette bête?

— Le grand Gabriel qui a peur de quelque chose, je ne connaissais pas ce côté de toi, me nargue Simon.

— Ne va jamais le répéter!

— Les enfants lancent du pain, tu as vu comment ils sautent dessus? J'aurais dû en prendre plus au buffet ce matin.

— Tu as quel âge, Simon?

— Je n'ai plus le droit de m'émerveiller parce que j'ai maintenant 25 ans? rétorque-t-il.

— J'imagine que je suis juste un peu jaloux. Comme le dit si bien la chanson : *j'ai perdu le sens de l'humour, depuis que j'ai le sens des affaires…*

— Arrête de chanter, tu ne trouves pas que tu attires assez de regards comme ça?

— Il y a des belles filles, Simon, tu devrais en profiter et regarder toi aussi. Je ne me souviens pas de la dernière fois que tu m'as présenté une nouvelle petite amie.

— Ah, et toi, Monsieur Qui-les-fait-toutes-craquer-mais-qui-n'est-jamais-vu-avec-aucune.

— Ce n'est pas parce que tu n'en vois pas qu'elles n'existent pas.

Je ne vais quand même pas admettre que c'est vrai. Bien sûr, certaines réussissent à capter mon attention à l'occasion, mais ça ne dure jamais longtemps quand elles comprennent que je n'ai aucune intention de m'engager dans quoi que ce soit de sérieux. J'ai passé trop de temps à me remettre de ma première et seule peine d'amour, je ne vais certainement pas m'exposer à revivre cette épreuve.

Nous arrivons à cette petite île paradisiaque. J'en ai fait, des voyages, mais je dois avouer que je n'ai jamais vu du sable aussi beau. Que dire de la mer! C'est digne des plus belles photos des Caraïbes. Je ne tarde pas à recroiser Annie. Nous échangeons quelques banalités, mais je ne m'impose pas trop, je dois la laisser venir vers moi. Je sais qu'elle doit d'abord absorber le fait de me revoir. J'ai vu dans son visage à quel point elle semble nerveuse. *Patience, Gabriel, patience.*

— Simon, tu restes ici, je vais aller nous chercher un verre, proposé-je.

— Oui, rapporte-moi une bière.

J'aperçois rapidement à nouveau ma belle Annie qui danse. Comme elle est belle au naturel! Ses cheveux sont attachés, mais quelques boucles rousses lui caressent le visage et les épaules. Elle doit être là depuis quelques minutes parce qu'elle a les joues rouges et ses yeux sont brillants. Elle se déhanche avec sa copine. Le contraste entre les deux filles est frappant : une noire et une rousse, les deux avec des yeux perçants. Son amie est à peine plus grande qu'elle. Elle semble timide, et Annie tente de la faire bouger davantage.

Nos regards se croisent. Elle remarque que je la regarde. Elle semble se donner encore plus. Je sors mon appareil pour la filmer ; j'ai l'impression qu'elle danse pour moi. Elle fait exprès de promener ses mains sur son corps. Je vois qu'elle se mordille la lèvre du bas. J'aimerais tellement embrasser cette bouche si invitante. Je ne peux pas croire son audace ; cette opération séduction va mieux que j'espérais.

Par contre, c'est impossible pour mon corps de ne pas réagir à ce spectacle. *Tu vas payer pour ça, Annie !*

— Tu es retourné à l'hôtel chercher les bières ? se plaint Simon.

— Je t'ai manqué ?

Quelques filles se sont assises sur ma chaise pour discuter avec Simon. Je suis heureux de savoir qu'il est capable de s'occuper quand je ne suis pas là. Elles ont à peine 20 ans, et elles regardent Simon d'un air un peu timide, rempli de curiosité, comme si elles n'avaient pas l'habitude d'aborder les garçons.

— Vous allez bien ?

Elles osent à peine me regarder.

— Gabriel, je te présente Caroline et Chloé. Nous allions nous baigner, m'annonce Simon, tu veux venir avec nous ?

— Oui, ça va me faire du bien de me rafraîchir, le soleil ne nous donne aucune chance aujourd'hui.

La mer me rafraîchit et j'en profite pour nager, car mon corps a besoin de bouger. Les images d'Annie qui se déhanche me reviennent en tête. Je ne peux croire que je l'ai filmée. Comme j'aurais aimé la rejoindre ! Je ne veux pas trop tarder, je sais qu'elle allait faire de la plongée après le déjeuner et je compte bien l'accompagner.

— Je sors, j'ai faim.

— Je viens avec toi, déclare Simon.

Il s'adresse aux filles.

— Nous nous croiserons peut-être plus tard.

Il leur fait son plus beau clin d'œil.

— Un vrai don Juan ! le nargué-je.

— Arrête, tu es juste jaloux parce qu'elles te voient comme un vieux !

— Tu veux que je te montre que ce vieux peut te faire regretter tes paroles ?

Je l'attrape par le cou. Il sait bien que je ne lui ferais jamais rien de mal, mais c'est plus fort que moi, je le pousse sous l'eau. Il sait que l'apprécie comme un jeune frère. Je suis heureux de lui faire profiter de ces vacances.

— Bon, allons manger !

Nous mangeons en prenant notre temps, le buffet n'est pas trop élaboré, mais j'en profite pour manger ma première langouste. C'est délicieux.

— Merci, Gabriel, d'avoir choisi cette excursion, je dois avouer que ça fait du bien, je commence à décrocher.

— Il va falloir que je parle à ton patron, tu travailles trop fort.

— En effet ! Allons faire de la plongée, j'ai hâte de voir ça.

Il ne peut pas mieux tomber avec sa suggestion, car je viens de voir Annie et sa copine passer ; je crois qu'elles s'y dirigent aussi. Il n'y aura rien de plus exotique et d'excitant à voir sous l'eau que le corps de ma sirène.

Chapitre 16

Ève sort de l'eau avec Simon. Elle arbore un grand sourire, ça fait du bien à voir. Gabriel est toujours avec moi ; nous sommes dans le silence depuis notre baiser. Je le goûte encore sur mes lèvres.

— Annie, tu aurais dû rester, c'était tellement beau. Je crois que je veux être un poisson dans ma prochaine vie.

— Je n'en pouvais plus d'avoir la tête sous l'eau, mens-je.

Elle sait que j'adore nager, mais elle est trop sur son nuage de bonheur pour percevoir ma supercherie. Elle nous quitte avec Simon pour rapporter leur équipement.

— Je crois que le bateau ne va pas tarder à partir. Je suis très heureux d'avoir partagé ce moment avec toi, Annie.

Il me regarde directement dans les yeux. Je le trouve intense. Comment peut-il vouloir se replonger si facilement dans notre histoire ?

— Moi aussi, Gabriel.

— J'ai déjà hâte de te revoir.

— Gabriel, ne pressons pas les choses, j'ai du mal à réfléchir quand tu es près de moi.

— C'est parfait, je vais penser pour toi. À ce soir, princesse, conclut-il.

Il caresse ma joue et me quitte. C'est vrai que je ne suis plus capable de penser, j'ai besoin de recul et de mes amies.

— Ma belle Annie, je n'ai osé rien dire tantôt, mais tu devrais te voir en ce moment, tu as le regard d'une fille séduite, fait remarquer Ève.

— Franchement, tu dis n'importe quoi.

— Je te connais, Annie, toujours en maîtrise et sûre de toi, mais ton Gabriel a une emprise sur toi, que tu l'admettes ou non.

— Pourquoi faut-il que tu sois si perspicace, Ève ? Ça paraît autant, que je ne suis pas moi-même en ce moment ?

— Qu'est-ce qui s'est passé entre vous deux ? me relance-t-elle.

— Nous avons discuté un peu, mais nous avons conclu que nous devions nous parler, possiblement ce soir. Je suis toute mélangée. Comment peut-il me faire autant d'effet après tout ce temps ? Qu'est-ce que je suis censée faire de Maxime ?

— Pauvre Annie. Nous avons besoin de retrouver Justine avant de manquer le bateau, mais surtout parce que j'ai besoin de renfort. Tu as de gros problèmes ; deux hommes follement sous ton charme, je ne sais pas ce que je ferais, raille-t-elle.

— Arrête !

J'éclate de rire.

— Tu as raison, je suis ridicule, reconnais-je.

— Pas ridicule, juste chanceuse, selon moi. Allons-y !

Nous attendons le départ sur le catamaran, il ne semble manquer que Justine. Mais où peut-elle être allée cet après-midi ? Je vois qu'elle arrive. Je suis soulagée. Elle est toute rouge ; c'est évident qu'elle nous cache quelque chose.

— Justine, enfin te voilà! m'exclamé-je.

— Je suis désolée, les filles, cette île est magnifique pour prendre des photos.

Ève se met à lui raconter notre après-midi, ce qui me permet de retourner dans mes pensées. Je n'ai aucune idée de ce que je devrais faire. Je pourrai en parler au dîner, mais au fond de moi, je sais déjà que Gabriel a une emprise sur moi en raison de notre passé. Je connais à peine Maxime. La question qui se pose est simple : est-ce que je profite de ces vacances dans les bras d'un inconnu ou j'ose ouvrir la porte à Gabriel, même si je sais que de le laisser entrer m'apportera peut-être encore de la souffrance? C'était loin d'être douloureux par contre, ce que j'ai ressenti cet après-midi près de lui.

Nous passons par la piscine à notre retour avant d'aller nous préparer pour la soirée. Justine a encore disparu; ça commence à être mystérieux, son affaire.

— Tiens, ma belle Annie, de bons pinas coladas. Ça m'a manqué aujourd'hui à la plage.

— Oui, j'avoue, mais j'ai bu du rhum avec 7 Up pendant que je t'attendais, c'était très rafraîchissant. Santé, ma belle Ève!

— Santé!

Lorsque Justine arrive enfin, nous retournons à la chambre nous préparer pour la soirée. Malgré ma journée chargée, je déborde d'énergie. J'essaie à peu près tout ce que j'ai dans ma valise avant de faire mon choix. Ce n'est pas dans mes habitudes d'être aussi indécise, mais je décide finalement de porter une petite robe noire; on ne se trompe jamais avec ça. Je laisse mes cheveux au naturel. De toute façon, il est évident que je n'ai aucune maîtrise sur ma chevelure avec ce climat tropical. J'ose même mettre des sandales à petits talons que j'avais achetées pour le mariage d'un de mes frères et que je n'ai jamais remises.

— Mon Dieu, tu es coquette, Annie.

— Toi aussi, Justine ! la complimenté-je.

Elle devient écarlate. J'ai hâte de percer ce mystère. Elle semble nerveuse aussi, je ne comprends pas.

— Allez, les filles, venez, nous avons une réservation ce soir au restaurant cubain, il ne faut pas être en retard, nous presse Ève.

Nous passons par un chemin beaucoup plus long : Justine nous a convaincues d'aller prendre des photos à la plage avant le dîner. Nous arrivons près du resto à proximité de la descente pour aller à la plage. C'est magnifique. Il y a une terrasse avec une dizaine de petits pavillons et de beaux voilages blancs entourant chacune des tables, c'est très romantique. Il a des bougies et de petites lumières partout.

— Vous avez vu comme c'est beau ?

C'est à ce moment que je vois quelqu'un sortir de l'ombre et qui vient vers nous ! MATHIEU ! L'ex d'Ève se trouve là, devant nous. Ève non plus ne semble pas le croire. Elle m'attrape le bras et le serre un peu trop fort.

— Bonsoir, Ève.

Je regarde Justine, qui est calme, comme si c'était tout à fait naturel qu'il se retrouve là. Elle me sourit. Ève se décide enfin à s'approcher de lui. Il l'invite à dîner. Je me porterais bien volontaire pour manger en amoureux sur cette belle terrasse. Je vois qu'elle hésite, mais se retourne vers nous avec son plus grand sourire.

— Vous ne m'en voudrez pas trop si je vous laisse tomber ce soir ?

— Bien sûr que non! lui répondons Justine et moi à l'unisson.

Nous l'approchons pour lui donner un gros câlin avant de la quitter. Je ne peux m'empêcher de lui chuchoter à l'oreille :

— Il semblerait que le destin se mêle aussi de tes affaires, ma belle Ève. Profites-en, mais tu nous textes si tu en as besoin, lui intimé-je.

Je trouve étrange de laisser notre amie ainsi.

— Tu étais au courant, Justine? m'informé-je.

— Bien sûr, mais j'étais tellement stressée!

Je dois avouer que Mathieu a pris un grand risque en venant jusqu'ici pour reconquérir sa belle Ève. Justine me raconte qu'elle l'a croisé à notre retour cet après-midi et à quel point il était nerveux. Elle n'a pas eu le choix de l'aider à planifier les retrouvailles. Heureusement qu'Ève nous disait qu'elle envisageait de le revoir au retour, ces deux-là méritent de se retrouver.

Je ne peux m'empêcher de penser à Gabriel. Est-ce que nous avons aussi droit à une autre chance? C'est une drôle de semaine. C'est à ce moment que je remarque que Justine a les yeux bien brillants aussi. Je n'y avais pas pensé, mais seul le regard d'un homme peut nous donner cette impression de flotter sur un nuage, nous coller un sourire aussi béat au visage.

— Ma belle Justine, tu me caches quelque chose?

— Peut-être!

— Je le savais! Dis-moi tout, exigé-je.

— Toi aussi, tu nous caches des choses. Tu sais qu'Ève t'a vue aujourd'hui à la plage avec ton Gabriel?

— Elle ne m'a rien dit.

Je me sens rougir.

— Allons manger, j'ai besoin d'un verre de vin.

Nous mangeons en échangeant quelques confidences. Je n'ai jamais vu Justine rougir autant dans une même conversation. Je suis heureuse pour elle. Trois filles sous le charme de trois Casanova à Cuba, qui l'aurait cru?

— Mais Annie, à t'écouter parler, ton choix semble être fait. Comment vas-tu l'annoncer à Maxime? Je ne voudrais pas être à ta place. Hier soir, tu l'embrassais, quand même. Il doit avoir envie de te revoir, souligne Justine.

— Tu es si rationnelle. Il y a des dizaines de filles sur ce site, je ne pense pas qu'il me veut moi plus qu'une autre.

— C'est possible, mais je l'ai quand même vu hier soir avec toi, il ne regardait pas les autres, précise-t-elle.

— Je vais lui expliquer que Gabriel et moi avons un passé ensemble, il va comprendre.

Je vais certainement me donner la chance d'obtenir les réponses à mes questions. Gabriel a toujours été idéal pour moi, comme si j'avais mis ma relation avec lui sur un piédestal. Je constate que je n'ai jamais donné de chance à qui que ce soit. Bien sûr, j'ai profité des bras de trop de gars pour les nommer, mais les portes de mon cœur étaient fermées. Gabriel a la clé, il devra l'ouvrir et en sortir si je veux aller de l'avant. Par contre, je ne sais plus si je suis prête à céder la place qu'il a toujours occupée.

— C'est normal d'avoir peur, me rassure Justine. Mais tu as changé, Gabriel aussi. Je ne pense pas qu'il veuille te faire de la peine. Je crois que, en général, les hommes ne dévoilent pas tant leurs sentiments et pourtant lui, il te les montre. Il est honnête avec toi, tu ne penses pas?

— Je ne sais pas. Une chose est certaine : j'ai envie de lui faire confiance. J'ai besoin de me libérer de toutes mes craintes.

Chapitre 17

Nous arrivons à la salle de spectacle. Je vois rapidement le beau Maxime me faire signe de la main pour que j'aille le rejoindre. Il est assis avec Charles, mais aussi avec quelques filles. J'avais donc raison : il est en vacances, alors moi ou une autre, ça n'a pas d'importance.

— Salut, ma belle Annie, je ne t'ai pas vue de la journée, je pensais que tu avais décidé d'arrêter de me fuir, lance-t-il.

Lorsque je m'installe à côté de lui, il s'empresse de glisser sa main sur ma cuisse. Je n'ai jamais été aussi mélangée. Je ne peux pas nier l'effet qu'il me fait, mais je ne veux pas qu'il se fasse des idées.

— J'aimerais te parler, Maxime, viens avec moi.

Alors que nous quittons la table pour nous diriger derrière le bâtiment, il y a du va-et-vient, les gens arrivent pour le spectacle qui tarde à commencer.

— Tu ne pouvais pas attendre de me revoir, c'est ça ? s'enquiert-il.

Il se colle à moi, mais je m'éloigne.

— Maxime, écoute-moi. Je veux que tu saches que ce n'est pas facile pour moi, mais je dois te dire que j'ai croisé mon ex, ici, sur le site, expliqué-je.

— Ton ex ? Je ne vois pas le problème.

— C'est compliqué, Maxime.

— Il n'y avait rien de compliqué entre nous hier soir. Je suis même convaincu que si j'avais insisté, tu te serais laissée séduire par mes avances.

Il a raison, mais je dois être plus claire.

— Ça ne pourra pas aller plus loin entre nous, tranché-je.

— Tu ne penses pas ce que tu dis.

Il s'approche en m'attrapant par la taille pour me serrer contre lui. Il commence à m'embrasser, comme pour me prouver que j'ai tort de le laisser tomber. Je me laisse une dernière chance pour confirmer que son charme est assez pour que je rejette l'espoir de Gabriel. Son baiser ne me fait pas autant d'effet que ceux de Gabriel, alors j'ai ma réponse. Lorsque je m'éloigne, il ne me retient pas.

— Je suis désolée, Maxime, mais je dois suivre mon cœur. Tu sais, mes deux amies t'appellent le « beau grand blond », alors je suis convaincue qu'il y aura une autre fille pour toi. Nous pouvons décider de continuer à nous amuser cette semaine quand nous nous croisons, ou nous restons chacun de notre côté, c'est toi qui décides, proposé-je.

Il me regarde un long moment.

— J'aurais aimé passer plus de temps avec toi, admet-il. Tu n'aurais pas été déçue dans mon lit. Mais qui peut rivaliser avec un ex ? Je veux juste que tu saches que je ne ferme pas la porte. Nous sommes encore au début de la semaine, et je garde espoir que tu sois assez curieuse pour aller au bout de ce que nous avons commencé. Viens, j'ai besoin d'un verre.

Ouf, pas facile, mais je suis soulagée. Nous retournons rejoindre le groupe. Maxime fait comme si rien ne s'était passé. Le spectacle commence enfin et la musique me donne envie de bouger. Maxime ne se gêne pas pour danser avec moi; même si son ego est un peu blessé, je crois qu'il espère que je changerai d'idée.

Je vois un homme qui s'approche de notre table avec un regard perçant. Bien qu'il porte une tenue décontractée, il n'y a rien de détendu chez cet homme. Juste la carrure de ses épaules me dit que je ne voudrais m'opposer à lui pour aucune raison. Il s'approche de Justine et lui chuchote quelque chose dans l'oreille. Elle devient écarlate. C'est à ce moment que je le reconnais : David Sinclair. Je suis certaine que c'est lui. Justine m'a bien dit que son homme mystérieux s'appelait David. Pauvre Justine, je ne sais pas si je devrais me réjouir pour elle ou la prendre et aller la cacher pour la protéger. Elle représente une petite brebis pour ce loup, chef de la meute en plus, il n'y a pas plus mâle alpha que lui.

— Annie, je te présente David.

— Bonsoir, David, Justine m'a parlé de toi.

Justine me regarde avec ses grands yeux. David me jette à peine un coup d'œil, ses yeux sont fixés sur ma copine, qui semble avoir perdu tous ses moyens. Tous les autres mâles assis à la table semblent aussi être immobilisés par la présence de monsieur Sinclair, le célibataire le plus convoité du Québec, homme d'affaires millionnaire, philanthropique, beau comme un dieu.

— David, tu veux t'asseoir avec nous? lui offré-je.

Je tente de détendre l'atmosphère. Il semble être prêt à prendre mon amie et la jeter par-dessus son épaule pour l'emmener loin de nous. Il est évident que Justine n'a aucune chance de lui résister; qui oserait le faire?

Il s'installe avec nous et nous prenons tous un autre verre. Maxime, Charles et les filles nous quittent peu de temps après. Je les comprends. Je laisserais bien moi aussi ces tourtereaux, mais je suis certaine que Gabriel finira bien par arriver. Je commence à être nerveuse de le revoir. De plus, j'hésite à laisser Justine maintenant que je sais qui est l'élu de son cœur.

Je ne sais pas si j'ai envie de retourner à la discothèque après le spectacle. Je pourrais toujours rentrer à la chambre, ce qui serait toute une ironie : la fêtarde qui rentre la première. Ève me revient en tête. Justine et moi sommes passées après le dîner pour les espionner, Mathieu et elle. Je voulais aussi changer mes souliers, je n'aime pas porter des talons hauts finalement ! Elle semblait être sous le charme de son Mathieu, il est donc évident qu'elle ne viendra pas nous rejoindre ce soir.

Gabriel arrive enfin avec Simon.

— Salut, ma belle sirène.

— Tu as manqué le spectacle ! l'accueilli-je.

— Il est encore tôt. Vous allez où après ?

Justine ne répond pas. Elle veut manifestement suivre David. Voyant que nous ne répondons pas, il ajoute :

— Nous avons entendu dire qu'il y a un bar cubain un peu plus loin, sur la plage. Vous voulez venir avec nous ?

— Oui, je veux bien. Justine ? vérifié-je.

— Tu peux y aller, je crois que je vais rester ici encore un peu, m'informe-t-elle.

Je la comprends. Une autre soirée qui va se terminer chacune de son côté. Mais je n'ai aucune inquiétude, mes amies sont entre de bonnes mains, et moi aussi !

— Allons-y, j'ai besoin de bouger. J'espère qu'il y a de la musique et de la danse à ce bar.

Gabriel m'attrape par la taille ; la chaleur de son corps provoque déjà une réaction dans le mien. La soirée va être longue.

— Tant que tu es avec moi, nous aurons tout ce dont nous avons besoin, déclare-t-il.

Nous décidons de passer par la plage pour nous y rendre. Il fait très noir, mais la lune nous éclaire. Simon est avec nous, mais il nous laisse marcher ensemble.

— Vous avez mangé où ce soir? Je ne t'ai pas vue au buffet, s'informe-t-il.

— Non, ce soir, nous avions une réservation au restaurant cubain. C'était bon. Tu y as droit, toi aussi, tu devrais réserver avant qu'il n'y ait plus de place, lui conseillé-je.

Nous entendons la musique de plus en plus forte. Gabriel m'explique que le petit marché public est situé juste en haut de ce bar. Si nous étions venus par le petit chemin, il aurait fallu descendre ici. Je trouve bien romantique d'avoir marché sur la plage, et je suis heureuse d'avoir changé de souliers même si je me promène pieds nus dans le sable.

Nous arrivons effectivement à un bar situé au milieu de la plage. On y trouve des tables et des chaises en plastique blanc, exactement comme celles que nous avons au Québec. Le bar n'offre que de la bière, du rhum et des boissons gazeuses, mais peu m'importe, j'ai bien aimé mon rhum avec 7 Up aujourd'hui. Simon et moi choisissons une table pendant que Gabriel va chercher nos consommations. Quelques touristes commencent à arriver, mais il est évident que nous sommes en minorité. Cet endroit est un lieu de rencontre pour les jeunes Cubains des environs.

— Ça fait longtemps que tu connais Gabriel? m'interroge Simon.

C'est vrai, que doit-il penser de moi, de suivre Gabriel comme ça en fin de soirée? Il ne semble pas connaître notre passé. Gabriel m'a raconté qu'il travaillait avec lui, mais c'est tout ce que je sais à son sujet.

— Oui, nous venons du même village, nous avons étudié ensemble au secondaire, précisé-je.

Je ne lui donne pas trop d'information, il n'a pas besoin d'en savoir plus.

— Toi, tu le connais depuis longtemps ? enchaîné-je.

— Je travaille pour lui depuis quelques années à sa boutique de Québec. Techniquement, nous sommes ici pour travailler aussi : nous sommes venus pour tester de nouveaux modèles de planche aérotractée.

Même si je suis amie avec la sœur de Gabriel sur Facebook, je ne connais pas tout de sa vie, encore moins tout ce qu'il a fait depuis 10 ans.

— Gabriel fait aussi de la planche aérotractée ? questionnée-je.

— Oui, il est vraiment incroyable. Ça fait longtemps qu'il pratique ce sport de glisse au Québec. Il a commencé avec la planche à neige aérotractée, tu connais ?

— Non, reconnais-je.

— Tu devrais venir avec nous cette semaine essayer, il te donnera un cours.

Gabriel devenu un homme d'affaires, qui l'aurait cru ? Je suis soudainement replongée dans mes souvenirs. Nous étions tellement convaincus que notre amour pourrait survivre à la distance. Avec sa boutique à Québec, je sens que nous sommes destinés à revivre la même odyssée. Je ne vais certainement pas répéter mes erreurs du passé. Mais à quoi est-ce que je pensais ? Qui peut dire qu'il a vécu heureux en se donnant une deuxième chance avec un ex ? Ma vie est à Montréal. Comme je suis bête d'y avoir pensé !

Gabriel revient à la table. Je ne veux pas leur gâcher la soirée. Je suis quand même heureuse de le revoir, je dois me l'admettre. Je sais juste maintenant que les choses ne peuvent pas aller plus loin entre nous.

Chapitre 18

Gabriel

Je ne pouvais pas avoir eu une meilleure idée que cette excursion pour briser la glace entre Annie et moi. J'aurais bien aimé passer plus de temps seul avec elle, mais ça viendra. Quand nous nous sommes embrassés, j'ai vu dans son regard autant de désir qu'au premier jour, même si elle hésite. *Je vais te prouver, ma belle Annie, que nous sommes faits l'un pour l'autre.* Comment pouvons-nous ne pas l'être ?

Après une douche rapide, je m'allonge sur mon lit pour enfin visionner ce que j'ai réussi à filmer cet après-midi. Le trajet du retour a été long, et j'avais hâte de rentrer à ma chambre pour regarder ma belle rousse qui se déhanche en bikini sous les rythmes des tropiques. Elle est une vision parfaite qui me fait à nouveau ressentir tout son pouvoir sur mon corps. Je prenais un risque en venant ici. Je me disais qu'au pire, s'il n'y avait plus rien entre nous, je pourrais aller de l'avant. C'est intense de toujours avoir en mémoire ce que nous avons partagé il y a si longtemps, et pourtant c'est toujours si présent dans ma tête.

Elle danse pour moi. Le mouvement de ses hanches, ses seins fermes, ses belles boucles rousses qui lui caressent les joues, son corps couvert de sueur comme si nous venions de faire l'amour, je peux juste me l'imaginer ici avec moi. Je l'allongerais à mes côtés et je passerais des heures à caresser son corps, que je désire tellement. Je l'embrasserais du creux de sa nuque jusqu'à son petit orteil. Avec ses petits soupirs, elle m'encouragerait à continuer. Elle aurait aussi bon goût que dans mes souvenirs, un mélange de vanille et d'épices exotiques. Mon membre brûlant me ramène à la réalité ; je ne peux pas la revoir dans cet état. Mon orgasme me confirme que mon désir pour elle est encore bien puissant.

Après avoir pris une autre douche, je rencontre Simon pour aller dîner. Je me sens comme un jeune ado qui va à sa première sortie avec une fille, je ne comprends pas cette nervosité. Je sais que rien n'est gagné, mais je ne dois pas y penser. J'ai surmonté de bien plus grandes montagnes pour toujours me rendre au sommet.

— Tu es pas mal beau quand tu te mets propre, Gabriel ! me complimente mon ami.

— Voyons, Simon, c'est juste des vêtements.

— Si tu le dis. Mais tu sais, tu peux aussi admettre que tu aimerais recroiser une certaine rousse ce soir…

— Ah, Simon, tu es perspicace.

— Je dois avouer qu'elle dégage quelque chose, cette Annie. J'ai rarement vu des yeux aussi verts. Son amie serait plus dans mes goûts, elle était moins intimidante, souligne-t-il.

— C'est vrai qu'elle est jolie, Ève. Une beauté naturelle avec un sourire sympathique.

— En tout cas, si tu veux passer plus de temps avec elle, tu as juste à me dire d'aller jouer dans le trafic et je trouverai bien quelque chose pour m'occuper, m'indique-t-il.

— Merci, Simon.

Pendant que nous mangeons au buffet, je garde l'œil ouvert, mais je ne vois pas le trio d'Annie. Je me demande bien où elle est passée.

— Allons prendre un verre au bar de la réception, il y a de la musique, ça nous fera patienter avant le spectacle.

— Bonne idée, Simon, je te suis.

La réception s'est transformée en bar lounge, et un trio de Cubains, accompagné d'une chanteuse, interprète tout en douceur leur musique habituellement plus rythmée. Nous trouvons une petite table. Un serveur vient prendre notre commande.

— Tu aimerais quoi, Gabriel ?

— Je vais prendre un pina colada, mais sans alcool. Je veux être en forme demain, si nous essayons nos nouveaux équipements.

— J'ai discuté avec des gars aujourd'hui, quand nous sommes revenus de l'excursion, ils revenaient d'en faire.

— Ah oui ? C'est surprenant, en fin de journée comme ça, émets-je.

— Oui, ils sont ici depuis quelques jours et m'ont dit qu'habituellement, le mieux est le matin ou en fin de journée. Il y a moins de monde aussi, parce qu'il y a des cours le jour.

— J'ai vraiment hâte. Nous allons tenter notre chance demain matin.

Nous demeurons encore un moment à profiter de la musique. Nous sommes invités à nous rendre à la salle de spectacle si nous voulons poursuivre notre divertissement. Je suis persuadé que c'est là que je reverrai ma sirène.

— Ça fait drôle de me retrouver dans un tout inclus.

— Oui, j'avoue que j'étais le premier surpris que tu le proposes, toi qui voyages toujours avec ton sac à dos et qui couches chez les gens ou dans de petits hôtels.

— Je dois vieillir, j'ai besoin de confort ! avoué-je. Mais tu sais pourquoi nous avons choisi cet endroit : c'était le plus accessible pour essayer nos planches rapidement.

Je ne vais certainement pas lui dire la vérité. Le spectacle est déjà commencé, et je remarque Annie sans même la chercher. Elle est en grande discussion avec sa copine et un homme que je vois de dos. J'ai juste envie de me retrouver seul avec elle, mais je dois patienter. Je remarque que son amie Ève n'est pas là ; elle aurait pu occuper Simon. Nous nous approchons.

— Es-tu certaine que vous êtes venues en vacances à trois ? Il me semble qu'il en manque toujours une dans votre trio.

— Tu ne devineras jamais où est notre amie ce soir ! Son ex est venu jusqu'ici la reconquérir, avoue que c'est romantique !

Si seulement elle savait que l'ex devant elle a fait la même chose, ou presque… elle trouverait ça romantique ? Ou elle me trouverait manipulateur de faire semblant que c'est une coïncidence ? Peut-être que je devrais le lui avouer maintenant.

— Tu ne réponds pas ? C'est vrai que les gars, en général, vous vous dites : *Une perdue, 10 de retrouvées.* La romance c'est pour les filles, j'imagine.

Je m'approche d'elle.

— Tu penses que je n'ai jamais été romantique, Annie ? m'informé-je.

— Ce n'est pas ce que je dis. Je trouve juste ça extraordinaire, ce qu'il a fait pour elle.

Je sens qu'elle tente de me passer un message. Peut-être qu'elle aurait voulu que j'en fasse plus il y a 10 ans, mais je ne peux pas changer le passé. Je suis là maintenant. Je m'empresse de lui proposer de nous accompagner au bar cubain, situé sur la plage. Je sais qu'elle aime danser, elle devrait être facilement convaincue. Je vois dans son regard qu'elle hésite parce qu'elle ne veut pas laisser sa copine seule. Je dois avouer que l'homme qui est avec Justine est un heureux mélange d'assurance et de mystère. Je suis aussi ambivalent à lui faire confiance, même si ce n'est certainement pas à moi de décider du sort de Justine.

Nous partons enfin accompagnés d'Annie. Dommage que Simon n'ait ni Ève ni même Justine pour lui tenir compagnie. Nous marchons sur la plage. Il fait très noir. Je me colle le plus que je peux à ma princesse sans vouloir trop insister. Mes doigts attrapent les siens et nous profitons du moment. Mon corps réagit déjà au sien ; la soirée va être longue. Nous ne tardons pas à arriver. L'ambiance est ce que je recherchais, j'aime me retrouver dans un endroit typique avec des gens qui habitent ici. J'aime bien l'hôtel, mais il n'y a rien comme un bon bain de foule dans une autre culture pour nous rappeler à quel point nous sommes tous unis. Nous cherchons tous les petits plaisirs pour apprécier comment notre vie mérite d'être vécue.

— Tu veux danser, Gabriel ? suggère Annie.

Je suis soulagé qu'elle veuille danser, elle ne parlait plus depuis que j'étais revenu avec nos consommations. Elle regardait tout autour comme si elle voulait éviter de me parler.

— Je rêve de danser avec toi, j'ai attendu ce moment toute la journée, accepté-je.

Tout le monde danse un peu partout entre les tables. Nous nous dirigeons vers l'endroit où un plus grand groupe

se déhanche. Je ne me laisse pas intimider par tous les danseurs qui ont certainement plus de talent que moi, mais ils
n'ont pas Annie comme partenaire. Ils sont charmeurs, ces
Cubains ; elle reçoit des tonnes de regards langoureux, mais
elle ne semble pas s'en rendre compte.

— Je dois te faire une confidence, Annie.

— Ah oui ? m'encourage-t-elle à poursuivre.

Elle continue de danser, mais je l'attrape par la taille
pour l'approcher de moi. Je suis son rythme tout en la regardant dans les yeux.

— Tu te souviens, cet après-midi, quand tu dansais à
la plage ?

Elle commence à se mordiller la lèvre du bas. Elle me fait
craquer, cette fille.

— Non. Rappelle-moi.

— Tu sais que je te regardais. Tu sais aussi que tu te don-
nais un peu plus parce que mon regard était sur toi. Qu'est-ce
que tu tentais de faire, Annie ?

— Tu as beaucoup d'imagination, Gabriel, me
rembarre-t-elle.

— Je ne pense pas. Tu sais pourquoi ?

Elle ne me répond pas.

— J'ai filmé la scène. Je l'ai regardée en rentrant et je
dois confirmer que je n'ai pas imaginé ton corps qui dansait
pour moi.

Elle me regarde enfin avec ses grands yeux brillants.
Cette danse entre nous est loin d'être terminée. La chimie
est certainement encore au rendez-vous même si je sens
qu'elle hésite. Je lui laisserai tout le temps dont elle a besoin,
mais elle sera à moi de nouveau.

JOUR 3

Chapitre 19

Je ne peux pas croire son audace. Il m'a filmée ! Je suis sans mots. Nous continuons de danser, mais je suis soudainement gênée quand je pense qu'il pourra me regarder tant qu'il le veut quand je ne suis pas là. Pourquoi voudrait-il le faire ?

— Gabriel, tu vas devoir effacer cette vidéo, exigé-je.

— Jamais de la vie ! Est-ce que tu sais comment c'est excitant te voir danser pour moi comme ça ?

Il se colle encore plus à moi et son érection effleure ma cuisse. Je ne veux pas succomber à son charme. Je ne comprends pas pourquoi il est si intense. Nous n'avons pas encore eu la chance de nous parler, mais je dois savoir ce qu'il a en tête. Il n'est pas question que je m'abandonne dans ses bras, je ne vivrai pas une autre histoire sans espoir avec lui.

La douleur de notre rupture me revient en tête. Comme j'ai pleuré après l'avoir retrouvé dans les bras d'une autre fille ! J'ai eu tellement mal que j'ai coupé tout contact avec lui. Son odeur me monte à la tête. Il est si près de moi. Comme j'aimerais ne pas lui résister ! Pourquoi doit-on avoir des émotions ? Il est évident qu'il reste beaucoup de désir entre nous, mais je sais que ce n'est pas assez, que ce n'est pas ce que je veux. Je voudrais tellement plus. Je puise dans mon courage pour me décoller un peu, je n'ai plus envie de danser.

— Je crois que je vais rentrer, édicté-je.

Il me regarde comme s'il ne comprenait pas.

— Je suis fatiguée, Gabriel, précisé-je.

Je ne vais pas lui dire que je suis remplie d'un mélange d'émotions ; il sait l'effet qu'il me fait. Il l'a même en vidéo !

— Je vais te raccompagner, allons aviser Simon.

— D'accord, j'avoue que je n'ai pas envie de marcher toute seule jusqu'à ma chambre, reconnais-je.

Simon veut continuer de faire la fête. Quelques touristes de notre hôtel sont arrivés pendant que nous dansions et se sont joints à lui. La plage est de plus en plus remplie, toutes les chaises sont occupées, la musique est beaucoup plus forte ; il est évident que la fiesta ne fait que commencer. J'aimerais avoir la tête à la fête quand je regarde tous ces beaux couples danser la salsa avec autant de passion. Je me promets de revenir avec les filles cette semaine.

— Allons-y, princesse.

Nous nous éloignons et décidons de repasser par la plage, qui est bien déserte à cette heure. Je sens que c'est un bon moment pour nous parler.

— Gabriel, j'aimerais comprendre, commencé-je.

— Comprendre quoi, Annie ? Comment c'est un merveilleux hasard de nous retrouver ici ?

— Comment tu peux dire ça ! J'admets que c'est une belle surprise de te revoir après tout ce temps, mais on ne peut pas faire comme si notre passé n'existait pas, contré-je.

— Tu sais, notre passé, comme tu le dis, serait peut-être encore notre présent si tu ne m'avais pas quitté si soudainement.

— Tu ne vas certainement pas dire que c'était de ma faute! m'exclamé-je.

— Tu as coupé tout contact avec moi, ce n'était certainement pas de la mienne!

— Est-ce que tu as des troubles de mémoire, Gabriel?

— Qu'est-ce que tu veux dire? Je me souviens très bien que j'ai voulu te reparler, mais tu as refusé toutes mes demandes.

— Je ne pouvais pas te pardonner, je croyais que tu m'aimais.

— Je t'ai toujours aimée, Annie.

— Ça ne paraissait pas, rétorqué-je.

— Mais de quoi tu parles?

— Je t'ai vu, Gabriel!

— Tu m'as vu faire quoi?

— Je suis rentrée le vendredi au lieu du samedi comme prévu, je voulais te faire une surprise. C'est moi qui en a eu une!

— Je ne te suis pas, Annie.

— Tu étais au bar du village, où nous nous tenions toujours le vendredi. J'étais tellement excitée de te voir, tu me manquais tant. Mais de ton côté, tu ne pensais même pas à moi. Tu étais dans les bras d'une fille, et il était évident que vous alliez vous embrasser, m'emporté-je.

Bien qu'il fasse très noir, je vois que Gabriel est ébahi, comme si je venais de le frapper en plein visage. Son regard est un mélange de peine et de colère. Je ne peux pas croire que notre conversation est devenue si intense. J'en tremble en dedans.

— Je me souviens de cette soirée, Annie. On m'a avisé qu'on avait cru te voir rentrer, mais personne ne t'avait revue.

Je peux te confirmer que je n'étais pas avec une fille ce soir-là, ni à aucun autre moment quand j'étais avec toi.

— Je t'ai vu, Gabriel.

— Peut-être qu'une fille s'est approchée de moi, je ne m'en souviens pas, se défend-il. C'est vrai que c'est arrivé quand je sortais, des filles un peu aguicheuses qui me montraient qu'elles étaient intéressées, mais je ne t'ai jamais trompée.

Nous restons dans le silence. Les larmes me montent aux yeux. Est-ce que j'aurais mal vu ? Pourtant, la scène est tellement claire dans ma tête. C'est vrai qu'il ne l'embrassait pas quand je les ai vus, mais il allait le faire, j'en suis certaine. Je ne sais plus quoi penser. S'il me dit la vérité, je l'aurais laissé pour rien ? C'est plus fort que moi, j'éclate en sanglots.

— Viens ici. Calme-toi. Je suis tellement désolé.

— Je m'en veux, Gabriel, je m'en veux tellement, pleuré-je.

— Arrête, Annie. Je m'en veux plus, j'aurais dû insister pour te revoir. J'aurais dû embarquer dans ma voiture pour aller te voir à Montréal, nous aurions eu cette conversation. À la place, j'ai été lâche et je suis embarqué dans un avion pour t'oublier.

— Nous formons une belle paire : nous étions tous les deux trop fiers, trop blessés.

— Si je le pouvais, je retournerais à cette journée. J'aimerais t'enlever toute ta souffrance.

— Nous ne pouvons pas retourner en arrière, riposté-je.

— Tu as raison, mais nous pouvons aller de l'avant. Annie, tu comprends, c'est un cadeau de nous retrouver ici.

— Je ne sais pas, j'ai besoin de réfléchir.

— Je sais, mais ne pense pas trop. Ce qui se passe encore entre nous, je ne l'imagine pas.

Il s'approche pour me serrer contre lui. J'entends le va-et-vient des vagues. C'est comme si nous étions seuls au monde. Je me sens en paix. Je ne me suis pas sentie aussi calme depuis longtemps. C'est vrai que j'ai besoin de penser, mais je suis si bien dans ses bras, c'est comme si je ne les avais jamais quittés. Je me colle davantage en enfouissant mon nez au plus profond de son cou. Il sent encore meilleur que dans mes souvenirs. Je l'embrasse tendrement.

— Annie, tu ferais mieux d'arrêter si tu veux que je te laisse le temps dont tu as besoin, m'avertit-il.

Je continue de l'embrasser, car c'est de lui que j'ai besoin en ce moment.

— Embrasse-moi, Gabriel.

Il ne se fait pas prier. Ses lèvres se déposent sur les miennes en douceur pour commencer, mais nous sommes rapidement tous les deux enflammés. Sa bouche me dévore, il me mordille les lèvres de plus en plus fort. Je sens son désir monter. Ses mains commencent à caresser mes seins. Je cambre mon dos pour lui donner un meilleur accès. Il passe facilement sa main sous ma robe pour me tourmenter encore plus. Ses mains chaudes me font sursauter, et lorsqu'il prend mes mamelons entre ses doigts, un choc se propage dans tout mon corps.

— Gabriel.

— Arrête-moi.

Je n'ai pas envie que ce moment arrête.

— J'ai besoin de toi, Gabriel.

Je vois dans ses yeux que son désir est aussi fort que le mien. Il enlève d'un seul élan son t-shirt pour le déposer dans le sable. Il m'attrape dans ses bras pour me coucher par-dessus. Je ne réfléchis plus, j'ai envie de lui. Il s'allonge par-dessus moi et recommence à m'embrasser. Sa main se glisse sous ma robe, et il ne tarde pas à atteindre ma petite culotte, qu'il m'enlève sans même hésiter. Il détache rapidement son short; il ressent le même désir brûlant que moi. Je dois le sentir en moi.

— Gabriel.

— Mon Annie.

Il s'installe par-dessus moi et m'enfile son érection d'un seul coup. Il vient remplir ce qui me manquait depuis si longtemps. Mon corps entremêlé au sien, il n'y a pas de communion plus parfaite. Je veux le sentir bouger. J'ai tellement envie de lui que je sens que nous ne tiendrons pas longtemps. Il va et vient sans ralentir; il sait de quoi j'ai besoin. Je sens tout mon corps qui se contracte. Mon orgasme explose. Je sens au même moment le sien qui se manifeste. Nous crions notre délivrance.

Chapitre 20

Gabriel est couché sur moi et nous sommes tous les deux à bout de souffle. Je vis un moment qui ne semble pas réel. Comment est-ce que je me retrouve sous lui sur cette plage? La réalité revient vite : j'ai les fesses dans le sable. Faire l'amour sur la plage, c'est moins romantique que dans les films.

— Gabriel?

— Désolé, Annie, je suis une bête, s'excuse-t-il.

— Non, *nous* sommes des bêtes, mais là, j'aimerais me débarrasser de tout ce sable.

Il m'aide à me relever; mes jambes sont encore molles. Je secoue ce que je peux, mais j'ai juste envie de prendre une douche.

— Viens, allons à ma chambre.

— Non, refusé-je. Ce qui vient de se passer, je ne le regrette pas, mais tu dois me laisser le temps d'assimiler tout ce que nous nous sommes dit.

Il semble déçu, mais n'insiste pas. Nous marchons main dans la main en silence jusqu'à ma chambre.

— J'aimerais que tu changes d'idée, Annie, mais je ne vais pas insister.

— Je ne comprends pas comment tu peux être si certain que nous devrions reprendre où nous nous sommes laissés.

J'aimerais lui dire que je ne supporterais pas de vivre une autre peine d'amour à cause de lui. De plus, rien n'a changé : il habite encore à Québec, je vois les regards des autres filles sur lui, il y a trop d'obstacles entre nous. Mon corps, lui, aimerait bien passer la semaine dans ses bras, mais il est évident que ma tête n'est pas prête.

— Je vais te prouver à quel point nous sommes faits pour être ensemble, atteste-t-il. Avant que nous quittions cette île, tu ne pourras plus vivre sans moi. Fais de beaux rêves, ma sirène. Je vais rêver à toi.

Il m'embrasse tendrement la joue avant de repartir dans l'obscurité. *Moi aussi, je vais rêver à toi, Gabriel.* Mon corps a encore envie de lui, alors je saute dans la douche pour le calmer.

— Annie, c'est toi ? entends-je une voix.

— Ève, tu es revenue ! Je sors de la douche, donne-moi deux minutes.

Je m'empresse de mettre un t-shirt et j'applique rapidement mes produits dans mes cheveux.

— J'espère que tu ne nous as pas cherchés ?

— Non, j'étais avec Mathieu tout ce temps. Justine n'est pas avec toi ? s'informe-t-elle.

— Ah, Ève, tu as manqué bien des choses ce soir. Je te raconte tout, mais avant : comment tu vas ?

— Je ne sais pas, je crois que je rêve.

— Je crois que c'est le mot du jour ! Mais dis-moi, qu'est-ce qui se passe avec Mathieu ? C'est tellement romantique qu'il soit ici, non ?

— Oui, je suis complètement charmée, mais en même temps, je suis dépassée. Nous avons beaucoup discuté pendant le dîner, mais nous en avons encore beaucoup à nous dire. Il m'attend à sa chambre, indique-t-elle.

Elle rougit. Je la comprends. Je vois dans ses yeux à quel point elle est effectivement sous son charme. Qui ne le serait pas après une telle preuve d'amour ? C'est encore mieux qu'un chevalier qui arrive sur son cheval blanc.

— Tu sais, Ève, je trouve qu'il a eu une bonne idée de venir te rejoindre ici. Vous aurez le temps dont vous avez besoin pour discuter et mettre les choses au clair entre vous.

— Tu as raison, accorde-t-elle, mais en même temps, je suis venue ici avec vous. Je ne m'attendais pas du tout à ça.

Je repense à ma scène sur la plage avec Gabriel. Ève a raison, cette semaine ne se déroule pas du tout comme prévu.

— Mais où est Justine ? Je veux la remercier d'avoir tout organisé avec Mathieu.

— Elle va être soulagée, elle se sentait mal de te mentir, mais elle trouvait que c'était si romantique ! Tu la connais, elle n'a pas pu résister. Ce n'est pas négligeable qu'elle parle si bien espagnol non plus.

— Notre dîner était tellement romantique, tu as raison. J'aimerais tellement qu'elle aussi puisse avoir un peu de romance dans sa vie.

— Tu auras peut-être ton souhait ; tu ne devineras jamais où est notre amie, commencé-je.

— Ne me dis pas qu'elle est avec un homme, je ne te crois pas !

— Imagine-toi donc que notre chère amie a attiré le regard de nul autre que David Sinclair !

— Pourquoi ce nom me dit-il quelque chose ?

— Tu l'as sûrement vu dans les revues à potins que tu aimes lire ! précisé-je.

— Ah, mon Dieu, oui, je sais qui c'est. Tu l'as rencontré ?

— Oui, je l'ai bien vu, c'est lui. Ce que j'ai vu surtout est comment notre chère amie ne réfléchit plus quand il se trouve près d'elle.

— Je n'en reviens pas. Pauvre Justine, cet homme est photographié avec une nouvelle flamme chaque fois que je le vois. J'espère qu'il ne lui fera pas de peine.

— Voyons, Ève. Justine est une grande fille, elle peut profiter de lui elle aussi. Ça va lui faire du bien de se sentir désirée et de se laisser séduire. C'est quand, la dernière fois que nous avons entendu Justine parler d'un gars dans sa vie ? souligné-je.

— Tu as raison, mais elle si sensible, tempère Ève. Ce n'est pas dans ses habitudes se laisser séduire comme ça.

— Tout ira bien, ne t'inquiète pas. Mathieu t'attend, tu ferais mieux d'y aller.

— Oui. Mais tu ne m'as pas dit où tu as passé la soirée. Tu as revu Gabriel ?

Je me retiens de lui répondre : *Revu de très près, oui.*

— Nous avons passé un moment ensemble, nous avons discuté, mais je suis un peu comme toi en ce moment, j'ai l'impression que notre réunion est surréelle. J'ai besoin de penser à tout ça.

— Tu veux que je reste avec toi ? m'offre-t-elle. Nous pouvons en discuter si tu veux.

— Non, je crois que ça va me faire du bien de me retrouver seule.

Elle s'approche pour me donner un câlin. Je me sens émotive, mais je tente de le lui cacher, je veux qu'elle puisse partir la tête tranquille.

— Merci Ève. Passe une belle nuit, je veux tout savoir demain.

— Pas tout, quand même !

Elle me quitte en riant. Je me retrouve toute seule, c'est étrange. Je regarde mes textos : Justine vient de me confirmer qu'elle ne rentrera pas non plus.

Je crois que je vais sortir mes crayons et mon cahier d'esquisses pour me défouler un peu. J'ai besoin de me changer les idées. Je tente depuis des semaines de trouver l'inspiration pour continuer ma nouvelle collection de toiles. J'ai déjà fait quelques croquis : des corps entrelacés, comme si c'était un présage de ce qui m'attendait ici. J'ai suivi un cours en soirée à l'automne avec des modèles vivants, ce qui m'a redonné confiance pour en dessiner. Même si j'ai bien aimé mes natures mortes, c'est tellement plus puissant de réussir à capter de vraies émotions sur toile.

Je pense au désir. Comme j'ai désiré Gabriel ce soir ! J'ai vu la même chose dans son regard, il était un miroir devant moi. Je commence à dessiner. Un homme, une femme. Ils sont nus, sans artifice, juste leur désir et la vulnérabilité de leurs émotions.

La toile que j'avais exposée lors de ma rencontre avec Gabriel me revient en tête. Mes amoureux sous la pluie. J'étais tellement timide à cette époque, l'inspiration m'était venue parce que je ne croyais pas que c'était possible pour moi de sortir avec un garçon. Toutes mes amies avaient des petits copains, mais je n'attirais aucun regard. Gabriel avait eu raison : c'était moi, sous la pluie. La toile symbolisait l'impossibilité de goûter moi aussi mon premier baiser. Comme j'y avais rêvé. Celui de Gabriel avait été encore plus magique que tous ceux que j'avais imaginés.

Je continue de dessiner. Il n'y a pas de pluie dans mes dessins. Il n'y a qu'un ciel bleu, sans nuages, avec un soleil brillant. Comme il est facile d'être aussi passionnée que les personnages que je dessine sous le soleil des tropiques ! C'est facile d'oublier toutes nos préoccupations, de ne ressentir que le désir, l'envie de se coller à l'autre pour vivre une communion parfaite entre deux corps.

Je m'endors épuisée, mais satisfaite de cette percée artistique. Je me sens libérée d'avoir trouvé l'inspiration de créer une collection qui sera plus intense que tout ce que j'ai fait à ce jour. Je dois remercier Gabriel. Il a toujours su réveiller toute la passion qui m'habite.

Chapitre 21

Je me réveille en m'étirant comme un chat. Je viens de vivre ma meilleure nuit de sommeil depuis longtemps. Il n'y a aucun bruit dans la chambre. Je repense à mes copines, qui ont chacune découché, et je ne suis pas jalouse de leur nuit dans les bras de leurs roméos. Je crois que ma petite thérapie par le dessin m'a réconciliée avec la vie. Je sais que c'est ce que je veux faire, et je vais trouver le moyen d'accorder plus de temps à mon art dès mon retour. Une idée me vient : si je prenais une colocataire, comme je viens de le faire avec Ève, je pourrais me libérer plusieurs heures par semaine. Je ne vais pas presser Ève de partir, mais je me sens encouragée d'y avoir pensé.

J'entends la porte qui veut s'ouvrir : c'est Justine qui transporte plusieurs cafés. Elle a encore une fois lu dans mes pensées.

— Tu es radieuse ce matin, belle Justine.

Elle sait que je la taquine, mais elle rougit.

— Ève n'est pas là ? s'enquiert-elle.

— Non, ça semble être mission accomplie pour Mathieu. Elle a passé la nuit avec lui, et là, elle vient de me texter pour m'aviser qu'ils passeront aussi la journée ensemble.

— J'ai aussi eu son texto, il semblerait que Mathieu a une journée surprise planifiée pour eux. C'est tellement romantique !

— Ta nuit a-t-elle été romantique ? l'interrogé-je.

— Ah, Annie, je ne pensais pas que c'était possible de se sentir comme je me sens.

— Je suis tellement heureuse pour toi, Justine. David est l'homme parfait pour te faire découvrir comment tu mérites de te sentir.

— C'est comme si j'étais embarquée dans un manège, je suis complètement étourdie, mais je n'ai pas envie que ça arrête, fait-elle remarquer.

— Comme je te comprends.

— J'ai eu ton texto pendant la nuit ; j'étais surprise que tu n'aies pas passé plus de temps avec Gabriel. Il me semblait que tu voulais vous donner une chance ?

— Tu m'as mal comprise, Justine, rétorqué-je. Je voulais surtout que nous puissions nous parler et nous l'avons fait. Ce n'est pas simple entre nous, je sens qu'il y a trop d'obstacles.

Je n'ai pas envie de rentrer dans les détails. J'ai envie de le revoir. Je sais au fond de moi que je veux me donner une vraie chance de voir ce qui est possible entre nous même si ma tête ne veut pas, et mon cœur et mon corps ne peuvent pas ignorer tout ce qu'ils ressentent.

— Allons prendre le petit-déjeuner, j'ai tellement faim ! Après, nous pourrions aller à la piscine, proposé-je, j'ai envie de relaxer.

— En tout cas, Annie, tu as l'air en paix ce matin. Je ne sais pas si c'est les vacances ou Gabriel, mais je suis heureuse de te voir ainsi.

— Je ne t'ai pas raconté : j'ai dessiné cette nuit et j'ai enfin trouvé l'inspiration que je cherchais. C'est ça, la plénitude que tu vois ce matin !

Nous partons comme des gamines prêtes à profiter de la journée. Le site est parfait, tout le monde est souriant. Nous ne nous éternisons pas trop au buffet. Nous arrivons à la piscine, qui n'est pas encore occupée. Les animateurs se promènent pour nous inviter à aller faire de la gymnastique d'étirement à la plage. L'exercice me ferait du bien, je dois avouer que mes muscles sont endoloris. Je me dis que c'est probablement en raison de la plongée en apnée de la veille, même si c'est le corps brûlant de Gabriel par-dessus le mien qui me revient en tête.

— Justine, tu viens avec moi ? Ça va nous faire du bien.

— Je crois que je vais me reposer, mais vas-y, toi, insiste-t-elle.

— Viens me rejoindre, si tu changes d'idée. Ça ne peut pas être forçant, de la gymnastique d'étirement sur la plage !

Je passe par le bar pour me prendre quelque chose à boire ; il fait déjà chaud. Je me laisse tenter par un pina colada même s'il n'est que 10 h. Le rhum n'est pas si fort de toute façon !

Je m'installe avec ma serviette. Le beau Carlos est notre professeur.

— Bonjour, Carlos, le salué-je.

— Bonjour. Tes amies ne sont pas avec toi ?

— Non, elles n'ont pas de volonté ce matin.

— C'est dur, les vacances, pour les Québécois !

Il se trouve drôle, mais je dois avouer que même si j'ai bien dormi, je ne me suis pas encore reposée pendant ces vacances. Il nous guide dans toutes sortes de poses qui ressemblent à un mélange de yoga, d'étirements et de Pilates, mais tout est en douceur. Je me sens privilégiée de profiter de l'ambiance tranquille ce matin. La mer est calme, le soleil brille, la petite brise sur ma peau me fait autant de bien que les grandes respirations qui me reconnectent à une Annie qui est parfaitement dans le moment présent.

Nous nous allongeons pour les dernières minutes de la séance. J'ai un sentiment de déjà-vu lorsque le sable vient se coller à ma peau. *Gabriel.* Je ne peux m'empêcher de repenser à lui. Je ne sais toujours pas pourquoi je me suis jetée dans ses bras comme je l'ai fait, même si j'en avais envie. Est-ce possible de pardonner si facilement? J'ose à peine y penser. Il avait l'air si bouleversé lui aussi, je crois qu'il a autant souffert que moi. Jamais je n'avais pensé à cette possibilité. Je croyais que j'étais la seule victime de notre rupture. Nous avons manqué 10 ans. Peut-être que nous ne serions plus ensemble aujourd'hui, mais j'aurais voulu faire partie de sa vie. Je suis curieuse de savoir tout ce qu'il a fait, ce qui l'a mené où il est maintenant. Sa vie semble si excitante.

Je remercie Carlos. J'ai juste envie de sauter dans la piscine. Je rejoins Justine, qui semble se réveiller.

— Tu as eu une grosse nuit, Justine? la nargué-je.

Elle rougit, mais s'empresse de changer de sujet.

— Je vais nous chercher quelque chose à boire, tu veux quoi?

— Ça te fait bien, tes belles couleurs, ça me confirme que David s'est bien occupé de toi.

— Annie! Je ne rentrerai pas dans les détails, mais je dois admettre que j'ai déjà envie de le revoir.

Elle me quitte pour aller au bar. J'en profite pour appliquer de nouveau de la crème, car je veux aller me baigner. Je vois au loin Gabriel qui plonge dans la piscine. Il ne m'a pas vue. Je veux le rejoindre. J'aimerais lui résister, mais Ève a raison : il est comme un aimant pour moi. Je n'ai aucune chance. Justine revient enfin.

— Tu viens te baigner, Justine ?

— C'est une bonne idée, j'ai chaud. Mais avant, buvons à ces vacances. Santé !

— Oui, santé ! m'exclamé-je.

Je m'empresse de sauter à l'eau en direction de Gabriel, qui est assis au bar dans la piscine avec Simon. J'arrive en dessous de l'eau près lui. En sortant, je souhaite qu'il ait autant envie de me revoir, que ce n'était pas juste un défi pour lui de me baiser 10 ans plus tard. Je ne sais pas pourquoi j'ai soudainement les idées si noires.

— Bonjour, belle sirène.

Il m'attrape par la taille pour me rapprocher de lui. J'ai tort de m'en faire.

— As-tu fait de beaux rêves ? me chuchote-t-il à l'oreille.

Je le regarde dans les yeux. Il est tellement séduisant ! Je pourrais me perdre dans ses bras, mais je suis consciente que nous ne sommes pas seuls. Simon discute avec Justine, qui vient de nous rejoindre.

— Bonjour, Justine, l'accueille Gabriel en s'empressant de lui faire son plus beau sourire.

Il est tellement charismatique, c'était ce qui m'avait attirée chez lui. Sa bonne humeur, sa légèreté et sa façon si naturelle d'être l'ami de tout le monde.

— Vous êtes matinaux, les gars, émets-je.

— Oui, Simon et moi venons d'essayer nos nouveaux jouets, explique Gabriel. Nous voulions y aller tôt, c'était super.

— Ah oui, Simon m'a parlé de ton cerf-volant ! indiqué-je.

— Ce n'est pas un cerf-volant, Annie, c'est une planche aérotractée, me corrige-t-il. J'avoue que c'est comme un cerf-volant que nous faisons voler, mais en nous tenant sur une planche. C'est très excitant.

— J'aimerais bien te voir en faire.

— Tu pourrais même l'essayer, tu sais. J'ai une école, je te donnerai des cours.

— Ah oui, j'aimerais ça ! affirmé-je.

— Tu as toujours été douée dans les sports, je suis convaincu que tu serais superbe. Vous faites quoi aujourd'hui ? s'informe-t-il.

Je voudrais lui répondre que mes plans dépendent des siens, mais je suis avec Justine, et je ne suis pas certaine qu'elle a envie de les suivre.

— Nous allons nous promener au marché, vous voulez venir avec nous ?

Un regard vers Justine m'informe qu'elle n'en a pas envie. Les yeux de Gabriel sont fixés sur les miens, et son invitation à l'accompagner est claire.

— Vas-y, Annie, si tu veux, j'ai envie de me reposer aujourd'hui, déclare Justine. Nous nous retrouverons plus tard.

J'hésite parce que je sais qu'Ève est partie pour la journée. Quelle drôle de semaine ! Trois don Juan se présentent dans nos vies et nous tombons complètement sous leur emprise. Je refuse de me retrouver sous l'influence de Gabriel, mais je dois me donner cette chance de voir ce qui est possible entre nous.

— D'accord. Je dois aller à la chambre avant.

— Rencontre-nous à la réception dans une heure, ça va?

— C'est parfait, conviens-je.

Je suis fébrile, même si Simon sera avec nous. J'ai hâte de discuter avec Gabriel, de tenter de rattraper le temps perdu. Je sens que nous avons tellement à nous dire même si je rêve surtout de ses lèvres sur les miennes.

Chapitre 22

Gabriel

Mon Annie. Son corps parfait de sirène s'approche de moi sous l'eau. Je ne pensais pas la revoir si tôt. J'ai dû déployer toute ma volonté quand je l'ai quittée hier soir afin de ne pas insister pour l'accompagner dans sa chambre. Heureusement qu'elle la partage avec des amies, parce que j'aurais pu devenir Cyrano en lui faisant la sérénade sous son balcon pour la convaincre de me laisser passer la nuit avec elle.

Je repense à notre audace sur la plage. Je n'étais plus capable de réfléchir lorsqu'elle m'a demandé de l'embrasser. Ses lèvres chaudes sur les miennes, mêlées à toutes les émotions que je venais de vivre. Je m'en voulais, je lui en voulais. J'avais comme seule envie de me perdre en elle. Je voulais qu'elle puisse ressentir tout mon désir. J'aurais voulu en profiter plus longtemps, mais mon envie brûlante de la posséder, de lui faire oublier toute sa peine, de lui montrer tout ce que je ressentais encore pour elle avait été trop intense.

J'ai besoin de me retrouver seul avec elle. Je ne tarde pas à l'inviter à passer l'après-midi avec moi. C'est dommage pour Simon, mais il devra s'occuper. Je suis impatient d'aller la rejoindre.

— Tu sais, Simon, ton offre d'hier?

— Quelle offre?

— Celle d'aller jouer dans le trafic! J'aimerais que tu comprennes que tu ne peux pas nous accompagner cet après-midi...

— Ne t'inquiète pas, me rassure-t-il, j'étais de trop hier soir avec vous, je n'ai pas envie de me retrouver dans cette situation.

— Tu mérites une prime pour ta grande compréhension, le remercié-je.

— Ma prime est d'être ici avec toi. Je suis persuadé que je ne manquerai pas d'idées pour passer l'après-midi. Je crois que je vais aller à la plage et profiter des autres sports nautiques.

— Nous nous retrouvons en fin de journée?

— J'ai entendu qu'il y a une fête sur la plage ce soir, j'ai hâte de voir ça.

Sa bonne humeur me rassure. Je suis convaincu qu'il ne va pas s'ennuyer. Un beau jeune homme comme lui, j'ai vite vu à la plage hier et même au bar cubain en soirée comment il se fait des amis facilement. Ce n'est pas pour rien que je l'apprécie autant : nous nous ressemblons sur ce point.

Alors que je me dirige à la réception pour rejoindre Annie, je me sens comme l'adolescent que j'étais lors de mes premiers rendez-vous avec elle. J'avais eu quelques aventures avant de la rencontrer, mais elle avait été ma première copine officielle, comme j'avais été son premier petit copain. Nous nous sommes aimés comme tous les jeunes, avec beaucoup de passion et de naïveté. Je croyais que je serais toujours le seul pour elle. Elle m'avait fait assez confiance pour se donner tout entière, et j'ai toujours considéré ce cadeau comme un trésor à conserver précieusement. Quand je repense au temps qui nous sépare, je sais bien que je ne suis pas demeuré le seul, mais je compte bien être le dernier. Je vais lui prouver qu'elle ne pourra pas vivre sans moi.

Je l'attends depuis quelques minutes, mais elle n'est toujours pas là. J'espère qu'elle n'a pas changé d'idée. J'en profite pour me prendre un verre pour la route. Sans même me retourner, je sais qu'elle arrive par son odeur. Je sens ses bras se glisser autour de ma taille.

— Je suis heureux de te revoir, ma sirène, l'accueilli-je.

— Moi aussi. Simon n'est pas avec toi?

— Non, c'est juste toi et moi.

Elle me regarde avec ses grands yeux, et je vois qu'elle est contente que nous ayons ce moment seuls. Je la sens moins hésitante qu'hier. Je fais du progrès.

— Ça ne dérange pas d'être seule avec moi?

— Non.

— Tu veux quelque chose à boire? offré-je.

Même moi, qui prends rarement d'alcool, je me laisse maintenant tenter par les rhum punch après y avoir goûté; c'est désaltérant avec cette chaleur. Annie commande son mélange habituel de rhum avec 7 Up, et nous sommes prêts. Nous passons par un petit chemin pour nous rendre. Nous aurions pu demander une voiturette de golf pour nous emmener, mais de marcher un peu va nous faire du bien.

— Tu as apporté ton maillot? Si nous avons trop chaud, nous pourrons nous baigner en revenant par la plage.

— Bien sûr, nous sommes à Cuba, qui ne porte pas son maillot en plein jour?

— En tout cas, personne ne porte un bikini comme toi, la complimenté-je.

— Arrête, tu vas me faire rougir et je ne rougis jamais.

— Est-ce que tu me mets au défi, Annie ? Je suis persuadé que je peux te faire rougir sans difficulté.

— Tu ne réussiras pas.

— Tu veux gager ? rétorqué-je.

— Tu es si sûr de toi ? Laisse-moi y penser.

— Si je gagne, tu passes la nuit avec moi !

— Tu y vas fort dans ton prix !

Elle hésite un moment, mais ses yeux brillants la trahissent.

— D'accord. Si je gagne, tu m'accompagnes à la section de la plage où il est permis de faire du naturisme.

— Tu crois que c'est de perdre de te voir enlever ton maillot ? la nargué-je.

— J'aurais pensé que tu serais trop gêné pour être vu là-bas. On y trouve aussi des hommes qui aiment bien être nus.

— D'accord, concédé-je. J'accepte de t'accompagner, mais je garde mon maillot !

— Par contre, je te donne deux heures pour me faire rougir.

Je suis comblé par ce défi. Nous marchons jusqu'au marché. Un autobus vient d'arriver avec un groupe de touristes. Les hôtels ne sont pas tous près comme le nôtre. On retrouve plusieurs kiosques avec des artisans, et Annie s'empresse de commencer à regarder tous les petits souvenirs que je trouve bien inutiles. J'ai juste envie de commencer ma stratégie pour la faire rougir, la tâche sera encore plus facile avec autant de gens autour.

Je reste près d'elle et effleure son corps avec de brèves caresses. Je vois qu'elle n'est pas indifférente, mais ne rougit pas. De toute façon, je gagne à tous les coups. Si elle pense que d'aller à une plage où les gens se promènent nus va m'intimider quand je peux voir son corps de déesse sans son bikini, elle me connaît mal.

— Regarde, Gabriel, comme ces éventails sont magnifiques !

— Oui, je crois que tu en as besoin pour te rafraîchir un peu, non ? la taquiné-je.

— Tu as trop confiance en toi.

— Je te l'offre. Nous allons prendre le rouge !

— Arrogant.

Elle éclate de rire ; elle sait très bien que je tente de la faire céder.

— Tu sais, Justine, mon amie la plus romantique que je connaisse, est obsédée par ces romans qui se passent à l'époque de la Régence anglaise. Elle nous racontait que les filles de cette époque avaient toujours un éventail dans les grandes soirées et s'en servaient pour passer leurs messages au sexe opposé.

— Ah oui, tu vas me passer des messages avec ton éventail, Annie ?

— Peut-être, réplique-t-elle. Mais il faudra que tu apprennes à les interpréter !

— J'irai voir Justine, s'il le faut, mais je vais tout décoder sur toi cette semaine.

Elle ne rougit toujours pas.

— Je n'ai pas besoin de ton éventail pour lire dans tes pensées en ce moment ; tu n'arrêtes pas de te mordiller la lèvre du bas, ta respiration s'accélère dès que je m'approche et quand je pose ma main sur toi, comme ça, je sais que tu as envie de moi.

Je glisse ma main doucement sur son bras, jusqu'à son épaule, où je m'arrête pour jouer avec les bretelles de sa robe. Elle n'ose plus me regarder. Elle commence même à s'éventer. Elle ne sait pas l'effet qu'elle a sur moi. Je dois avouer que c'est très séduisant de voir ses grands yeux verts derrière cet éventail. Ce geste devait manifestement représenter une invitation à l'époque dont elle parlait.

— Nous devrions trouver quelque chose à manger, j'ai faim, indique-t-elle.

— Moi aussi.

Je ne la quitte pas des yeux.

— De la nourriture, Gabriel, précise-t-elle.

— Je te reconnais ! J'avais oublié comment tu devais manger pour garder la bonne humeur. Viens, j'ai entendu dire que ce marché offre la meilleure pizza.

— Super !

Nous trouvons sans problème la petite pizzeria. Nous nous installons à une table qui fait face à la mer. Le marché est situé exactement en haut du bar sur la plage où nous sommes venus hier soir. Je vois l'emplacement, mais toutes les chaises sont rangées ; on doit les ressortir la soirée venue. Le jour, c'est la plage qui prime.

— La vue est magnifique.

Je la fixe intensément du regard avant de lui répondre :

— En effet.

— Je ne rougirai pas, Gabriel, tu peux arrêter et avouer que tu as perdu.

— Je ne perds jamais, Annie, riposté-je.

Je te fais surtout la promesse que je ne te perdrai pas une autre fois, belle princesse. Je suis si bien avec elle ! Tout est si naturel, c'est comme si les 10 dernières années n'existaient plus. Je profite du moment, et je sens qu'elle laisse doucement tomber ses gardes.

Chapitre 23

Alors que je me dirige à la réception pour rejoindre Gabriel, je me retiens de ne pas courir. J'aimerais tellement ne pas être comme un petit chien qui veut juste qu'on s'occupe de lui, mais je ne peux m'empêcher d'être aussi excitée à l'idée de passer l'après-midi avec lui. J'ai mis une petite robe de plage par-dessus un bikini ; j'espère que nous aurons un moment pour aller nous baigner, juste nous deux.

Lorsque j'arrive, il est au bar, dos à moi. Un groupe de filles tente d'attirer son attention. Je prends une grande respiration. Il les regarde à peine. Une grande blonde se place à côté de lui pour commander. Je vois bien qu'elle se colle. Elle commence à lui parler en lui faisant son plus beau sourire d'aguicheuse. Notre conversation de la veille me revient : il m'a assurée qu'il ne m'avait jamais trompée, mais je sais que mes doutes planent encore. Je veux lui faire confiance, mais je ne sais pas comment je vais faire pour endurer tous les regards qu'il reçoit. Il ne pourrait pas ressembler un peu moins à un mannequin de Calvin Klein ? Son haut sans manche blanc dévoile son corps parfait, j'ai juste envie de m'y coller.

Je sens déjà mes seins qui deviennent lourds. Il est à moi. Pour ces vacances en tout cas. Je ne veux pas penser à ce qui viendra après, mais je ne me priverai pas de tout ce que je sais que je peux ressentir dans ses bras. Je me dirige vers lui, l'aguicheuse peut aller voir ailleurs. J'arrive derrière et je pousse mon audace en glissant mes bras autour de sa taille sans me gêner pour regarder la grande blonde à côté de lui. *Il est à moi.*

Il m'accueille avec son plus grand sourire. La tension est déjà palpable entre nous. Je suis heureuse que Simon ne soit pas là. Un après-midi seule avec lui. Il voudra peut-être même me suivre à la plage où je pourrai enlever au moins le haut de mon bikini. J'ai besoin d'inspiration pour ma nouvelle collection, j'ai envie de m'exposer pour me connecter à cette liberté. Je veux ressentir le soleil, l'eau de la mer, la brise tropicale sur ma peau presque nue. Les filles n'oseraient jamais venir avec moi et je n'ai pas envie d'y aller seule. De plus, d'avoir les yeux de Gabriel sur moi serait très excitant. J'ai envie de continuer à élaborer ce que j'ai commencé cette nuit. Je bloque toutes mes émotions depuis si longtemps, et je sens qu'elles sont prêtes à ressortir. Je sens que c'est ce qu'il manquait à mon art. À mon corps.

Je ne peux pas croire qu'il me lance un défi que je ne peux pas refuser.

— Tu ne gagneras pas, Gabriel, le raillé-je.

Me faire rougir. Même si je perdais, est-ce que je serais en mesure de refuser de passer la nuit avec lui? Les pensées qui me viennent devraient suffire à me faire rougir, mais je ne rougis pas si facilement, même si je suis rousse. C'est une de mes nombreuses contradictions. Comme d'être une artiste douée en sport. Nous avons beaucoup plus de volonté sur notre vie, voire sur nos dispositions que nous pouvons le croire. Si je deviens rouge, c'est parce que je n'aurai pas assez appliqué de crème solaire sur ma peau, que le soleil malmène tant.

— Regarde, Gabriel, nous arrivons au marché. Tu as vu toutes les tables ? m'excité-je.

— Une vraie fille. J'aimerais bien que tu m'aides à trouver des souvenirs pour ma mère et ma sœur.

— Des souvenirs, c'est bien vrai, il faut penser à ça en voyage. Allons faire le tour.

Gabriel tente par tous les moyens de me faire perdre notre pari. Il me murmure des paroles qui pourraient bien me faire craquer et effleure ma peau chaque fois que je m'arrête pour regarder quelque chose. Je dois admettre que toutes ses attentions commencent à m'affecter. J'ai juste envie de nous trouver un petit coin pour qu'il puisse réellement me séduire. Je dois me changer les idées.

Je continue mes recherches pour les cadeaux parfaits. Je vais rapporter des cigares à mes frères, je suis certaine qu'ils en seront reconnaissants. Pour mes neveux et nièces, je viens de trouver de beaux maracas faits à la main. Ils sont colorés, ils s'amuseront pendant des heures à casser les oreilles de mes belles-sœurs, pour qui je n'ai encore rien trouvé. J'ai vu de beaux bijoux, mais c'est tellement personnel. J'arrive à une table où sont présentés de beaux éventails. Justine me vient en tête. Je raconte à Gabriel que c'est une arme de séduction. Il s'empresse de m'en offrir un rouge ! Il est persévérant dans notre pari. J'en achète un bleu et un rose pour les filles. Elles vont être contentes et pourront même s'en servir cette semaine !

Gabriel continue d'être intense dans ses avances. J'aimerais céder, mais je veux de plus en plus aller à la plage pour me retrouver seule avec lui. Je commence aussi à avoir la tête qui tourne avec cette chaleur. Je remarque que j'ai faim.

— Je crois que tu vas devoir me porter si je n'arrête pas pour manger, l'informé-je.

— Tout ce que tu désires.

Nous nous installons pour manger.

— Tu vois, Gabriel, c'est là que nous étions hier soir.

— Oui, on ne dirait pas en plein jour que cet endroit se transforme en disco à ciel ouvert le soir venu.

— J'aurais aimé danser plus hier soir, déclaré-je.

— Je suis persuadé que plusieurs Cubains auraient aussi aimé danser avec toi.

— Est-ce que tu es jaloux, Gabriel?

— Bien sûr que non, affirme-t-il. Si tu te souviens, j'ai la chance d'avoir un spectacle privé chaque fois que je veux te voir danser.

Ah, mon Dieu, cette remarque suffit à me faire rougir. La vidéo, je ne m'en souvenais plus!

— Tu rougis, Annie! souligne-t-il.

— Tu gagnes, Gabriel.

— Tu sais ce que j'aurais dû gager? J'aimerais que tu danses à nouveau pour moi, quand nous serons seuls.

— Je ne te laisserai pas me filmer de nouveau.

— C'est sans importance. Si tu danses pour moi, j'aurai assez de mes yeux pour savourer le moment. Crois-moi, quand tu passeras la nuit avec moi, comme nous l'avons gagé, je n'ai aucune envie d'avoir mon téléphone entre les mains.

— Gabriel.

Qu'est-ce que je suis censée lui répondre? Il est tellement confiant par rapport à ce qui se passe entre nous. Alors que nous mangeons l'un en face de l'autre, il me regarde comme il me regardait il y a 10 ans. Il est impossible de ne pas me sentir désirée. Nous restons dans le silence ; je crois que nous avons tous les deux en mémoire des souvenirs de cette époque où nous étions si amoureux. Je me demande ce qui est maintenant possible entre nous.

— Parle-moi de ton entreprise, Gabriel. Tu n'étais pas voué à devenir un homme d'affaires. Je croyais que tu t'enlignais pour devenir professeur d'éducation physique.

— Tu as vraiment envie de parler de moi, maintenant ?

— Bien sûr. Je savoure cette pause à l'ombre. J'aimerais savoir ce que tu as fait de ta vie, c'est normal, non ? me défends-je.

— Oui, j'imagine. Comme Simon te l'a dit, j'ai une boutique de sports extrêmes à Québec.

— Je sais, mais dis-moi, comment c'est arrivé ?

Il me détaille tous les heureux hasards qui l'ont mené à devenir qui il est aujourd'hui. Je vois qu'il hésite quand il me raconte comment il avait décidé d'aller vivre des aventures autour du monde, avec seulement son sac à dos. Cette période de sa vie concorde avec notre séparation. Il est devenu nomade pendant plusieurs années. Je sens qu'il a eu besoin de s'évader, de m'oublier, même s'il n'entre pas trop dans ces détails. Pour ma part, j'étais prise sur les bancs d'école, mais j'ai tenté d'oublier à ma façon. Je me suis mise à faire la fête, j'ai perdu toutes mes inhibitions de fille sage, qui venait d'un petit village. Il n'a pas été difficile d'avoir de l'attention : même si je ne suis pas la plus jolie, une grande rousse, ça attire des regards, surtout quand elle fait tout pour en avoir.

Heureusement que j'ai eu Justine et Ève dans ma vie à ce moment. Elles m'ont certainement empêché de me perdre complètement. Nous avons passé deux ans à étudier le jour et à faire la fête la nuit. Je voulais tellement me l'enlever de la peau, je m'étais donnée plus d'une fois en espérant que les mains d'un autre puissent me faire oublier les siennes. Alors que je le regarde me raconter sa vie, je comprends que personne ne pouvait le remplacer. J'ai besoin de le sentir près de moi.

— Gabriel, je sais que j'ai perdu, mais est-ce que tu viendrais avec moi à la plage dont je t'ai parlé?

— Ça me ferait plaisir d'y aller avec toi. Mais j'aimerais comprendre ce qui t'attire de cet endroit.

— C'est pour de la recherche!

— De la recherche pour quoi? me demande-t-il en riant.

— Tu sais que je suis une artiste, Gabriel. Ça me gêne un peu, mais pour ma nouvelle collection, j'ai l'idée de peindre des couples qui sont, comment dire, ensemble.

— Ensemble? répète-t-il. Comme dans ils font l'amour?

— Pas nécessairement, mais ils sont entrelacés. Je veux montrer le désir, la liberté de se laisser transporter par la passion, des choses comme ça.

— Tu crois que tu seras inspirée parce que tu verras des gens nus? s'étonne-t-il.

— Non, tu ne comprends pas. C'est moi qui ai envie d'être libre. Je veux sortir de ma zone de confort, je veux être vulnérable pour ressentir les émotions. Est-ce que ç'a du sens?

— Je comprends, mais tu sais, ça sera une torture pour moi de te voir si exposée. Je veux t'accompagner dans tes recherches. Je connais ton talent, Annie, et je sais comment tu aimes dépeindre beaucoup de vérité dans ce que tu peins.

— Merci de me suivre dans cette folie.

— La folie sera de te résister tout l'après-midi. Allons-y.

Ne me résiste pas Gabriel.

Chapitre 24

Nous nous rendons à la plage. Nous avons dû marcher un bon bout avant de trouver ce petit coin où nous pourrons personnifier Adam et Ève pour quelques heures. Heureusement qu'il est avec moi, parce que je suis soudainement bien nerveuse. Moi qui suis habituellement très ouverte, je sens que j'aurai besoin de courage. Il n'y pas trop de gens, mais j'ose à peine regarder. Il y a plusieurs *palapas*[8] et des chaises libres. Je me dirige le plus loin possible.

— Tu vas aller encore bien loin ? Tu sais, Annie, tu peux changer d'idée, soumet Gabriel.

— Non. Je veux le faire. Nous nous installons ici ?

— Oui, c'est parfait. La plage est magnifique, elle est si calme comparativement à l'hôtel. Tu aurais dû me voir ce matin en planche aérotractée : le vent et les vagues, tout était parfait. Si tu veux connaître la liberté, tu devras l'essayer. Il n'y a rien de plus libérateur. L'adrénaline d'être en vie est toute une sensation.

Mon cœur palpite tellement en ce moment, je n'ai pas besoin de plus pour me sentir en vie. Nous avons pris des consommations avant de venir, et je m'empresse de boire la mienne. Mon verre me fait sourire : *KEEP CALM GIRLS JUST WANT HAVE FUN !*

---

8. Huttes de plage.

— Qu'est-ce qui est si drôle, princesse?

— J'ai acheté trois verres comme ça avant de partir. Avoue que c'est ironique de rester calme quand nous voulons avoir du plaisir, non?

— C'est très calme en ce moment en tout cas. Viens ici, m'intime-t-il.

Nous nous trouvons en dessous d'un *palapa*, et l'ombre qu'il nous procure est la bienvenue. Gabriel s'approche pour me prendre dans ses bras. Il m'embrasse tendrement dans le cou.

— Gabriel, ce n'est pas une bonne idée.

— T'embrasser est toujours une bonne idée.

— Je ne veux pas attirer de regards.

J'ai juste envie qu'il continue, mais c'est vrai que je ne veux pas attirer l'attention.

— Appliquons-nous de la crème et allons nous baigner, tu veux?

Je commence à enlever ma robe. Je jette un rapide coup d'œil autour et je vois quelques personnes au bord de la mer : deux femmes qui ne portent pas le haut de leur maillot et un homme qui ne porte pas le sien. Ils n'ont aucune gêne. Je crois que ce sont des Italiens; j'ai entendu qu'il y en avait plusieurs en vacances ici. Ils semblent tout à fait à l'aise. J'hésite un instant à enlever mon haut. Gabriel a les yeux rivés sur moi. J'ose; je le détache. Je le laisse glisser doucement. Je vois que sa respiration s'accélère.

— Je ne crois pas que c'était une bonne idée d'accepter ta demande.

— Gabriel, pense à autre chose, c'est juste des seins, tu les as déjà vus, le raisonné-je.

— Passe-moi ta crème solaire.

Je vois qu'il n'est pas à l'aise du tout, et je remarque rapidement pourquoi quand je glisse mes yeux sur son maillot : il est clair que son membre veut se joindre à la partie.

— Tu vas me pardonner, Annie, mais je vais t'appliquer de la crème rapidement et ensuite aller me jeter à la mer. J'espère que l'eau est très froide.

— Je pensais que tu aurais aimé m'étendre de la crème partout.

— Arrête, Annie, parce que ce n'est pas de la crème solaire que tu auras sur ton corps si tu continues de me tourmenter comme ça. Tourne-toi, je ne peux plus te regarder, m'ordonne-t-il.

J'éclate de rire.

— Tu me fais rire. Pauvre Gabriel, mets-en juste dans mon dos, je vais faire le reste.

Ses mains chaudes me caressent, mais je sens sa réticence dans ses mouvements. Je sens que nous aurons du mal à nous résister. La brise sur mes seins m'excite davantage ; nous baigner nous calmera un peu.

— Viens, je vais faire ton dos, offré-je.

— Je ne devrais pas te laisser me toucher, mais le soleil est tellement fort.

— C'est ça, pense au soleil.

Je m'approche pour appliquer de la crème sur son dos. Son odeur me monte à la tête. Il a toujours senti frais, comme de la menthe poivrée. Je prends mon temps. J'aime bien l'avoir ainsi devant moi, vulnérable à mes caresses. Je sens ses muscles qui se tendent sous mes doigts.

— Détends-toi, Gabriel.

Je continue mon massage. La chaleur de sa peau m'attire, je colle mes seins dans son dos. Je l'enveloppe de mes bras, qu'il attrape en les serrant encore plus autour de sa taille. Je pourrais passer le reste de la journée dans ce moment précis. J'embrasse sa nuque, immobilisée par ses bras qui me retiennent. Je voudrais l'embrasser partout.

— Allons-nous baigner, ma sirène.

Il me libère. Nous nous empressons de nous rendre dans la mer, car nos corps ont besoin de se calmer. Nous sommes seuls à ce bout de la plage. Je pensais retrouver plus de touristes, mais nous ne sommes qu'une douzaine. J'ai vu quelques couples et quelques filles ensemble. J'ai du mal à m'imaginer me retrouver ici avec mes copines. C'est tellement tabou, la nudité. Pourtant, elle semble si naturelle sur cette plage.

Gabriel en profite pour nager pendant que je rafraîchis tout simplement mon corps. Les caresses de la mer sur mes seins sont exquises. Je me laisse flotter sur le dos. La chaleur du soleil m'enveloppe. Je suis déjà inspirée. Le corps parfait de Gabriel sous mes mains me revient en tête. Je me rappelle que j'ai perdu mon pari : nous allons passer la nuit ensemble. Je ne sais pas si je pourrai attendre jusqu'à ce soir pour calmer le désir qui monte déjà en moi.

Je sens deux mains se déposer dans mon dos.

— Laisse-toi flotter dans mes bras.

— Gabriel, j'aimerais mieux que tu ne me touches pas en ce moment.

— Si tu voyais ce dont tu as l'air à te laisser flotter comme ça, te résister est impossible, dit-il.

Il descend une main sur mes fesses. Comme je suis bien dans ses bras ! La douceur des vagues me berce, sa chaleur traverse mon corps.

— Si nous étions seuls, j'embrasserais tes seins, Annie. Chacun de tes petits grains de beauté m'appelle.

— Il n'y a pas que mes grains de beauté qui ont besoin de toi.

J'ouvre les yeux. Lorsque je me remets sur mes pieds, l'eau m'arrive un peu plus haut que le ventre. Gabriel s'approche.

— Tu as joué avec le feu en m'emmenant ici, Annie. Tu devais savoir que je ne serais pas capable de te résister.

— Il va falloir patienter, tranché-je.

— Au contraire.

Il glisse une main directement sous mon maillot.

— Gabriel, on va nous voir, l'avertis-je.

— Tu crois que nous sommes le seul couple qui a envie de se rapprocher sur cette plage ?

Ses doigts commencent à me caresser. Je reste devant lui, mais mes jambes ne me retiennent plus.

— Tourne-toi, appuie-toi sur moi.

Nous faisons maintenant dos à la plage. Mes yeux se posent sur l'infini bleu de la mer. J'appuie mon dos sur la chaleur de sa peau. Je suis certaine qu'on peut nous voir de loin et qu'on devinera possiblement ce qui se passe entre nous, mais je n'y pense plus. Je veux que Gabriel calme mon envie. Je voulais être inspirée : je le suis. Je comprends que quand le désir prend possession de notre corps, il devient presque impossible de résister à la passion qui nous transporte.

— Touche-moi encore, Gabriel.

Je sens son érection dans mon dos. Il n'hésite pas un moment à retenir ma taille d'une main et à passer l'autre sous mon maillot. Je m'appuie encore plus sur lui.

— Oui.

— Est-ce que tu commences à te sentir libérée, Annie ?

Je suis incapable de parler ; toutes ces sensations me font perdre mes repères. Il me caresse en douceur, mais ses mouvements sont intenses. J'ouvre encore plus les jambes pour lui donner accès à toute ma vulnérabilité. J'ai juste envie de me perdre dans ce moment. Je sens que la jouissance est proche, tout ce plaisir pour moi.

— Gabriel.

— Je sais, laisse-toi aller, Annie, je te tiens.

Mon corps se contracte de plus en plus, je sens que je vais exploser. Comme des spasmes commencent à me traverser, il m'enfile un doigt. Je sens mon orgasme pulser sur lui. C'est intense. Il semble durer plusieurs minutes ; je suis au paradis. Je savoure le moment encore quelques instants collée sur lui.

— J'espère que tu as de l'inspiration pour quelques toiles.

— J'ai reçu exactement ce dont j'avais besoin, mais j'aimerais que tu puisses être inspiré à ton tour, indiqué-je.

— Mon tour viendra. Pour le moment, je crois que nous avons assez attiré l'attention.

J'ai juste envie de lui témoigner ma gratitude. Pour un bref moment, j'ai oublié notre passé, je me suis laissée transporter par l'euphorie du présent. Je n'oublierai jamais la perfection de cet instant.

Chapitre 25

Nous nous installons confortablement sur nos chaises lorsque nous sortons de l'eau. J'ai les yeux lourds, j'ai envie de dormir un peu.

— Gabriel, ça te dérange si je me ferme les yeux?

— Bien sûr que non, ne t'inquiète pas, je reste près de toi, me rassure-t-il.

Je m'endors paisiblement en un instant. Je ne sais pas combien de temps je me laisse porter par Morphée, mais quand j'ouvre les yeux, je vois que le soleil est plus bas. Je ressens aussi une douce caresse sur ma cuisse.

— Tu as bien dormi, princesse? Je pensais que j'allais devoir t'embrasser pour te réveiller, tu avais l'air tellement paisible.

— J'aurais bien aimé un baiser pour me réveiller.

Il s'approche de moi pour m'embrasser, mais ne m'embrasse que le front.

— J'aimerais t'embrasser, Annie, mais je ne me sens pas aussi *paisible* que toi, si tu comprends ce que je veux dire. Je dois te résister ou bien la prochaine destination sera ma chambre.

J'aimerais lui dire de m'y emmener; mon corps est déjà en alerte depuis qu'il a suggéré de m'embrasser. Mais je sais qu'il se fait tard, que je dois retrouver les filles. Je regarde mes textos. Ève m'invite à aller prendre un dernier verre à la piscine où il y a toujours un 5 à 7 avec le groupe qui joue en soirée.

— Tu es si romantique. Je suis tentée par ton offre, mais je crois que nous devrions rentrer. Je viens de recevoir un texto d'Ève, elle m'attend à la piscine pour prendre un dernier verre.

Je veux savoir comment s'est passée sa journée avec Mathieu.

— J'oubliais presque que nous n'étions pas ici juste nous deux. Il faudrait bien que je retrouve Simon.

— Dis-lui de venir nous rejoindre à la piscine, suggéré-je.

Nous ramassons nos choses. De quitter ce petit coin de paradis me fait de la peine. Je n'oublierai jamais cet après-midi. Je me sens en paix avec ce qui se passe entre Gabriel et moi. Nous rentrons en passant par la plage, et je savoure chaque instant.

À la piscine, j'aperçois Ève installée à côté de Mathieu. Je ne semble pas être la seule qui a vécu des rapprochements aujourd'hui. Elle a les yeux brillants, et Mathieu ne la quitte pas du regard lorsque nous nous approchons.

— Ah, Ève, je suis contente de te voir.

— Moi aussi, Annie.

— Bonjour, Mathieu, le salué-je. Tu es plein de surprise pour notre amie, je suis presque jalouse !

— Elle mérite bien plus, souligne-t-il.

Ève rougit.

— Vous devez me raconter votre journée.

Justine arrive à ce même moment. Une autre amie qui a pris de belles couleurs aujourd'hui et qui a les yeux plus brillants que des diamants. Je suis heureuse pour elle.

— Je suis si contente de vous retrouver! nous dit-elle.

Nous nous faisons le plus gros câlin. Nous avons toutes les trois des choses à nous raconter, mais nous décidons de profiter des derniers rayons de soleil et du groupe cubain qui joue. Il y a de l'électricité dans l'air.

Gabriel et moi continuons d'échanger des regards remplis de désir. Quand je vois mes deux copines être aussi éprises que moi, je me console de ne pas être la seule à vivre toutes ces émotions folles et inexplicables. J'ai presque effacé tous les mauvais souvenirs de notre passé sur la plage aujourd'hui. Ma tête me met en garde, refusant d'oublier toute la peine que j'ai subie, mais mon corps veut pardonner.

— Tu es bien songeuse, Annie, remarque Ève. Tu ne nous as pas encore raconté ton après-midi.

— Nous avons visité le marché, mangé une délicieuse pizza et profité de la plage.

Je ne suis pas prête à leur dire comment je me suis donnée à Gabriel.

— Ah oui, j'ai un cadeau pour vous, les filles! enchaîné-je.

Je sors les éventails de mon sac.

— Pour toi, Justine, ma romantique, un éventail bleu derrière lequel faire papillonner tes beaux yeux. David sera servi! Pour toi, belle Ève, le rose, mais je ne crois pas que tu en auras besoin avec Mathieu, je crois qu'il déchiffre déjà bien tous tes messages!

Elle rougit de nouveau.

— J'ai un peu honte, j'aurais bien aimé me faire désirer un peu plus, l'obliger à me supplier de revenir. Même s'il n'y a encore rien de certain entre nous, il est évident que mon corps ne veut pas le savoir pour le moment.

— Je vous souhaite tellement de pouvoir vous retrouver cette semaine, déclare Justine.

— Merci. Merci à toi aussi, Annie, pour ce cadeau. Tu vas te servir de ton éventail pour séduire ton beau Gabriel ? lance Ève.

— Tu sais, renchérit Justine, comme je vous l'ai déjà expliqué, l'éventail sert à communiquer nos désirs. Je crois qu'il est évident qu'il n'est pas nécessaire pour vous quand je vous regarde avec vos deux tourtereaux !

— Tu as raison, Justine, mais j'ai tellement chaud depuis que Gabriel est dans le décor, je vais m'en servir pour sa vocation première : me rafraîchir.

Nous éclatons de rire. Gabriel choisit ce moment pour revenir avec notre commande de consommations.

— Qu'est-ce qui est si drôle ? s'enquiert-il.

Il me regarde bien intensément en observant aussi mon éventail.

— Est-ce que tu tentes de me communiquer quelque chose, Annie ? ajoute-t-il.

— Tu sais que je ne peux rien te cacher, Gabriel.

Je commence à m'éventer, et les filles n'arrêtent pas de rire.

— Bon, donne-moi mon verre, Gabriel, j'ai chaud ! Santé !

— Santé, me répondent-ils tous à l'unisson.

Simon arrive à ce moment, accompagné d'un petit groupe de filles. Il fait rapidement les présentations. Gabriel ne peut s'empêcher de leur lancer son sourire légendaire. Il va même s'asseoir près de Simon et de ces poulettes, qui portent des bikinis trop petits pour leurs formes qui débordent de partout ; Magalie, Audrey et Cynthia. J'aimerais bien qu'elles puissent aller se pavaner ailleurs.

— Allons nous préparer, lâché-je.

— Bonne idée, Annie ! confirme aussitôt Justine.

Gabriel se lève pour s'approcher de moi.

— Est-ce que tu veux dîner avec moi ce soir ?

— Je veux profiter de mes amies, refusé-je.

— Nous nous rejoignons après ? J'ai déjà hâte de te retrouver.

Il me caresse la joue, mais ne m'embrasse pas. J'imagine que c'est gênant devant tout le monde qui nous regarde… Est-ce qu'il se retient en raison des nouvelles venues ?

— Moi aussi.

Nous partons.

— Ah, Annie, ton Gabriel te dévore des yeux, souligne Justine.

— J'aimerais que ses yeux soient juste pour moi.

— Pourquoi dis-tu ça ? s'étonne Ève. Son désir pour toi crève les yeux.

— Oui, *désir*, Ève.

— Voyons, Annie, je pensais qu'il n'y avait rien de mal à juste profiter du moment, me rappelle Justine.

— Tu as raison. J'ai bien l'intention de profiter des bras de Gabriel, mais j'aimerais tellement ne pas avoir cette boule au fond de moi chaque fois qu'une fille se trouve dans les parages.

— J'avoue que Gabriel attire beaucoup de regards. Il est tellement sympathique en plus. Il est comme toi, fait remarquer Justine.

— Je voudrais être la seule à qui il fait ses beaux sourires.

— Je ne sais pas quoi dire, Annie. Tu connais Gabriel, tu connais ce côté de lui. Tu dois lui faire confiance, sinon ça ne vaut pas la peine de te rapprocher de lui cette semaine. Je ne veux pas te voir avoir de la peine à nouveau, déclare Ève.

— Je sais que je dois lui faire confiance, c'est juste difficile.

Justine et Ève se collent à moi.

— Dépêchons-nous d'aller nous préparer, manger va te faire du bien ! lance Ève, qui a toujours les mots justes.

Nous ne tardons pas dans la chambre, car nous avons une réservation au restaurant de fruits de mer. J'ai bien hâte de m'asseoir avec un bon verre de vin et de bavarder avec mes copines. Justine est bien réservée ; elle ne nous a pas encore raconté son après-midi. Lorsque nous arrivons au resto, je vois Justine rougir. Je regarde autour et remarque que David est assis à une table.

— Ah, tu as vu, Ève, qui fait rougir notre amie ? Je t'avais bien dit qu'elle est la nouvelle distraction de David Sinclair.

— Justine ! Tu ne m'as encore rien raconté.

— Ève, tu es dans les bras de Mathieu depuis hier soir. De plus, il n'y a rien à révéler.

— Comme si c'était tout à fait naturel que tu séduises le célibataire le plus en vue du Québec ! Ça ne marchera pas ! Raconte-nous tout, insiste Ève.

— J'avoue, c'est extraordinaire ! Mais en même temps, je suis un peu comme vous deux : j'ai peur que cette semaine au paradis soit juste une illusion, un rêve duquel la réalité me fera déchanter dans quelques jours.

De discuter avec les filles tout au long du repas me fait du bien. Je n'ai pas d'emprise sur ce qui arrivera, mais je sais de quoi j'ai envie cette semaine. Si, comme Justine le prédit, les prochains jours ne sont qu'un rêve, je décide que je veux rêver dans les bras de Gabriel.

— Faisons un pacte. Nous vivons toutes les trois quelque chose d'unique, il est évident que des forces nous empêchent de résister à ce qui se passe. Je dis : laissons-nous tenter, vivons comme si cette semaine était notre seule chance. La réalité nous rattrapera que nous le voulions ou non. Qu'en pensez-vous ?

— Je te trouve bien courageuse, Annie, mais j'embarque, me répond Ève avec son plus grand sourire.

— Justine ?

— J'embarque aussi, acquiesce-t-elle, même si j'ai l'impression que je joue à la roulette russe avec mon cœur.

— Buvons à cette entente !

Nous sommes toutes les trois prêtes à nous rendre à la fête sur la plage pour retrouver les élus de nos cœurs. J'espère que cette entente ne causera pas de fatalités !

Chapitre 26

De me retrouver avec mes copines me fait du bien. Avec la musique qui joue fort au loin, je me sens replongée à l'époque où nous nous sommes connues. Moi qui venais d'un petit village près de Rivière-du-Loup, j'étais loin de m'imaginer ce que la grande ville de Montréal allait m'apporter. J'avais loué un grand cinq et demi (grâce à l'aide de mes parents, bien sûr) avec l'idée de le remplir avec des colocataires. Je ne supportais pas de me retrouver seule. J'avais placé une annonce sur le babillard du collège, et j'avais rapidement rencontré Justine et Ève. Je me suis tout de suite sentie bien avec elles, la chimie entre nous trois a opéré instantanément. J'étais loin de me douter que ces amies seraient encore si présentes dans ma vie 10 ans plus tard.

— J'ai l'impression d'avoir 18 ans ce soir! lâché-je.

— Tu as raison, ça fait du bien décrocher de notre vie d'adulte, reconnaît Justine.

— Les vacances à la plage devraient être obligatoires pour tous les adultes! renchérit Ève.

Même si c'est la première fête sur la plage à laquelle je participe, je sais reconnaître qu'elle est très réussie. Les écrans géants, les lumières, la musique à tue-tête semblent surréalistes dans cette ambiance tropicale. Qui peut se vanter de danser sur une vraie plage pendant une fête sur la plage ? Ça ne se compare pas à ce que plusieurs discothèques tentent de reproduire au Québec avec un peu de sable sur une piste de danse.

— Venez danser ! C'est ta chanson préférée, Ève ! l'invité-je.

— Oui, j'adore Taylor Swift.

La plage est bondée, mais nous trouvons facilement de la place sur cette piste de danse à ciel ouvert. Les rythmes de la belle Taylor, que je trouve aussi rafraîchissants que mon amie Ève, me rendent encore plus de bonne humeur.

I shake it off, I shake it off[9], je chante tellement fort, je crois que je suis plus adolescente qu'à mes 16 ans ! Mes copines m'accompagnent dans ce retour vers l'adolescence. Comme ça fait du bien de s'amuser et de s'en foutre !

Gabriel me revient en tête ; je me demande s'il est arrivé. S'il m'a filmée cette fois-ci, il verra une fille qui s'amuse, ça sera moins gênant. Je commence à avoir chaud quand je me rappelle que je lui ai promis la nuit. Je sais très bien qu'il n'insistera pas, mais je ne refuserai pas. Je ne l'ai pas encore dit aux filles, et j'espère qu'elles seront occupées chacune de leur côté.

L'équipe d'animation arrive, mais Justine n'est pas impressionnée par les jeux qu'ils proposent.

— Pourquoi ces activités sont-elles toujours si dénigrantes ? se plaint-elle.

— Justine, nous avons déjà eu cet âge ! lui rappelé-je.

Je n'insiste pas. Justine, c'est la fille sage. Elle a bien sûr été témoin de plusieurs de mes folies, mais ne semble pas me

---

9. Je vais m'en foutre et ignorer.

mettre dans le même bateau que les jeunes qui se bousculent pour participer.

— Allons nous chercher un verre! proposé-je.

— Oui, bonne idée. Je suis certaine que Mathieu doit me chercher, déclare Ève.

Comme nous nous approchons du bar, je vois Gabriel et Simon qui arrivent.

— Salut, ma belle sirène!

Il me prend par la taille et m'embrasse dans le cou. J'aime bien qu'il ne se retienne pas, même si je suis un peu mal à l'aise devant mes amies.

— Je suis heureuse de te retrouver, Gabriel.

— Moi aussi.

Je vois arriver les filles de la piscine. Je dois rester calme. Est-ce qu'ils sont restés ensemble tout ce temps? Je vois que Gabriel s'est changé. Ont-ils dîné ensemble? Peu de temps s'écoule avant que Simon veuille aller les rejoindre et sans même hésiter, Gabriel le suit. Bien sûr, il nous invite à nous joindre à eux, mais je n'en ai vraiment pas envie en ce moment.

— Ça va, Annie? me demande Justine, qui est toujours perspicace.

— Bien sûr. Il n'y a pas de promesses entre nous.

Excepté de passer la nuit ensemble. Je me rappelle notre après-midi. Je dois lui faire confiance; ses attentions à mon égard semblent si sincères. Il m'a quand même embrassée quand il est arrivé. Je ne comprends pas qu'il n'ait pas voulu rester avec moi.

Nous nous approchons pour voir le spectacle du cracheur de feu. Je dois avouer que c'est fascinant, mais aussi que je veux me changer les idées.

— Viens, Justine, allons voir de plus près.

J'en profite pour me faire prendre en photo avec le performeur. Je veux me souvenir de ce spectacle ; j'ai beaucoup aimé le courage de cet homme. Les flammes partout autour de son corps m'ont donné des idées pour mes toiles ; la passion, c'est aussi un combustible puissant. Comment ne pas s'enflammer, voire ne pas se brûler ? Est-ce que je suis prête à tout risquer dans les bras de Gabriel cette nuit ?

Mathieu nous a retrouvés. Je sens que nous allons perdre Ève bientôt. Je me demande bien où est David ; nous ne l'avons pas revu depuis le resto. Pourtant, il devait venir à la fête sur la plage avec sa sœur et sa copine. Qu'est-ce que je ferai si mes deux amies me laissent tomber ? Est-ce que c'est moi qui devrai retrouver Gabriel ? Au même moment, je sens une main chaude se glisser autour de ma taille.

— Tu viens danser, princesse ?

Je suis soulagée. Comment puis-je résister à ce sourire ? Il se colle davantage pour me murmurer :

— J'espère que tu n'as pas oublié notre pari, Annie, tu es à moi cette nuit !

— Je n'ai pas oublié, confirmé-je.

Nous dansons collés l'un à l'autre ; je me sens seule avec lui, même si la plage est bondée. Il n'a aucun mal à me faire bouger au rythme de la musique, nos corps sont en harmonie. J'oublie qu'il est arrivé avec les poulettes de la piscine. Il est là, dans mes bras, à moi. L'après-midi me revient en tête. Je ne m'étais pas sentie aussi libre depuis longtemps. Ses mains caressent mon corps pendant que nous dansons ; j'ai juste envie de quitter la plage maintenant.

— Je n'ai pas cessé de penser à toi, me dit-il en se collant davantage.

Il me regarde avec tant de désir. Une autre chanson tire à sa fin. Je sens sur mon épaule une main qui me sort de ma bulle.

— Mathieu et moi allons rentrer, m'annonce Ève.

— Bien sûr, passe une belle nuit!

— Pas si fort, Annie, pas besoin que tout le monde entende! me réprimande-t-elle.

Je vois qu'elle est impatiente de se retrouver seule avec Mathieu. Il ne la quitte pas un moment quand il est avec nous. Plus rien n'existe que son Ève; je les envie. Justine, qui dansait tout près, arrive avec le beau Carlos.

— Ma belle Justine, où est David? m'informé-je.

— Il doit être avec sa sœur, j'irai voir mes textos après cette chanson. Je veux encore danser, j'adore cette fête, je n'ai jamais rien vu de tel.

Je continue de danser avec Gabriel, et même si ce n'est pas une danse à deux, il reste collé sur moi. Justine nous quitte pour aller au bar; je suis certaine qu'elle est impatiente de retrouver David. Je ne comprends pas qu'il ne soit pas encore là. Je commence à avoir chaud et j'ai besoin de me rafraîchir un peu.

— Tu viens avec moi? Je veux aller au bar plus haut, celui de la plage n'avait pas d'eau.

— Tout ce que tu veux.

— J'aime ce genre de promesse.

Qu'est-ce que je voudrais qu'il me promette? Nous nous dirigeons au bar situé juste en haut de la rampe qui mène à la plage. Il fait noir et il faut nous faufiler, car plusieurs personnes se trouvent sur le petit chemin de bois. Nous croisons le trio de poulettes de la piscine avec Simon et d'autres gars que je ne reconnais pas. Audrey ne se gêne pas pour se s'approcher de Gabriel. Elle le fixe avec ses grands yeux; je détecte très bien son attirance pour lui. Gabriel ne s'occupe pas d'elle, il s'adresse à tout le groupe lorsqu'il demande :

— Vous vous amusez bien ?

Bien sûr, elle lui répond en se plaçant en évidence devant lui.

— Oui, mais Simon vient de nous proposer d'aller au bar cubain sur la plage, tu veux venir avec nous ? propose-t-elle.

— Non. Je suis très heureux ici, refuse-t-il.

Il me fait son sourire légendaire. Elle semble déçue, mais n'insiste pas. Gabriel et Simon s'échangent quelques mots et leur petit groupe nous quitte.

— Elle ne manque pas d'audace, cette Audrey.

— Tu ne dois pas t'occuper d'elle, je suis avec toi.

— Je sais.

Je m'approche de lui; j'ai envie de le sentir près de moi. Peut-être que j'ai aussi besoin d'être rassurée. Il me serre dans ses bras, et la chaleur de son corps me réconforte.

— Annie, je ne pourrai pas te résister longtemps si tu te colles encore comme ça.

— Je veux m'assurer que Justine retrouve David, après nous pourrons partir.

Il commence à m'embrasser dans le cou. Nous nous trouvons au milieu de tous sur cette rampe, mais en même temps, il y a tellement de gens que personne ne s'intéresse à nous.

— J'ai tellement envie de toi. Depuis que nous nous sommes quittés, je n'ai pas cessé de rejouer notre scène sur la plage. Je rêve du moment où je pourrai enfin te faire l'amour comme tu le mérites.

— Gabriel.

— Trouvons ton amie parce qu'après, tu es à moi. Nous avons 10 ans à rattraper.

Il recommence à m'embrasser. Ses lèvres me caressent, sa langue se glisse dans ma bouche et torture la mienne de plaisir. Je suis collée à lui. Nous sommes dans un coin. Des gens passent à côté de nous pour monter et descendre. Pourtant, je n'éprouve aucune gêne. Il glisse ses mains de haut en bas sur mes cuisses en effleurant mes fesses. Je suis de plus en plus excitée.

— On va nous voir, je commence à penser que ça t'excite, Gabriel.

— C'est toi qui m'excites, rétorque-t-il.

Il prend ma main et la guide sur son sexe entre nous. Je m'empresse de le caresser. J'attrape sa langue au même moment avec ma bouche. Je commence à la lui sucer comme je le ferais avec son membre brûlant que j'ai entre les doigts. Je le veux tout à moi ; nous devons quitter cette plage.

— Allons-y, Annie, je ne veux plus attendre, me presse-t-il.

— Moi non plus, tant pis pour Justine. Je dois juste trouver mes sandales.

— Trouvons-les vite.

Je m'empresse de le guider en bas de la rampe ; il me semble bien que c'est là que je les ai déposées quand nous sommes arrivées. Je les retrouve facilement et je suis enfin prête à suivre Gabriel vers cette nuit de rêve qui m'attend. Justine et David choisissent ce moment pour arriver directement en face de nous.

Chapitre 27

Gabriel

Je suis impatient de me retrouver seul avec elle. Notre petite séance sur la rampe aurait pu être gênante. Je la veux dans mon lit. J'ai besoin de lui montrer tout ce que je ressens pour elle. Même si mon érection me rappelle que c'est très physique entre nous, il existe aussi une chimie qui est encore là après tout ce temps. Je suis bien avec elle. Je sais qu'elle est encore hésitante, je l'ai vu quand nous avons croisé les filles de la piscine ; elle est tombée sur ses gardes. Mon seul défi sera de lui prouver qu'elle peut me faire confiance à nouveau.

Comme nous nous apprêtons à enfin quitter la plage, nous croisons sa copine et l'homme qui l'accompagne. Annie m'a tout raconté à son sujet ; David Sinclair, son nom me dit à peine quelque chose, mais on peut facilement reconnaître que cet homme est en pleine possession de sa vie. Avec tous mes projets d'expansion, je suis convaincu que je pourrais apprendre de son expertise. Les filles bavardent entre elles. Même si je sens qu'il a lui aussi juste hâte de se retrouver seul avec Justine, nous entamons une conversation.

— Justine m'a dit que tu étais ici pour faire de la planche aérotractée. Je suis curieux, j'aimerais bien essayer.

— Tu aimerais ça. Il n'y a pas plus grande liberté que de se laisser transporter par le vent. On oublie tout.

— Tu es un vrai passionné, remarque-t-il.

— Oui, j'ai aussi une école, je ne sais pas si Justine l'a mentionné. Ça me ferait plaisir de te montrer ça.

— Ah oui, dans quel coin ?

— L'école est située à ma boutique de Québec, mais nous nous promenons partout dans la province pour en faire. J'ai même une agence qui organise des voyages de groupes, expliqué-je.

— Je ne te dis pas non.

— J'ouvre dans quelques mois une autre boutique sur la Rive-Sud de Montréal, ça sera plus accessible pour toi.

— Tu es ambitieux, Gabriel. J'aime ça.

— Oui, j'aimerais juste avoir le budget nécessaire pour tous mes projets, mais j'y vais une étape à la fois. Je suis novice comme homme d'affaires. Je comprends que c'est comme un sport extrême ; il y a des hauts et des bas, mais c'est très excitant de voir avancer mes projets.

— J'admire ta passion. Tu sais, Gabriel, je pourrais t'aider. Je vais te laisser mes coordonnées et nous pourrions nous rencontrer à notre retour, propose-t-il.

— Merci, David, je t'en suis très reconnaissant.

Je m'empresse de lui serrer la main. Je ne peux pas croire qu'il m'offre de m'aider même si c'est ce que je souhaitais en lui parlant. Il est beaucoup plus sympathique qu'il en a l'air. J'ai quand même senti qu'il était réticent, comme s'il ne voulait pas parler affaires maintenant. C'est vrai qu'il est en vacances lui aussi. Alors que nous marchons derrière les filles, le corps d'Annie qui se déhanche me rappelle que je suis aussi en vacances. Je trouverai bien le moment pour lui reparler avant notre départ. J'ai un projet beaucoup plus prioritaire en ce moment. Nous les quittons.

— Penses-tu que nous allons réussir à nous rendre à ma chambre maintenant?

— C'est bien de désirer, Gabriel.

— Je vais te montrer à quel point je te désire, Annie.

Nous arrivons à ma chambre. Je ne veux pas lui sauter dessus comme hier, mais ça me prend toute ma retenue. La chambre n'est pas très grande, nous sommes rapidement en face du lit.

— Tu ne seras pas pleine de sable ce soir, princesse. Je te promets aussi que nous allons prendre notre temps.

Depuis que nous sommes entrés, Annie demeure silencieuse. Elle se mordille intensément la lèvre du bas; j'espère qu'elle est aussi impatiente que moi.

— Gabriel, je peux te demander quelque chose?

— Tout ce que tu désires.

— J'aimerais voir la vidéo que tu as filmée de moi.

— Je refuse que tu l'effaces, c'est mon souvenir de voyage.

— Je suis juste curieuse, me rassure-t-elle.

Je m'empresse de sortir mon téléphone.

— Tu veux l'écouter pendant que je prends une douche rapide? À moins que tu veuilles m'accompagner...

— J'irai peut-être te rejoindre après.

Ses yeux sont pleins de promesses. Je la désire tellement que si je regarde la vidéo avec elle, je ne pourrai pas lui donner la nuit que j'ai en tête. Je saute dans la douche. Comme je m'empresse de me rincer, la lumière de la salle de bain s'éteint. Peu après, Annie tire le rideau pour me retrouver. Même s'il fait noir, je la devine très bien. Elle est parfaite.

— Pensais-tu te cacher en éteignant la lumière ?

— Je voulais juste être romantique, réplique-t-elle.

— C'est très érotique en tout cas de te voir arriver comme ça dans ma douche.

Je m'approche. Elle est à moi. Mon érection est brandie entre nous. Je m'empresse de prendre le savon et je commence à la savonner. Je constate qu'elle est aussi excitée que moi. Je pourrais passer la nuit à caresser son corps d'enchanteresse. Elle sait me séduire. Elle n'est plus la jeune fille de 16 ans. Elle connaît son corps, sait comment s'en servir pour m'exciter encore plus. Pendant que je la savonne, elle se colle davantage à moi. Elle laisse s'échapper de petits soupirs. Je rejoins ses fesses ; j'avais oublié à quel point je les désirais.

Je ne veux plus lui résister. Je l'appuie sur le mur et l'eau coule sur elle. Je m'approche pour l'embrasser. Sa bouche est tellement alléchante que j'aurais envie d'y mettre mon érection, mais je veux la savourer avant.

— Tu me rends fou.

J'embrasse son cou. J'attrape ses seins entre mes mains ; ils sont si lourds, ses mamelons, durs. Je les tourmente avec mon pouce et mon index. Plus je les serre, plus elle réagit. Je m'empresse d'en prendre un dans ma bouche. Elle sursaute. Je pourrais les embrasser toute la nuit.

— Gabriel.

Je glisse ma bouche le long de son corps en ne la quittant pas. Je la caresse en même temps de mes mains. Je rejoins son sexe, y glisse mes mains pour l'ouvrir à moi. Son odeur m'enivre davantage. J'y dépose ma langue. Je l'embrasse de haut en bas; elle n'a aucune retenue et ouvre ses jambes pour me donner un meilleur accès. Je la veux plus près. Je prends sa jambe, que je dépose sur une de mes épaules. Je sais qu'elle est bien appuyée entre le mur et moi; elle est parfaitement exposée. Je continue de la tourmenter. Je lui glisse un doigt pendant que je l'embrasse avec ma langue, et je sens son corps qui se contracte de plus en plus.

— Gabriel, viens en moi.

Je sens qu'elle est près de l'orgasme et je veux lui offrir ce plaisir. L'eau fraîche qui nous coule sur le corps agit encore plus sur tous mes sens. Elle est tellement belle exposée ainsi.

— Laisse-toi aller, Annie.

Je lui mords doucement le clitoris pendant que je garde mon doigt bien appuyé en elle. Si le point G existe, je suis certainement dessus, parce que son corps se met à convulser et elle crie mon nom; son orgasme est très puissant. Je dépose sa jambe pour la serrer dans mes bras un instant.

— Tu es tellement belle, Annie, sous cette douche. Tu vas devoir me pardonner de ne plus attendre.

Elle me regarde avec des yeux si amoureux. Comme j'ai rêvé à ce regard!

— Tourne-toi. Appuie tes mains devant toi, lui intimé-je.

— J'ai besoin de toi, me supplie-t-elle.

Ses fesses me font bander davantage. Je veux juste m'y coller. Je la prends par la taille pour lui enfiler mon érection d'un seul coup. Je reste immobile un instant. Je sens toute sa chaleur m'envelopper et se serrer sur moi. Je commence à bouger. J'aimerais faire durer le moment, mais je sais que je ne tiendrai pas longtemps.

— Annie. J'ai attendu trop longtemps pour te revoir.

— Plus vite, Gabriel. Tape-moi les fesses, m'ordonne-t-elle.

— Ma princesse aime ça quand c'est plus intense.

Je la tiens toujours par la taille tandis qu'elle suit tous mes mouvements. Est-ce que j'ose répondre à sa demande ? Je n'ai jamais fait une telle chose, mais je dois avouer que ses fesses devant moi que je viens heurter avec chaque pénétration me donnent envie d'essayer. Je lui tape la fesse droite. Je sens son sexe me serrer encore plus fort et que sa jouissance approche. Je ne sais même pas comment je me retiens. Je la tape de nouveau, et les vibrations sur mon sexe intensifient mon plaisir aussi. Je recommence à peine quelques fois avant qu'elle crie encore mon nom ; je crie le sien dans la même seconde. Je n'aurai pas assez d'une vie pour explorer tout ce que j'ai envie de vivre avec elle. Nous ne sommes plus à l'ère d'exploration de notre jeunesse : Annie est devenue une femme avec des désirs, et je suis prêt à tous les découvrir afin de les combler.

JOUR 4

Chapitre 28

Gabriel vient s'appuyer dans mon dos en m'enlaçant de ses bras. Je ne sais pas comment j'ai pu survivre à ces deux orgasmes sans que mes jambes me laissent tomber.

— Gabriel, je n'ai plus de force dans les jambes.

— Voyons, une grande sportive comme toi? Ne me dis pas que tu abandonnes déjà. Ce n'était que l'échauffement, me nargue-t-il.

Il arrête la douche et s'empresse de me donner une serviette. Il m'attrape dans ses bras pour m'amener dans le lit.

— Mais où tu trouves la force de me lever comme ça? me surprends-je.

— Tu me donnes de l'énergie, Annie. Je te laisse te reposer un moment, mais tu es à moi cette nuit. J'espère que tu retrouveras la tienne rapidement.

Je repense à ses douces caresses sous la douche. Il n'a pas cessé de me murmurer tous les beaux mots qu'on rêve t'entendre. Mon Gabriel. Comment a-t-il pu se matérialiser comme par magie sur cette île? Si je rêve, je ne veux jamais me réveiller. *J'ai attendu trop longtemps pour te revoir.* Ces paroles me reviennent. Il les a bien prononcées. C'est un hasard, de nous revoir ici; peut-être qu'il regrette de ne pas m'avoir contactée avant? Qu'est-ce que j'aurais fait si nous

nous étions recroisés à Montréal ? Je n'aurais possiblement pas accepté de le revoir. Je ne peux pas croire que le destin tient si souvent à un fil. Nous n'aurions peut-être jamais eu cette chance.

— Est-ce que tu aimerais boire quelque chose ? m'offre-t-il. J'ai des jus, de la bière que Simon a apportée, et de l'eau.

— Je prendrais bien un jus, ça ne fera pas de tort de ne pas prendre d'alcool.

— Je sais, c'est trop facile ici. J'ai voyagé beaucoup, mais c'est la première fois que je réserve dans un tout inclus.

— Ah oui ? Pourquoi as-tu réservé ici cette fois ?

Gabriel s'étouffe sur sa gorgée.

— Désolé, Annie, j'ai bu trop vite.

Il me quitte pour aller dans la salle de bain. J'ai l'impression que ma question l'a surpris, mais je dois me tromper. Je revois son téléphone, que j'avais laissé avant d'aller dans la douche. Je me suis trouvée audacieuse quand j'ai dansé pour lui. Tout ce que je fais avec Gabriel depuis hier me semble osé, comme lui permettre de me donner un orgasme dans la mer, à la vue de spectateurs, sans mon haut de maillot en plus ! Je n'ai jamais été aussi aventureuse avec ma sexualité. Il a une emprise sur mon corps.

Il revient dans le lit ; nous sommes encore tous deux enroulés dans une serviette. Il me regarde intensément.

— À quoi penses-tu ?

— À toi, me répond-il.

— Mais je suis là.

— Je suis l'homme le plus chanceux.

Il s'approche pour m'embrasser. Je ne peux pas croire que je m'apprête à passer la nuit avec lui. Je ne me souviens pas de la dernière fois que nous avons passé toute une nuit ensemble. Peu de temps avant notre rupture, il avait emménagé avec des colocataires. Je passais rarement toute la nuit chez lui, car je n'aimais pas me réveiller avec d'autres gars dans l'appartement. L'été, nous avions eu de belles nuits au chalet de mes parents, où nous étions seuls. Mes deux étés avec lui sont les meilleurs souvenirs de ma vie, mais je me sens loin de cette époque. Nous étions si jeunes, remplis de rêves pour notre avenir. Nous faisions l'amour bien innocemment, et Gabriel n'avait pas l'assurance qu'il a maintenant. Je n'imagine même pas comment j'étais à cette période. Nous avons découvert ensemble tous les plaisirs que nos corps pouvaient nous apporter.

— C'est toi qui sembles bien loin en ce moment. Tu penses à quoi?

— Je pensais à nous. J'ai du mal à croire que nous sommes là.

— Je sais, reconnaît-il.

C'est lui qui devient silencieux. Nous avons tant de choses à nous dire, il me semble. Il est évident que notre attirance est encore au rendez-vous, mais je me demande si nous pouvons cheminer ensemble. Je ne peux m'empêcher de me rappeler que ma vie est à Montréal alors que la sienne ne l'est pas. Je ne revivrai jamais un amour à distance avec lui. Je devrais juste profiter du moment présent, mais j'ai du mal à y parvenir. Comme j'aimerais avoir une baguette magique pour effacer une partie de notre histoire! Si c'était n'importe quel autre gars (Maxime me revient en tête), je ne me serais pas posé de questions cette semaine, j'aurais tout simplement profité du moment. Mon corps est manifestement au paradis dans les bras de Gabriel, mais ma tête a du mal à assimiler. Une larme me monte aux yeux.

— Annie, que se passe-t-il ?

— Je pense trop.

— Viens ici.

Il me serre dans ses bras.

— Annie, c'est un des plus heureux hasards de la vie de nous retrouver après tout ce temps. Faisons confiance à cette chance, laissons derrière tout ce qui a pu se passer entre nous. Je te propose que nous recommencions. Il est évident que j'ai changé, et toi aussi, même si tu es encore ma sirène.

Il arbore un regard si confiant. Comment peut-il être si certain que c'est la bonne chose à faire ?

— J'aimerais oublier, Gabriel.

— Laisse-moi t'aider.

Il se lève pour aller éteindre les lumières. Il enlève sa serviette. Son érection me fait déjà oublier ; il est parfait. Je me ramène à ce moment. J'ai tellement envie de lui. Il revient dans le lit et m'enlève doucement ma serviette.

— Je rêvais que tu danses encore pour moi ce soir, Annie, admet-il. Je ne perdrai pas espoir, mais cette nuit, je veux m'occuper de toi. Je vais te créer de nouveaux souvenirs. Je veux que tu puisses te rappeler cette nuit chaque fois que tu penseras à moi.

Il commence à m'embrasser dans le cou. Son souffle chaud me fait frissonner. Je suis totalement exposée à lui. Il embarque par-dessus moi et continue de m'embrasser partout ; ses lèvres chaudes qui se promènent sur tout mon corps me torturent. Son érection me frôle ici et là. J'ai envie de l'embrasser aussi. Sa peau est si chaude sur la mienne. Je le prends dans mes bras pour le guider à côté de moi. Je m'assois pour le diriger sur le dos et il se laisse faire. C'est moi qui me dépose sur lui. Je commence à l'embrasser comme il le faisait avec moi.

Son odeur me captive. J'ose lui mordre un mamelon, que je tourmente avec ma langue. Il sursaute.

— Annie, tu joues avec le feu.

— Je brûle déjà, Gabriel.

Je continue de profiter de son corps qui est si ferme sous le mien. Je sens son érection sur mon ventre ; nous sommes tous les deux très excités. Je me glisse pour me caresser les seins sur son membre enflammé. Comme c'est excitant, cette chaleur sur mes mamelons ! Lorsque Gabriel me regarde, je vois beaucoup de passion dans ses yeux.

— Tu es tellement séduisante. Embrasse-moi.

C'est ma seule envie. Ma bouche se dépose sur son pénis et je le caresse avec ma langue. Je le sens si excité que je pourrais le faire venir de cette façon. Lorsque je prends tout son membre dans ma bouche, je sens comme une décharge électrique entre mes deux jambes ; j'ai mal tellement j'ai envie de lui. J'accélère alors qu'il me caresse les cheveux en douceur.

— Assez, Annie.

Je voudrais continuer. Je sens que j'aurais pu atteindre l'orgasme sans même me toucher tellement je prenais plaisir à vivre cette intimité entre nous. Quand il me guide sur lui, son érection caresse l'entrée de tout mon plaisir.

— Tu es si mouillée, dépose-toi sur moi, m'intime-t-il.

Il guide mes hanches et me pénètre facilement.

— Ah, Gabriel.

— Je sais, dit-il simplement.

Il m'approche de lui pour attraper un de mes seins dans sa bouche. Il commence au même moment à bouger en moi.

Ses mains me portent de haut en bas sur lui. J'appuie mes mains sur la tête de lit pour ne pas perdre l'équilibre. Ce geste approche encore plus mes seins de son visage. Il me tourmente avec sa langue et ses dents. Je m'abandonne dans ses bras. Je n'ai jamais ressenti autant de plaisir sur tous mes sens. J'ai l'impression que ma peau s'enflamme tellement elle est sensible. Je brûle de désir. Je voudrais me perdre dans ce moment, mon corps va bientôt céder.

— Gabriel, c'est trop.

— Je suis si bien au fond de toi, tu le sens.

— Je sens que je vais exploser, déclaré-je.

— Regarde-moi.

Je me descends un peu, il me caresse le visage d'une main.

— Tu es si belle, Annie. Je veux te regarder jouir.

— Gabriel.

Il recommence à bouger. Il glisse une main sur mon clitoris, et c'est l'allumette de trop. Mon corps explose. Il attrape mes fesses au même moment pour me donner un dernier grand coup. Je sens toute sa chaleur en moi. Nous demeurons plusieurs instants à profiter de toutes les sensations qui nous traversent. Je n'ose pas bouger. Il embrasse le creux de mon cou lorsque je me dépose sur lui.

— Je ne te laisserai jamais plus, me murmure-t-il à l'oreille.

Ses paroles me ramènent. J'ai bien oublié, comme il me l'a promis avant que nous fassions l'amour, mais je ne vois toujours pas comment une relation serait possible entre nous.

Chapitre 29

Je me dépose à côté de lui. Il me serre fort dans ses bras. Je n'ai pas envie de parler, la discussion viendra assez vite. Je suis si bien collée sur son corps chaud que je m'endors profondément. Lorsque je me réveille, il fait encore noir. Gabriel ne semble pas avoir bougé et je suis encore entrelacée dans ses bras. Je ne veux pas le réveiller, mais j'ai tellement chaud que je dois me libérer. Je tente de me glisser, mais je le réveille.

— Ne pense pas te sauver, m'avertit-il.

— Je ne voulais pas te réveiller.

— Je suis heureux que tu me réveilles, je ne pensais pas m'endormir avec toi à mes côtés.

Il me rapproche de lui.

— Laisse-moi me rafraîchir.

Je m'empresse d'aller dans la salle de bain. Je ferme la porte. J'hésite à sauter dans la douche. Je décide de me rafraîchir avec un gant de toilette, après quoi je me sens mieux. Je suis aussi un peu plus réveillée. Je me regarde dans le miroir et me reconnais à peine, mais je vois tout de suite que c'est exactement ce que je recherche pour mes toiles. Mes cheveux sont sens dessus dessous, mes yeux sont brillants, mes lèvres sont rouges et enflées. Ma peau est reluisante, mes seins semblent plus gros que d'habitude, ils sont lourds, et mes mamelons sont restés en érection comme s'ils en voulaient encore. Je suis habitée par la passion et je voudrais me dessiner. Je vais rejoindre Gabriel.

— Comme tu es belle, me complimente-t-il.

C'est lui qui est beau ; le contraste de sa peau bronzée sur le drap blanc me donne envie de le dessiner lui aussi.

— Si j'avais mes crayons, je te dessinerais.

— C'est un plaisir de te servir de modèle.

Il me lance son plus beau sourire en enlevant le drap.

— Qu'est-ce que tu en penses, tu voudrais me dessiner comme ça ?

Il attrape son érection dans sa main. Ma respiration s'accélère.

— Je ne pourrais pas me concentrer si tu fais ça, riposté-je.

— Allonge-toi près de moi.

Je m'allonge. Il continue de se caresser.

— Tu sais, la première journée à la plage, quand nous avons fait de la plongée, je rêvais déjà de te faire l'amour.

Je sens mon excitation monter. J'ai juste envie de glisser une main entre mes jambes en le voyant ainsi. Comme je le désirais déjà aussi ! Je repense à ma scène dans la douche.

— Moi aussi, osé-je lui admettre.

— J'ai joué avec mon corps quand je suis rentré parce que je ne pouvais pas arrêter de penser à toi.

— J'ai joué avec mon corps à la plage après la plongée.

Je me sens rougir. Pourquoi je lui confie une telle chose ?

— Je pensais que tu ne rougissais jamais, Annie. Montre-moi comment tu as fait ça.

— C'est trop gênant.

— Laisse-toi exciter par ta gêne. Caresse-toi.

Il est si séduisant, aussi vulnérable que moi. Je le sens très excité par notre petit jeu. Il se caresse encore, sa respiration est saccadée quand il me parle. J'ose glisser une main entre mes jambes. Je suis tellement excitée. Je ferme les yeux, j'ai du mal à le regarder. Je l'imagine très bien devant moi. Il glisse une main sur un de mes seins et caresse doucement mon mamelon avec ses doigts.

— Avoue que c'est excitant.

— Oui.

— Imagine que c'est moi qui te touche, Annie.

— J'ai envie de toi, Gabriel.

— Continue, mais je ne veux pas que tu jouisses.

Comment peut-il me demander une telle chose ? J'ai juste envie qu'il me prenne maintenant, je ne veux plus attendre.

— Gabriel.

La jouissance est tellement proche.

— Dis-moi ce que tu veux.

— Je te veux en moi, maintenant, exigé-je.

— Comment puis-je te dire non ?

Il s'empresse d'embarquer par-dessus moi en me pénétrant sans attendre. Mon orgasme se déclenche dès que son membre brûlant est au fond de moi. Mon sexe se serre sur son érection ; la sensation est exquise. Il bouge à peine et vient rapidement à son tour. Nous étions si proches tous les deux. Il est doué pour m'exciter. Il reste sur moi en me serrant encore plus contre lui.

— Mon Annie.

Le paradis est dans ce lit.

— Je t'écrase, je suis désolé.

— Non, je suis bien, le rassuré-je.

— Je pourrais rester dans cette chambre avec toi jusqu'à samedi.

— Mes amies vont venir me chercher avant.

— Tu dois me promettre que tu passeras tes nuits avec moi.

Pourquoi me demande-t-il une telle chose maintenant?

— Je suis bien avec toi, mais prenons ça une journée à la fois, tu veux?

— Non, Annie, proteste-t-il. Je n'ai pas envie d'attendre, nous avons déjà perdu 10 ans.

— Je ne comprends pas comment tu peux être si prêt à rembarquer dans notre histoire. Je ne te cache pas que moi aussi, j'ai envie d'y croire, mais il y a tant de choses dont nous n'avons même pas parlé encore.

— Tu te cherches tes excuses, Annie, je ne comprends pas.

— Ce ne sont pas des excuses, rétorqué-je. Tu habites à Québec, j'habite à Montréal.

— C'est le mieux que tu puisses faire? Peut-être que tu pourrais déménager à Québec? Avec ton art, tu peux travailler où tu veux, non? réplique-t-il.

— C'est simple pour toi. C'est moi qui dois faire les compromis? Il n'y a pas juste mon art qui paye mes factures.

Je remarque que nous n'avons même pas parlé de nous tant que ça.

— Cette attirance, Gabriel, ce n'est pas assez.

— Il y a plus que notre attirance, Annie, et tu le sais. Je comprends que tu as peur, mais tu devrais utiliser les vrais mots au lieu de te cacher derrière tes excuses. Je ne te laisserai pas me fuir une autre fois.

— Tu es arrogant. Je n'ai pas besoin d'excuses pour voir que ça ne marcherait pas, nous deux. Nous vivons dans deux mondes différents, et tu as raison, notre passé fait que je ne peux pas te faire confiance.

— Nous avons déjà conclu que tu t'es trompée sur notre passé, lance-t-il.

— Je ne revivrai pas un amour à distance. Je ne vais pas non plus laisser tomber tout ce que j'ai bâti dans mon travail parce que je suis attirée par tes belles promesses.

— Je ne te comprends pas, Annie.

— Je voulais juste que nous prenions notre temps, expliqué-je.

— Je ne prendrai pas mon temps avec toi. Je te veux tout à moi, comme avant.

— Comme si c'était facile.

— C'est très facile pour moi. Je serais même prêt à venir vivre à Montréal, mais tu ne me l'as même pas demandé. Je vais te prouver cette semaine que tu as tort d'avoir peur.

— Je ne sais plus quoi penser.

Je me lève. Je prends ma petite robe et me dirige à la salle de bain. Je me trouve ridicule d'avoir réagi autant, surtout après avoir fait l'amour comme nous l'avons fait cette nuit. Comment est-ce que je pensais que c'était possible de me cacher sous cette attirance, comme s'il n'y avait pas un éléphant dans la pièce? J'aimerais croire que tout est possible entre nous, mais je suis incapable de réfléchir. Il m'a séduite sans effort. Son regard est sincère et je veux le croire, mais je ne sais pas si j'ai envie de jouer mon cœur, qui ne supporterait pas une autre rupture avec Gabriel. Je sors.

— Ne pars pas, Annie. Reste avec moi, m'enjoint-il.

— J'ai besoin de réfléchir.

— Nous pouvons discuter. Je suis désolé, j'aurais dû attendre avant de te parler de notre avenir.

— Au contraire, nous devons être sur la même longueur d'onde avant d'aller plus loin. Je ne regrette pas ces moments avec toi, reconnais-je, mais j'ai besoin d'un peu de distance. Je vais finir la nuit dans ma chambre.

— Je vais te reconduire.

— Je ne suis pas loin, ça ira.

Il s'approche de moi. Je dois partir avant de changer d'idée.

— Nous allons nous voir demain, Annie. Je t'ai retrouvée, je ne te perdrai pas une autre fois.

— Comme si la décision ne revenait qu'à toi, renvoyé-je.

— Crois-moi, tu décideras toi aussi. Je vais passer le reste de la semaine à te prouver que tu ne pourras pas vivre sans moi.

J'admire son assurance. Je l'embrasse sur la joue.

— Tu peux bien essayer.

Je le quitte.

Chapitre 30

Je m'endors profondément, mais je me réveille le cœur gros. Je suis soulagée d'avoir eu le courage de partir même si je sens que j'ai eu tort de le fuir ainsi. Je ne jouerai pas mon cœur tant que je n'aurai pas la certitude que c'est le bon choix. Je n'aurais pas dû me laisser séduire si facilement, mais comment suis-je censée lui résister ? Mon antidote à l'amour, ce qui m'a toujours permis de garder mon cœur à l'abri, était Gabriel. Mon cœur s'était lui-même enfermé dans une forteresse après notre histoire. Mais qu'est-ce qui me protège de Gabriel ? Je sens déjà que les murs de pierre commencent à se fissurer sous ses caresses envoûtantes. C'est injuste. *Le superhéros qui est juste trop super pour qu'on puisse y résister.*

Je repense à mes copines. Elles ne sont pas dans la chambre, donc les deux ont passé la nuit avec leurs hommes. Comment est-ce qu'Ève peut faire confiance à Mathieu ? Il lui fait de belles promesses pour la reconquérir, mais comment fait-elle pour se protéger ? Je dois lui parler. Qu'en est-il de Justine ? Je ne crois pas qu'elle sera capable de prendre les choses un jour à la fois avec David. Elle est beaucoup trop romantique pour y parvenir. Quel trio nous formons !

Je décide de les texter. Justine me répond la première. Je n'ose pas lui dire pourquoi je ne suis pas avec Gabriel, je ne veux pas en parler. J'en parlerai quand je serai prête. Nous décidons de passer la journée à la plage. Je n'ai pas de nouvelles d'Ève, mais je suis certaine qu'elle nous rejoindra.

Justine me rejoint à la chambre avant que nous partions ensemble.

— Le retour à la routine va être difficile la semaine prochaine, me confie-t-elle.

— Oui, tu as raison. J'angoisse à penser que je devrai remettre mon manteau d'hiver.

— Mais tu ne sors pas beaucoup, Annie, non ? Tu es chanceuse de travailler de la maison.

— Oui, il y a des avantages, mais pas assez pour me faire oublier l'hiver.

— Tu es certaine que tu ne veux pas manger un peu ? insiste mon amie.

— Je n'ai pas faim.

— Je ne te reconnais pas, Annie.

— Prenons juste des cappuccinos avant d'aller à la plage, ça ira. De toute façon, nous pourrons déjeuner bientôt.

Justine ne me pose pas de questions au sujet de Gabriel. Je lui ai tout simplement dit qu'il voulait faire de la planche aérotractée ce matin, ce qui est possiblement vrai. J'aimerais bien en faire aussi, ce sport semble très excitant, mais la nuit a été trop courte pour me porter conseil. Je ne suis pas prête à le revoir.

La plage est magnifique. Nous nous trouvons un *palapa*, et on s'empresse de nous apporter des chaises longues. J'ai un déjà-vu de mon après-midi d'hier à la plage nudiste avec Gabriel. Je dois proposer aux filles d'y aller avec leurs tourtereaux ; c'était très excitant, mais surtout libérateur.

— Tu veux m'aider à appliquer de la crème, Annie ?

— Oui, tourne-toi. Tu feras mon dos après. Que fait David aujourd'hui ?

— Je crois qu'il passera la journée avec sa sœur, m'informe-t-elle. Je l'ai quand même invité à venir nous rejoindre, peut-être qu'il viendra.

Elle semble bien songeuse.

— Ça va, Justine ?

— Oui, je crois. Je ne sais pas comment t'expliquer. Je me sens si proche de lui et en même temps, il n'y a aucune promesse entre nous.

J'ai envie de la caser avec Gabriel, qui est prêt à en faire, des promesses, lui. Comment peut-on vouloir s'engager si facilement ?

— Mais Justine, vous profitez du moment. Vous verrez bien pour la suite, non ?

— Oui, tu as peut-être raison, concède-t-elle. Mais tu sais, il ne m'a pas encore dévoilé son nom de famille.

— Je crois que ça doit lui servir de ne pas admettre qui il est. Pourtant, il sait bien que plusieurs personnes l'ont reconnu.

— Je sais. Hier soir, quand nous avons quitté la plage, il discutait avec Gabriel et je les ai entendus parler affaires. Je n'ai pas tout saisi, mais je suis certaine qu'il a dit à Gabriel qui il était. Je crois même qu'ils sont censés se rencontrer à ses bureaux de Montréal.

Je suis surprise. Gabriel ne m'a rien dit. Je me demande bien pourquoi. C'est vrai que nous avons été occupés à autre chose, mais quand même. Je lui en parlerai.

Nous décidons de nous baigner. De me submerger dans la mer va me faire le plus grand bien.

— Nous devrions faire un tour de catamaran aujour-d'hui, suggère Justine.

— J'aimerais ça. Nous pourrions aller réserver après le déjeuner.

J'aperçois Ève et Mathieu au loin. Nous sortons de l'eau pour aller les retrouver. Les animateurs arrivent au même moment pour nous demander si nous voulons jouer au vol-leyball. Je repense à Maxime. Je ne souhaite pas le croiser. Je suis certaine qu'il ne pense déjà plus à moi. Je ne peux m'em-pêcher de penser à Gabriel aussi. J'ai tenté de le voir au loin, parmi plusieurs planches aérotractées, mais c'est beaucoup trop loin pour que je puisse déterminer qui les dirige. Je suis heureuse d'avoir mes amies pour me changer les idées aujourd'hui.

— Vous voulez jouer?

Mathieu s'empresse de dire oui. Un vrai gars. Ève accepte aussi en regardant son Mathieu avec tellement d'amour. Justine me surprend quand elle dit qu'elle va jouer aussi. Comme nous nous approchons du terrain, Maxime et Charles arrivent pour jouer avec nous. Maxime me lance son plus beau sourire.

— Salut, beauté.

— Salut, Maxime.

— Je rêvais de rejouer une partie avec toi.

— Arrête ton charme, Maxime.

— Où est ton prince?

— Ça ne te regarde pas.

— L'ex n'est pas si charmant finalement? me nargue-t-il.

— Tu aimerais ça.

— Tu sais que ma porte est ouverte. Est-ce que je peux te convaincre d'être dans mon équipe, cette fois?

J'hésite. Il est séduisant, ce Maxime. Je ne sais pas si c'est une bonne idée de me retrouver près de lui. Nous sommes entourés de gens, alors même si Gabriel arrivait, il ne saurait rien. Maxime ne serait pas assez arrogant pour aller lui dire qu'il m'a embrassée.

— Je vais jouer avec toi. Allons gagner.

Justine joint l'autre équipe avec Charles. Nous jouons avec Ève et Mathieu. Cette partie est exactement ce dont j'avais besoin pour me changer les idées. Nous menons, mais de justesse. Maxime se concentre sur le jeu à part les quelques fois où nos regards se croisent. Si je n'avais pas croisé Gabriel cette semaine, je me serais laissée séduire par ses yeux si charmeurs. Son énergie me fait du bien même si son arrogance m'indique de demeurer sur mes gardes. Il est aussi rusé qu'un renard : il me prendrait d'une seule bouchée, si je lui en laissais la chance. Nous gagnons enfin la partie ! Nous nous tapons tous dans les mains. Maxime ne se gêne pas pour m'attraper par la taille afin de m'approcher de lui.

— Viens te baigner avec moi.

— Non, refusé-je.

— Je te ferais oublier ton ex, Annie. L'avenir n'est jamais dans le passé.

— Je veux juste être dans le moment présent.

— J'aimerais te convaincre, insiste-t-il.

— J'ai déjà choisi.

Lorsque je m'éloigne de lui, il ne me retient pas. Je comprends que c'est Gabriel que je veux. Je dois aller au bout de ce que nous avons commencé. De le revoir après tout ce temps ne peut pas être un simple hasard, donc j'ai besoin de savoir si un avenir est possible pour nous. Je dois le retrouver. Comme je me retourne, il est là.

— Tu sembles surprise de me voir, déclare-t-il.

Il regarde Maxime derrière moi. Je me demande s'il m'a vue discuter avec lui ; nous étions si près. Je ne peux pas croire que je dois maintenant me justifier. Je suis censée réfléchir à nous deux, pas être dans les bras d'un autre. Même si ce n'est pas ça, il pourrait le penser.

— Je suis heureuse de te voir, Gabriel.

J'ose à peine le regarder.

— J'ai chaud, je voulais sauter dans la mer. Tu viens avec moi ?

— Oui, accepte-t-il.

Gabriel laisse ses choses où nous sommes assis. Simon se joint aussi à nous. Il discute déjà avec Mathieu. Les trois poulettes feraient mieux de ne pas arriver.

— Allons-y.

Gabriel me suit de près.

— As-tu fait de la planche ce matin ?

— Oui, c'était super. J'aimerais bien t'emmener.

— J'aimerais ça.

— J'aurais aimé arriver avant pour jouer au volleyball avec toi, souligne-t-il.

Il me regarde intensément. Je sais qu'il m'a vue près de Maxime, mais il ne m'en parle pas.

— Il y a plusieurs parties par jour, nous pourrions jouer plus tard.

Il se rapproche.

— Tu m'as manqué, cette nuit.

Je suis soulagée qu'il change de sujet.

— Moi aussi.

— Ne te sauve plus, Annie. Nous deux, ça peut juste marcher si nous nous donnons une vraie chance.

— Tu as raison, concédé-je.

Il s'approche pour m'embrasser. Son baiser est possessif. Je veux croire en nous. Je ne sais pas comment taire toutes mes émotions contradictoires, mais je dois essayer, sinon je sais que je vais le regretter toute ma vie.

Chapitre 31

Gabriel

Heureusement que j'ai ma planche pour me défouler ce matin. Il me semble que c'est le rêve de toutes les filles, un gars qui a envie d'elle. Qui est même prêt à s'engager, d'une certaine façon. Je ne les comprendrai jamais, encore moins ma chère Annie. Je sentais pourtant qu'elle avait baissé ses gardes, qu'elle se donnait sans retenue dans mes bras. J'aurais voulu arrêter le temps. Je retrouvais sa vulnérabilité, sa grande sensibilité qu'elle semble toujours cacher depuis que je l'ai retrouvée. J'aurais peut-être dû la retenir, mais je sais que je dois être patient avec elle.

— Tu ne parles pas beaucoup ce matin, Gabriel, fait remarquer Simon.

— Je n'ai pas bien dormi.

— Ta belle rousse t'a gardé réveillé? me dit-il en riant.

Il peut penser ce qu'il veut, je ne vais pas lui confier mes problèmes amoureux.

— Je n'ai pas hâte d'avoir ton âge! Moi, j'aurais bien aimé que Magalie me garde réveillé toute la nuit!

— Qu'est-ce que tu attends? Ça fait deux jours que tu lui tournes autour.

— Je ne fais pas juste tourner.

— Tu sais, Simon, tu es jeune. Profite de la vie.

— Crois-moi, j'en profite. Mais tu m'as dit qu'Annie était une ex, tu penses retourner avec elle?

— C'est ce que je souhaite.

— C'est un drôle de hasard de la revoir après tout ce temps, non? Et que ça clique autant?

— As-tu déjà été amoureux, Simon? lui demandé-je.

— Peut-être.

— Si tu avais connu ce que j'ai eu avec Annie, tu comprendrais qu'une telle chance, ça ne revient pas.

— En tout cas, je ne t'ai jamais vu comme ça.

— Tu ferais mieux de garder ça pour toi, l'avertis-je.

— Ne t'inquiète pas. Tu sais, la belle Audrey n'a pas arrêté de parler de toi hier soir.

— Elle sait que je suis pris ailleurs.

— Oui, mais dans sa jeune tête de 20 ans, elle ne semblait pas penser que c'était un problème, précise-t-il.

— Tu lui rappelleras que je ne suis pas disponible. Si je la croise, je vais m'assurer que ce soit clair. Je n'ai pas envie qu'elle me tourne autour.

— Tu es amoureux, obnubilé, Gabriel.

— Je sais.

J'espère que je ne regretterai pas d'être venu ici cette semaine. Même si c'était sur un coup de tête, l'idée de revoir Annie m'a trop longtemps hanté. Peut-être que si je le lui disais, elle comprendrait mieux pourquoi je suis si convaincu que c'est possible entre nous. Je pensais lui avoir montré comment je me sens. Je repense à notre nuit. Je dois trouver le moyen de la convaincre de passer plus de temps avec moi, mais je ne peux pas lui dire que je savais que j'allais la revoir, car c'est évident qu'elle se sentirait encore plus vulnérable, ce qui jouerait contre moi.

Simon et moi profitons de nos planches sur cet océan qui fait rêver. Je redeviens moi-même. Je dois arrêter d'être si sérieux. Je veux m'amuser. Je vais montrer à Annie comment nous avons du plaisir ensemble, lui rappeler notre complicité. Le reste, comme notre future adresse, est bien accessoire dans notre relation. Je vivrai où elle vivra. J'ai hâte de la retrouver. J'espère qu'elle n'a pas refermé la porte complètement. Si c'est le cas, je suis patient, je vais la rouvrir.

J'aurais dû lui demander son numéro de téléphone pour la texter. Je ne sais pas où elle peut être. Je fais le tour de la piscine près de nos chambres, mais je ne la vois pas. Elle est possiblement à la plage. Elle aime tellement se baigner... À moins qu'elle ait réservé une autre excursion, je suis persuadé de la retrouver dans l'eau quelque part. Simon va commencer à penser que je suis aussi obsédé.

— Ce n'est pas Annie et ses copines qui jouent au volleyball?

C'est bien elle. Comment ne pas la remarquer avec son bikini rouge? Elle n'est plus la jeune fille timide que j'ai connue. J'adore qu'elle soit sortie de sa coquille. J'aime un peu moins le fait que je ne suis pas le seul à remarquer son corps parfait. J'arrive juste au bon moment, on lui tourne déjà autour.

Je suis soulagé quand elle m'invite à me joindre à leur petit groupe. Je ne refuse pas quand elle propose que nous allions nous baigner. J'ai besoin d'un moment seul avec elle pour m'assurer qu'elle veut nous donner une chance.

Elle marche devant moi et mon corps se réveille instantanément. Elle sait comment ses fesses m'excitent, elle le fait exprès.

— Tu sais, Annie, nous pouvons retourner à notre petite plage si tu veux.

— Je vois que tu ne perds pas de temps pour reprendre ta séduction, me nargue-t-elle.

Si seulement elle savait comment cette semaine est une opération séduction bien planifiée.

— Je n'ai que quelques jours pour te convaincre, répliqué-je. Même si je sais que ton corps est déjà convaincu, il me reste ta tête.

— Justine m'a dit que tu parlais affaires avec David hier soir.

Je m'approche d'elle pour la serrer contre moi.

— Tu as envie de parler de Justine et David?

— Avoue qu'ils vont bien ensemble, même si je m'inquiète pour mon amie.

— Ton amie, c'est une grande fille, rétorqué-je. Je peux aussi te dire que c'est perdu d'avance pour David.

— Comment peux-tu dire ça?

— Je suis un gars, Annie. Il est fou d'elle, même s'il ne le sait pas encore.

— J'espère que tu as raison parce que je crois qu'elle est sérieusement sous son charme, renvoie-t-elle.

— Assez parlé d'eux. Toi, est-ce que tu es sous mon charme?

— Tu sais que je suis incapable de te résister!

Son rire me fait du bien. Je sens qu'elle se protège, mais elle me montre bien qu'elle n'a pas refermé la porte.

— J'aimerais que nous puissions faire quelque chose ensemble cet après-midi, avancé-je.

— Je ne veux pas laisser mes copines. Tu sais, nous sommes venues ici pour fêter nos 10 ans d'amitié.

Elle a rencontré ses copines peu de temps avant notre rupture. Je ne les avais jamais rencontrées avant ce voyage, car j'avais aidé Annie à emménager dans son appartement à la fin de l'été, soit avant l'arrivée officielle de ses colocataires. C'est elle qui venait me rejoindre les week-ends, et nous nous étions laissés en octobre. Je suis heureux de savoir que ses amies étaient là pour elle. Je vois à quel point elles sont importantes dans sa vie.

— Je veux passer du temps avec toi.

— Peut être en fin de journée, avant le dîner, concède-t-elle. En attendant, tu peux passer l'après-midi avec nous.

— Je vais prendre ce que tu me donnes, mais avant de sortir de l'eau, j'ai besoin de ta bouche sur la mienne.

— Gabriel.

— Approche. Je voudrais t'embrasser partout.

Je l'embrasse. Elle enlace ses bras autour de mon cou. Je caresse ses fesses sous l'eau. Je ne veux pas la mettre mal à l'aise devant ses amies, mais j'ai besoin de lui montrer que je ne la laisserai pas fuir. Elle sera à moi de nouveau.

Mon entreprise commence à s'aligner comme je l'ai rêvé. Ma rencontre avec David est un heureux hasard, et j'ai confiance que mes affaires vont continuer de progresser dans la bonne direction. J'ai envie de partager mon succès avec elle. Je ne veux pas être égoïste, elle a certainement ses rêves aussi, et je ferai tout pour l'aider à les réaliser. Ses toiles me reviennent en tête. Je me sens soudainement mal de lui cacher que j'en ai acheté une. Elle me le pardonnera bien. Je le souhaite.

Chapitre 32

*M*on cœur, Gabriel. *C'est mon cœur que tu dois convaincre.* Ses douces caresses sur mes fesses me poussent à me coller davantage sur lui. Je ne peux pas douter de son désir pour moi. Le mien est aussi puissant. Je ne sais pas ce que l'avenir nous réserve, mais mon corps n'a pas ressenti depuis trop longtemps tout ce que je ressens avec lui. Des cris au loin me ramènent à la réalité.

— Nous devrions sortir, indiqué-je.

— Encore un peu.

— Ce n'est pas sage.

— Tu aimes ne pas être sage, Annie.

— Tu as peut-être raison. Mais en plus des filles qui m'attendent, je n'ai pas encore mangé aujourd'hui. Je commence à être étourdie, déclaré-je.

— C'est peut-être moi qui te fais cet effet.

— Tu es si confiant.

— Ne me tente pas, je vais te prouver que j'ai raison.

— J'en meurs d'envie, mais ça devra attendre, riposté-je.

Je m'empresse de plonger pour nager vers le rivage. Tout notre petit groupe est en grande conversation. David s'est même joint à nous. Je tente de voir si je perçois chez David la même chose que Gabriel. Il est assis très près de Justine, je sens qu'il veut montrer qu'elle est à lui. Justine rêve d'amour, comme dans ses romans. Ce n'est pas ce que je vois, mais je ne suis pas la meilleure référence. Qui sait en quoi consiste l'amour exactement ? Je croyais que je le savais et j'ai pourtant tout balayé du revers de la main dès que j'ai été mise à l'épreuve. Quand on aime, il me semble que pardonner devrait en faire partie, non ? Je ne peux pas changer le passé. Je dois regarder devant.

Je suis heureuse de retrouver mon verre rempli d'un cocktail.

— Santé, les amis, buvons à cette semaine de rêve !

Je regarde Gabriel dans les yeux. Je veux qu'il sache que je suis prête à nous donner une vraie chance. Il me retourne son sourire légendaire.

Nous passons l'après-midi à profiter de la vie comme il se doit dans le Sud, avec la musique, la mer, les consommations, le soleil et la bonne compagnie. Je ne peux pas croire qu'il ne reste que trois nuits !

— Nous devrions tous manger ensemble ce soir ! proposé-je spontanément.

Tout le monde embarque. David s'empresse de dire qu'il va s'occuper de la réservation. Bien sûr, monsieur Sinclair peut réserver une table pour neuf à la dernière minute quand les restaurants à la carte affichent déjà complet. Je suis heureuse que nous mangions encore au restaurant de fruits de mer ; c'est le meilleur, selon moi.

L'après-midi tire à sa fin. Nous décidons de manger plus tôt pour trouver de bonnes places pour le spectacle de ce soir : un ballet aquatique. J'ai bien hâte de voir de quoi il s'agit, il paraît que c'est à ne pas manquer.

— Nous partons, annonce Ève en se levant.

— Ma belle Ève, il me semble que nous ne nous voyons pas assez cette semaine.

— Je sais, c'est la seule chose que je regrette depuis l'arrivée de Mathieu, mais comment je peux lui en vouloir ?

— Tu as raison. Comment ça va, vous deux ? Parlez-vous du retour ?

— Nous parlons beaucoup, mais pas tout le temps quand même, précise-t-elle en rougissant. Il me semble très sincère. Je crois que je lui fais confiance, mais je le laisse me le prouver un peu plus.

— Coquine ! Tu abuses de sa vulnérabilité.

— Non, j'abuse de son corps, ce n'est pas la même chose !

— J'aimerais pouvoir avoir confiance en Gabriel.

— Ce n'est pas facile, m'assure-t-elle. J'ai l'impression que je suis en haut d'un précipice et qu'un seul coup de vent pourrait me pousser en bas. Mais je veux croire en nous.

— Comment peux-tu lui faire confiance ?

— Je dois lui faire confiance, sinon tous ses efforts n'auront servi à rien. Pour le moment, je le rencontre à mi-chemin. Je me concentre sur ce que je peux lui donner plutôt que sur ce qui manque. Est-ce que tu comprends ?

— Tu es si optimiste, Ève.

— Il n'y a rien de parfait en amour. Sauf dans les livres de Justine ! termine-t-elle.

Nous éclatons de rire.

— Vous riez de moi ? demande Justine, qui a entendu son nom.

— Jamais de la vie, me défends-je.

— Je vous quitte, nous nous retrouverons au resto, dit Ève.

Nous nous donnons un autre de nos câlins. Je ne manque pas d'amour avec elles.

— De quoi parliez-vous ? me questionne Justine. J'ai entendu mon nom.

— Nous disions juste comment tu es si romantique.

— Je pourrais dire que Cupidon a aussi piqué mes deux meilleures amies cette semaine.

— Il m'a piquée ça fait bien longtemps, ton Cupidon. J'aimerais bien m'arracher sa flèche du cœur pour pouvoir réfléchir un peu, émets-je.

— Annie, tu n'es pas censée réfléchir en amour !

— Tu vas me dire que tu te donnes corps et âme à ton beau David, sans même penser à ce qui se passera la semaine prochaine ?

Je crois que j'ai été un peu raide. Justine a les larmes aux yeux.

— Désolée, Justine, m'excusé-je.

— Tu as raison. Oui, je me donne comme si demain n'existait pas. Je ne sais pas ce que l'avenir me réserve avec David, mais voici ce que je sais : je me donne sans retenue parce que ce que je ressens quand je suis avec lui, j'ai peur de ne jamais le revivre.

Elle est amoureuse, mon amie, mais elle a raison. Il y a 10 ans, je me suis donnée comme elle le décrit si bien. Je ne changerais rien de cette époque où Gabriel et moi vivions sans penser à l'avenir. Mais ce que je sais est que ce lendemain peut être tellement brutal. J'aimerais épargner mon amie, mais je sens qu'il est déjà trop tard. En même temps, je l'envie de se livrer sans retenue à ce qu'elle ressent. J'aimerais en être capable.

— Annie, si tu crois au fond de toi qu'il y a encore de l'espoir pour Gabriel et toi, tu dois ouvrir ton cœur. Même si c'est juste un peu.

— Tu es si sage, Justine.

— Sage ou naïve, je le saurai assez vite.

— Je t'aime, mon amie.

— Moi aussi.

Nous nous serrons.

— Est-ce que je peux avoir un câlin moi aussi ? lance Gabriel en arrivant du bar, les mains pleines.

Nos verres roses lui vont bien !

— Tu en mérites bien un pour avoir rempli mon verre tout l'après-midi.

— Tout ce que ma princesse désire !

Qu'est-ce que je désire ? Il est debout devant moi avec son corps sur lequel j'ai juste envie de me coller. Tout le monde nous regarde, alors je vais me garder une petite gêne avec tout ce qui me passe par la tête.

— Je désire prendre une bonne douche pour me rafraîchir. Je sens que ma peau a assez abusé du soleil pour aujourd'hui.

— Viens te préparer dans ma chambre, si tu veux, je peux te savonner le dos.

Il parle si fort que Justine devient écarlate.

— Pas si fort ! le réprimandé-je.

— Je n'ai pas peur de dire ce que je désire, Annie.

Je me rapproche.

— Garde tes idées pour quand nous serons seuls.

— Viens avec moi maintenant, m'intime-t-il.

— Je dois aller me préparer.

— Nous avons le temps, rejoins-moi à ma chambre, insiste-t-il.

Comme j'ai envie de lui dire oui ! Sinon, je n'aurai pas un moment seule avec lui avant la fin de la soirée.

— Peut-être. Laisse-moi voir comment ça ira avec Justine, cédé-je.

— Donne-moi ton numéro, j'ai regretté de ne pas l'avoir cette nuit.

Nous nous échangeons nos numéros. Je ne sais pas pourquoi, mais j'ai des papillons dans le ventre. Mes conversations avec les filles ont réussi à enlever quelques pierres autour de mon cœur. Je me sens un peu plus libérée.

— J'aimerais que tu viennes, me chuchote-t-il.

— Je te laisse me désirer.

— Si je te désire encore plus, ça sera gênant.

Je m'approche de lui.

— Je me suis tellement ennuyée de toi, de nous, soumets-je.

Je vois qu'il est surpris, mais il comprend ce que je tente de lui dire.

— Tu ne regretteras pas de nous donner une chance, Annie.

C'est mon plus grand désir.

Chapitre 33

Justine et moi revenons à la chambre.

— Annie, ça te dérange si je fais une sieste? Je ne pourrai pas tenir jusqu'au spectacle si je ne dors pas un peu, explique-t-elle.

— Sans problème, je vais en profiter pour aller dessiner un peu.

— Tu ne t'endors pas?

— Au contraire, je suis en pleine forme.

— J'aimerais embouteiller ton énergie, m'envie-t-elle.

Je prends mes crayons et mon carnet même si j'ai juste envie d'aller rejoindre Gabriel. Je pourrais le dessiner. Il serait parfait comme modèle pour mes prochaines toiles. Je vais joindre l'utile à l'agréable parce que j'ai bien l'intention de lui demander de se mettre nu! Je marche d'un pas décidé vers sa chambre. J'ose à peine frapper, mon cœur palpite. Je laisse tomber les barrières qui me font hésiter à replonger dans cette histoire. Il m'ouvre la porte avec son plus grand sourire, une serviette enroulée à la taille.

— J'espérais que ce soit toi.

Il s'empresse de m'attraper dans ses bras pour refermer la porte. Son corps chaud et son odeur m'accueillent, et j'enfouis mon nez dans son cou. Il sent la mer et le soleil. Nous restons un moment collés ainsi à l'entrée de sa chambre. Je sais que nous n'avons pas beaucoup de temps, mais je dois canaliser toute ma volonté pour mettre fin à ce moment si doux.

— J'aimerais te dessiner, Gabriel, j'ai apporté mes crayons.

— J'avais autre chose en tête, renvoie-t-il.

— Si tu es un bon modèle, je te promets une récompense.

Il a les yeux brillants.

— Comment est-ce que je peux dire non à ça ?

— Installe-toi sur le lit, sans la serviette.

— C'est injuste, si je m'expose, tu t'exposes, proteste-t-il.

Ce n'est pas que je n'en ai pas envie, je sais juste que je n'aurai pas la volonté de lui résister. Il me regarde avec tellement de passion. Je voudrais me perdre dans ses bras, mais je veux d'abord le dessiner.

— D'accord, mais tu restes dans le lit.

Je me déshabille lentement. Je sais qu'il me regarde. Il s'installe dans le lit. Il s'allonge en appuyant sa tête sur sa main. Il est parfait. Il enlève sa serviette. Il est totalement exposé, et son érection me déstabilise. La chaleur vient de monter dans la pièce.

— Je crois que tu devras garder ta serviette, déclaré-je.

— Je crois que tu rougis, Annie. J'adore que tu rougisses pour moi.

Je m'installe rapidement sur une chaise devant le lit. J'ai du mal à le regarder.

— Tu es si belle, Annie, le soleil a exposé encore plus toutes tes belles taches de rousseur aujourd'hui.

— Laisse-moi me concentrer, le semoncé-je.

Il me sourit. Je revois le jeune Gabriel enjoué. Il n'a pas perdu ce côté de sa personnalité, même si je le trouve parfois un peu plus sérieux.

— J'aimerais embrasser tes seins. Leur blancheur sur ta peau bronzée est invitante. Je les lécherais comme tu aimes tout en mordillant tes mamelons juste assez fort pour que tu cambres ton dos pour m'inviter à continuer.

Je continue de dessiner, mais ces paroles sont aphrodisiaques.

— Je vois que tu en as envie, poursuit-il. Ta peau commence à briller, Annie. Si tu mords encore plus ta lèvre, je crois que tu vas te blesser.

— Je peux aussi jouer à ce jeu. Tu ne peux pas imaginer la pose parfaite que j'ai devant moi. Tu as un corps de rêve, Gabriel. J'ai bien l'intention d'en profiter quand j'aurai terminé.

— Ne me taquine pas, Annie.

— Tu sais que tu m'excites, j'adore te regarder comme ça. Je ne pensais pas que tu serais ma muse un jour. Je suis très inspirée.

— Moi aussi, je suis inspiré, admet-il.

Il commence à caresser son corps. Ma résistance me quitte de plus en plus.

— Ne bouge pas, lui ordonné-je.

— Tu veux m'attacher?

J'aimerais l'attacher et l'avoir à ma merci. Par contre, j'aime encore plus l'idée d'avoir ses mains sur moi.

— Tu me donnes de bonnes idées, mais non.

— Si tu ne viens pas dans le lit bientôt, c'est moi qui t'attacherai. Je brûle d'envie, Annie, et je ne serai pas responsable de mes actes si tu n'arrêtes pas de me tourmenter.

— Je ne fais rien pourtant, réponds-je.

— Tu es nue devant moi, c'est suffisant.

— J'ai presque terminé.

Je termine rapidement cette première ébauche. Je n'oublierai jamais tous les détails de son corps, l'image est gravée dans ma mémoire. Ses pectoraux, ses abdos, la ligne parfaite de son corps en V qui mène à son sexe. J'ai juste envie d'y déposer mes lèvres. Je me lève pour le rejoindre. Il s'assoit dans le lit pour m'accueillir.

— Je ne t'ai pas autorisé à bouger, Gabriel.

Je glisse mes mains sur son corps pour le recoucher devant moi. Sa peau est brûlante. Mes mains savourent chaque muscle que je regardais il y a quelques instants à peine.

— Ça devrait être défendu de te ressembler, Gabriel.

— Le fruit défendu est beaucoup plus désirable, non ?

Je ne pourrais pas le désirer davantage. Je commence à l'embrasser dans le cou en me mettant à quatre pattes par-dessus lui. Je descends le long de son corps en continuant de l'embrasser, frôle mes seins sur son corps et sur son sexe. Je m'arrête un moment pour le prendre dans ma main ; il est si dur. Je commence à caresser mes mamelons avec le bout de son membre ; sa douceur et sa chaleur me font frissonner.

— Tu es si séduisante, Annie. Je vais venir sur tes seins si tu n'arrêtes pas, m'avertit-il.

— J'aimerais bien, mais laisse-moi continuer.

Je me dirige directement sur son pénis si excité qu'il est déjà reluisant en raison de tout son désir. Je n'ai aucune gêne. Je lèche son gland, qui a le goût de toute la passion qui nous anime. J'enfile son érection, ma bouche savourant toute son excitation. C'est si intime, mais avec lui, j'en ai tellement envie. Quand je l'ai embrassé hier, j'aurais voulu aller jusqu'au bout. J'ai besoin de cette intimité entre nous. Il est de plus en plus rigide, sa respiration est saccadée.

— Annie.

— Je veux te goûter, Gabriel.

J'ose le regarder dans les yeux quand je m'arrête quelques instants pour en torturer le bout avec ma langue. Je continue de l'embrasser de haut en bas. Je perçois que sa jouissance approche. Je le sens grossir davantage dans ma bouche. Il crie mon nom, et je reçois au même moment son sperme chaud sur la langue. Il a un goût divin. Je l'embrasse une dernière fois avant de venir m'allonger à côté de lui. Il me serre dans ses bras.

— Je vais poser pour toi plus souvent.

— J'en avais tellement envie pendant que je te dessinais, affirmé-je.

— Comme tu m'excites ! Nous devrions annuler le dîner et rester ici. Je pourrai bientôt t'enfiler mon érection pour t'entendre jouir à ton tour.

— C'est moi qui ai proposé le dîner, souligné-je. Nous nous reprendrons cette nuit.

— Je ne te laisse pas me quitter sans que tu puisses avoir du plaisir.

— J'ai eu beaucoup de plaisir en t'embrassant, c'est très excitant pour moi quand tu t'abandonnes comme ça.

Il glisse une main entre mes jambes.

— Tu as raison, tu es très excitée, Annie.

Il me caresse doucement. Ses doigts glissent si facilement, je suis inondée d'excitation. Mon corps suit les mouvements de sa main, en demandant plus.

— Gabriel.

Il commence à embrasser mes seins. Je voudrais le sentir en moi. Il devine mes pensées, il me rentre un doigt, puis deux. Il accélère le rythme. Mon corps n'est que sensation sous son emprise. Mon orgasme se déclenche en provoquant des étincelles qui traversent mon corps de la tête aux pieds. Je reviens peu à peu au moment présent. Lorsque j'ouvre les yeux, Gabriel me regarde avec tant de tendresse. Les mots ne sont pas nécessaires entre nous. Je sais que je ne pourrai plus jamais vivre sans lui.

Je vois qu'il commence à faire noir ; Justine va s'inquiéter de mon absence.

— Je dois y aller, annoncé-je.

— J'aimerais que tu restes, nous commençons à peine à rattraper le temps perdu.

— Nous ne pouvons pas juste le regagner au lit. Je veux tout savoir sur toi, sur l'homme que tu es. Tu ne m'as toujours pas dit de quoi tu as discuté avec David, lui rappelé-je.

— Je ne comprendrai jamais les filles. Vous voulez toujours parler.

— Je veux parler avec toi. Tu n'es pas curieux d'en apprendre plus sur moi ?

— Je veux tout savoir sur toi, et j'en apprendrais davantage si tu restais avec moi ce soir.

— Nous avons la chance d'être loin de toutes nos obligations, profitons-en pour nous connaître à nouveau. Je veux que ça marche, nous deux, Gabriel.

— Moi aussi, admet-il. Sauve-toi, alors, mais cette nuit, je te promets que je ne discute pas, tu es à moi. Je voudrai seulement entendre à quel point tu as envie de moi.

Je me sauve rapidement. Je ne me souviens pas de la dernière fois où je me suis sentie aussi pleine d'espoir en mon avenir. Il me semble que je suis coincée depuis plusieurs années dans une vie qui ne me ressemble pas, mais je n'osais pas me questionner. Gabriel est si passionné dans son travail et il l'est autant avec moi. Je veux réapprendre à vivre de cette manière.

Il me rappelle tous les rêves que j'avais. Mes amies diraient que j'ai toujours profité de la vie, elles ne voient que l'Annie qui s'amuse quand je suis avec elles. Je constate que j'ai manqué de courage. J'ai fui Gabriel. Je me cache dans un travail monotone pour cacher ma peur de foncer avec mon art. Je m'étais même fermée à toutes possibilités de m'investir dans une relation sérieuse. Je ne comprends pas comment il a réveillé tout ça en moi, mais je me sens libérée. J'ai envie de crier mon bonheur.

Chapitre 34

Justine sort de la douche quand j'arrive dans la chambre.

— Je pensais que tu ne reviendrais pas, lance-t-elle.

— J'ai besoin d'une douche.

— Je te laisse ma place. J'ai hâte de dîner avec notre petit groupe ce soir.

— Moi aussi, je me dépêche.

La douche me fait du bien. Je repense à ce que je viens de vivre avec Gabriel. La nuit ne viendra pas assez vite. Je ne sais pas quoi mettre. J'aimerais avoir plus de choix. Je décide de mettre une autre petite robe noire, bien simple, mais qui me va bien. Justine est magnifique ce soir.

— Tu es belle, Justine.

— Toi aussi. J'aimerais avoir toutes tes bouclettes, je ne m'attacherais jamais les cheveux.

— Au contraire, j'aurais l'air d'un lion si je ne les attachais pas, rétorqué-je.

— Ça te va bien, tu devrais les laisser comme ça.

Elle a peut-être raison. Je mets beaucoup de gel pour m'assurer qu'il n'y ait pas de trop de frisottis quand ils seront complètement secs. Je mets à peine un peu de mascara, mais j'en profite pour me mettre du rouge à lèvres rouge. Nous sommes prêtes. Nous textons Ève, qui va nous rencontrer là-bas avec Mathieu.

— Je ne pense pas qu'Ève va redormir dans cette chambre cette semaine.

— Moi non plus, David insiste pour que je reste avec lui. Toi, tu n'as pas l'intention de passer plus de temps avec Gabriel ?

— Possiblement.

— Annie, tu n'as pas besoin de me cacher ce que tu ressens pour lui, formule-t-elle.

— Je veux nous donner une vraie chance, mais je prends ça un moment à la fois.

Je comprends que j'ai peur de dire tout haut comment je me sens réellement. Une partie de moi semble penser que c'est trop beau pour être vrai. Je tente de la faire taire, mais elle est là.

Nous arrivons au resto. Nous sommes les dernières à nous joindre au groupe. Gabriel est en discussion avec Simon. Lorsque j'arrive à la table, il se lève pour m'approcher.

— J'aurais aimé que tu portes ce rouge à lèvres cet après-midi, me murmure-t-il.

— Gabriel.

Il tire la chaise à côté de lui. Il me dévore des yeux, mais s'empresse de s'asseoir.

— Tu veux un verre de vin rouge ou blanc ?

— J'aimerais le rouge.

Ève est assise à ma droite. Je suis heureuse que nous dînions avec nos hommes ce soir, je peux passer plus de temps avec mes amies.

— Tu rayonnes, Ève, la complimenté-je.

— Toi aussi !

— Buvons à ce dîner parfait, nous sommes tous là !

Nous trinquons tous. Je fixe un peu plus longuement les yeux de Gabriel, même si je doute que sept ans de mauvais sexe soient possibles avec lui.

— Santé, ma princesse.

— Je ne suis plus la jeune fille que j'étais, Gabriel, mais je dois admettre que j'aime quand tu m'appelles comme ça.

Nous mangeons en discutant tous ensemble. Gabriel me parle de Simon ainsi que de sa relation avec lui. Je vois comment il lui fait confiance. Il est jeune, mais il semble aussi passionné que Gabriel pour le sport. Il m'invite à les rejoindre le lendemain matin pour mon premier cours.

Nous discutons aussi de sa sœur, et je lui mentionne que je suis amie avec elle sur Facebook. Elle est un peu plus jeune que moi, mais je l'aimais comme une petite sœur. Il n'allonge pas trop le discours et commence plutôt à me parler de mes frères. Il les a bien connus aussi, mais n'a pas gardé le contact avec eux. Je lui parle de mes belles-sœurs, de mes nièces et de mes neveux.

— Tu es la seule qui soit célibataire ? se surprend-il.

— Oui, j'avoue que c'est bizarre, mes trois machos de frères ont tous été séduits. Il n'y a que Sébastien, le plus jeune, qui n'a pas d'enfants, mais il habite avec sa copine depuis un an.

— J'aimerais bien les revoir. J'aurais aimé avoir des frères.

Parler de ma famille me ramène à la réalité. Je ne suis pas prête à l'emmener chez nous. J'ai besoin de l'avoir juste pour moi, je ne veux pas le partager tout de suite.

Le dîner tire à sa fin. Nous marchons tous ensemble vers la piscine où se tiendra le spectacle.

— Je sens qu'il va y avoir pas mal de monde au spectacle.

— Tu sais, Annie, nous pouvons rentrer si tu veux, propose Gabriel.

— Gabriel! Je tente de passer du temps avec toi, c'est important.

— Ce qui est important entre nous est déjà exceptionnel.

— Je ne te connais plus, Gabriel. Je vois bien que tu veux t'amuser, avec tes jouets et avec moi, mais tu vas devoir me faire la cour, l'avertis-je. Je ne me souviens plus pourquoi j'étais si amoureuse de toi.

Je lui souris. Il sait que je le taquine. Je me souviens très bien des raisons pour lesquelles j'étais amoureuse de lui. Nous avions cette complicité, partagions plusieurs rêves, mais respections surtout nos différences. Je croyais aussi à cette époque que rien ne pouvait menacer notre bonheur. J'étais loin de me douter que notre amour était si fragile. Nous étions peut-être trop idéalistes à cette époque. Je sais aujourd'hui que ce n'est jamais tout noir ou blanc : les nuances sont nécessaires. Je m'étais promis de ne jamais me remettre dans une situation qui pourrait me faire mal en amour et pourtant, je suis en train de lui livrer mon cœur sur un plateau d'argent.

— Tu sais, Annie, ce que tu ne sembles pas comprendre est que je ne te laisserai plus jamais me quitter.

— Tu ne pourras pas m'attacher, riposté-je.

— Je suis convaincu que tu aimerais ça.

— Est-ce qu'il y a juste ça dans ta cervelle de gars?

— Je peux te montrer tout ce qu'il y a dans ma tête, mais ça nous ramène à rentrer à ma chambre.

— Pitié!

J'éclate de rire. Il m'attrape par la taille pour m'approcher de lui.

— Je comprends ce que tu dis, ma sirène. D'ici à ce que nous partions, je vais te convaincre que tu ne peux pas vivre sans moi. Je te l'ai dit hier, je vais te le répéter, mais j'ai surtout l'intention de le montrer. Je suis bien avec toi, poursuit-il. Tu me complétais bien il y a 10 ans, et je sais que c'est encore le cas aujourd'hui. Juste te voir sourire fait de moi l'homme le plus heureux du monde.

Je ne sais pas quoi répondre. Je suis touchée par tout ce qu'il me dit.

— Ton opération séduction commence bien, Gabriel.

Il caresse ma joue.

— Je vais aller voir ce spectacle avec toi et jouer au prince charmant, mais après, nous allons jouer à mes jeux pour le reste de la nuit.

— Ce n'est pas un jeu, Gabriel.

— Tu as raison, tout le monde gagne dans ce que je te propose.

J'espère que tout le monde gagnera. Justine et Ève, gagneront-elles aussi?

— Annie et Gabriel, vous ralentissez le groupe, il ne faut pas tarder si nous voulons de bonnes places! nous lance Justine, un peu exaspérée.

— Je te laisse nous trouver de super places, Gabriel et moi allons chercher une tournée avant que ça commence.

J'ai envie de prolonger notre petit moment de complicité. Nous nous rendons au bar, où il y a beaucoup de monde. J'ai bien hâte de voir cette production. Je remarque que les danseurs sont tous prêts derrière le bâtiment où nous nous trouvons.

— Tu as vu les costumes? m'exclamé-je.

— Oui, c'est impressionnant. Je te verrais recouverte d'un maillot aussi ajusté avec autant de paillettes.

— Je n'ai jamais rien possédé avec des brillants.

— Je dois admettre que tu n'en as pas besoin pour briller. En passant, tu ne m'as jamais montré ton chef-d'œuvre cet après-midi.

— Je n'ai pas terminé, tu devras reprendre la pose.

— Je suis à ta disposition.

Nous nous empressons de commander huit verres, Simon nous ayant quitté après le dîner, et d'aller rejoindre le groupe. Les chaises longues bordent la piscine aux premières loges, la majorité des gens y sont assis, mais les retardataires qui arrivent s'installent debout derrière. Mathieu s'assure de nous trouver une chaise dès que nous revenons les mains pleines.

Le spectacle commence. Je regarde autour de moi ; mes deux amies sont bien blotties dans les bras de leurs hommes. Gabriel est assis à côté de moi et me caresse la cuisse. Je suis très surprise par la qualité du spectacle. C'est digne du Cirque du Soleil, version cubaine. Un moment parfait dans ce petit coin de paradis. Je sens beaucoup de fébrilité dans l'air. Je ressens aussi beaucoup d'excitation à l'endroit où Gabriel promène sa main. J'anticipe déjà ma nuit avec lui.

Chapitre 35

Le spectacle tire à sa fin. Je remarque que Justine et David ne sont plus là.

— Tu as vu Justine partir? demandé-je à Gabriel.

— Oui, elle est partie plus tôt, David l'a suivie peu de temps après.

— Je ne comprends pas qu'elle ne soit pas revenue. Elle voulait tellement voir ce spectacle.

— Ne t'inquiète pas, ils voulaient peut-être un petit moment.

— David ne laisse pas sa sœur seule, rétorqué-je.

— Elle est avec nous, ils vont revenir.

— J'imagine que tu as raison.

Je me demande bien où est Justine. Comme nous nous levons pour applaudir les danseurs qui viennent de nous livrer une finale extraordinaire, je vois David qui revient seul. Quand il s'approche de nous, je vois dans son regard qu'il semble inquiet, mais aussi bouleversé. Je m'empresse de lui demander où est Justine, mais il parle en même temps que moi.

— Justine est rentrée à votre chambre, vous devriez aller la rejoindre, nous intime-t-il.

— Mais que se passe-t-il, David?

— Elle vous expliquera, mais je préférerais qu'elle ne soit pas seule.

Il se retourne pour aller rejoindre sa sœur et Chloé. Je le trouve soudainement bien distant. Ils ont dû se disputer. Nous étions tous assis pour écouter le spectacle, je ne comprends pas. Je suis inquiète pour Justine. Je dois aller la rejoindre. Je ne crois pas qu'Ève a entendu David avec tout le bruit des applaudissements.

— Tu veux que je vienne avec toi? m'offre Gabriel.

— Non, nous ne savons pas pourquoi elle est rentrée. Je vais y aller avec Ève.

— Donne-moi des nouvelles. J'espère qu'elle va bien.

— Moi aussi.

Ève est bien blottie sur Mathieu. C'est dommage pour eux, mais je suis de plus en plus inquiète, nous devons partir.

— Ève, David vient de me dire que Justine est rentrée, annoncé-je.

— Je ne comprends pas.

— Moi non plus, mais il m'a dit que nous devrions aller la rejoindre. Je crois qu'il s'est passé quelque chose entre eux.

— Pauvre Justine, allons-y.

Nous quittons nos deux hommes. Je me dis que Justine aura certainement besoin d'un bon verre de vin ou deux, si je ne me trompe pas sur la raison de ce départ précipité. J'intime à Ève de se rendre à la chambre pendant que je tente de trouver une bouteille de vin au restaurant de fruits de mer où nous avons dîné. J'arrive juste à temps, ils sont sur le point de fermer.

— Bonsoir, j'aimerais acheter une bouteille de vin, c'est possible?

— Pour toi, belle *señorita*, sans problème.

— J'ai bien aimé le rouge à notre dîner, je pourrais en avoir deux bouteilles? Avec trois coupes? ajouté-je.

Le serveur s'empresse d'aller me chercher le tout et de m'ouvrir les bouteilles. Je facture le tout à notre chambre. Je m'active pour aller rejoindre mes amies. Je suis inquiète pour Justine; elle semblait si bien avec David pendant la soirée. C'est même elle cet après-midi qui me disait qu'elle était prête à tout risquer pour lui. Elle n'est pas équipée, ma belle Justine, pour risquer son cœur, il est bien trop beau et pur. J'arrive enfin à la chambre.

— Justine!

Pauvre elle, assise sur son lit en petite boule à côté d'Ève, qui tente de la consoler.

— Ne va pas me dire que tu avais raison! m'avertit-elle.

— Je ne te dirais jamais ça, Justine. Au contraire, j'ai ce qu'il faut pour que tu puisses pleurer ta vie si tu veux.

Heureusement que j'ai pensé au vin. Je me retiens de lui chanter : *Red, red wine, makes me forget*[10]. Je ne pense pas qu'elle est prête à rire de mes niaiseries. Peut-être plus tard. Je nous verse trois verres. Justine ne se fait pas prier pour caler sa première coupe.

— Merci d'être là, mais je ne veux pas vous retenir, déclare-t-elle.

— Il n'y a rien de plus important que d'être avec toi, lui répond Ève.

J'aimerais insister pour qu'elle s'ouvre, mais j'imagine qu'elle finira par le faire. Je lui verse un autre verre de vin. Je m'en verse un autre aussi. Je dois avouer que je n'ai pas envie de trop rentrer dans nos émotions ce soir. Je sais que je refoule toutes les miennes concernant ce qui se passe avec

---

10. Le vin rouge m'aide à oublier.

Gabriel, même si je suis convaincue d'être au-dessus de mes affaires. Le même sort que Justine m'attend peut-être. Pourquoi l'amour doit-il être un couteau à double tranchant ? Ève me regarde avec ses beaux grands yeux, comme si elle aussi aimerait bien avoir des réponses pour notre Justine, qui semble se calmer un peu. Elle se lève, et j'en profite pour aller m'asseoir près de Justine à mon tour.

— Tu sais, Justine, tu n'es pas obligée de tout nous raconter, mais ça te ferait du bien d'en parler, non ? suggéré-je.

— Il n'y a rien à dire, Annie, j'ai été bien innocente de penser que je pouvais profiter du temps avec David en mettant mon cœur de côté. Ce soir, ce dernier m'a rappelé qu'il ne supporterait pas de vivre sans lui.

Les larmes lui reviennent.

— Justine, viens ici.

Je la serre dans mes bras.

— Est-ce que David t'a dit qu'il ne voulait plus te voir ? m'enquiers-je.

— Non.

— Je ne comprends pas. C'est toi qui l'as quitté ?

— Oui.

Je comprends encore moins ce qui se passe avec elle. Ma douce et gentille amie a laissé l'homme qui lui fait vivre une semaine de rêve digne des plus grandes histoires d'amour (OK, peut-être pas d'amour, mais certainement des plus passionnelles).

Ève revient avec un gant de toilette ; une vraie petite maman.

— Tiens, Justine, ça va te faire du bien, j'ai mis l'eau la plus froide que j'ai pu.

— Merci, Ève.

Elle le pose sur son visage. J'ai besoin d'un autre verre de vin, et mes amies aussi. Je sens que la nuit va être longue et que nous allons manquer de vin. Je comprends aussi que je ne reverrai pas Gabriel ce soir, donc je décide de le texter pour l'aviser.

Je vais rester avec Justine.

Toute la nuit ?

Oui.

Je voudrais te voir.

Moi aussi.

Je lui volerais bien un petit baiser, à mon beau Gabriel.

Tu peux venir me voir, si tu nous apportes une bouteille de vin rouge.

Tout ce que tu veux, princesse.

Je mets de la musique avec mon téléphone, car je me dis qu'il faut sortir Justine de ses pensées. Mes amies me regardent, et je leur lance mon plus beau sourire.

— Quoi ? Nous sommes à Cuba. Nous méritions toutes les trois une semaine à profiter de la vie. Je te comprends, Justine, je sais que c'est difficile de se lancer dans le vide. J'ai peur, moi aussi, mais je ne vais pas laisser cette peur m'envahir. Tu ne devrais pas non plus.

— Ce n'est pas de la peur, Annie, conteste-t-elle. Je sais que David ne veut pas me donner plus ; il n'a même pas tenté de me retenir ce soir. J'ai juste décidé que c'était assez pour moi, que je ne veux pas me donner davantage s'il ne m'en donne pas un peu plus lui aussi.

— Tu es sage, Justine, mais au fond de toi, c'est vraiment ce que tu veux ? vérifié-je.

— Je ne sais plus, admet-elle, la voix tremblante.

— Tu sais, avec Mathieu, je pensais que tout était parfait, que mon avenir était assuré parce que nous vivions ensemble, intervient Ève. Je sais qu'il est ici maintenant, mais j'ai dû le quitter pour qu'il comprenne que ce que nous avions était précieux. Je ne sais pas ce que l'avenir nous réserve, mais je ne serais pas surprise que David ne te laisse pas partir si facilement.

— Ève a raison, dis-je. Tu aurais dû le voir quand il m'a avisée que tu étais rentrée. Il semblait ébranlé même s'il tentait de le cacher.

— Rien ne va ébranler le David que je connais, Annie, contre Justine.

— Je n'en serais pas si certaine, riposté-je. Tu sais, je comprends que l'attirance entre deux personnes, c'est très puissant. Ça nous fait perdre la maîtrise sur plusieurs de nos certitudes. Tu n'as pas imaginé ce qui se passe entre vous deux.

— Tu es bien optimiste, Annie, je ne te reconnais pas, lâche Ève.

— Ce qui prouve ma théorie. C'est très puissant, une attirance ! répliqué-je.

Mes amies éclatent de rire. D'enfin voir un sourire au visage de Justine me soulage.

— Je propose que nous finissions cette deuxième bouteille de vin. J'ai même demandé à Gabriel d'en apporter une autre. J'ai envie de danser, levez-vous.

Je démarre ma liste de lecture préférée avec des musiques pour danser. Je la fais souvent jouer pour me réveiller quand j'entame un marathon de peinture la nuit, mais surtout pour me motiver. Justine hésite un moment, mais se lève enfin.

— Merci, Annie.

Elle me fait un grand câlin. Le vin, la musique et les amies, je crois que nous avons su mettre un petit baume sur son chagrin ce soir. Je sais que c'est temporaire, qu'elle devra parler avec David. Je ne peux m'empêcher de repenser à Gabriel. J'espère ne pas jouer à l'autruche en me laissant transporter par toute l'attirance qu'il y a entre nous. Je sais au fond de moi à quel point j'ai eu de la peine, et j'aimerais qu'elle ne refasse jamais surface. Ce n'est pas de me passer de son corps qui me ferait le plus de chagrin, mais bien de me passer de lui. Je comprends que je l'aime. Je l'ai toujours aimé. C'est la plus grande perte de maîtrise de ma vie. J'ai besoin d'un autre verre de vin.

Chapitre 36

Gabriel

Je ne peux pas croire que je viens de me soumettre à ce spectacle à l'eau de rose pour perdre mon Annie dans les dernières minutes. Avoir su, j'aurais trouvé le moyen de passer la dernière heure seul avec elle. Mathieu, le petit ami d'Ève, semble aussi surpris que moi.

— Il semblerait que nous allons devoir nous passer d'elles, me dit-il.

— Tu veux venir avec moi prendre un verre ?

— Bien sûr. Qui sait ? Peut-être viendront-elles nous rejoindre.

— C'est possible.

Je propose de l'emmener découvrir le bar cubain. Je dois avouer qu'il y a plus d'ambiance là-bas que dans les bars sur le site, et je n'ai certainement pas envie de la discothèque ce soir.

— Bonne idée.

Nous nous rendons par le petit chemin qui longe la plage, ce qui me rappelle le moment où je suis passé ici avec Annie. Elle était encore sur ses gardes ; je suis surpris que tout se passe encore mieux que je l'avais souhaité.

Lorsque nous arrivons, l'ambiance est déjà à la fête. Simon est assis là avec sa Magalie et ses copines, et nous nous joignons à eux. Simon est en grande discussion avec sa belle lorsque ses amies se lèvent pour aller danser. Audrey me fait son plus beau sourire. Elle est intense, cette fille. Je suis soulagé qu'elle nous quitte pour aller danser, et j'en profite pour bavarder avec Mathieu. Annie m'a raconté comment il est venu ici surprendre Ève. Si seulement elle savait que j'ai un peu fait la même chose.

— C'est ta première fois à Cuba ? demandé-je à Mathieu.

— Oui.

— Tu es sorti du site un peu ?

— Oui, Ève et moi avons exploré les environs. J'ai beaucoup aimé la bonté des gens, mais surtout leur bonne humeur malgré la simplicité de leur vie.

— Tu as raison, reconnais-je. Nous sommes des spécialistes pour nous compliquer la vie. J'imagine que nous avons perdu de vue le fait que la simplicité pourrait nous rendre plus heureux.

— Je vais boire à ça ! lance Mathieu.

— Annie m'a raconté que tu avais suivi Ève.

Je vois que je le mets mal à l'aise.

— Ne t'inquiète pas, je te comprends, le rassuré-je.

— Ah oui ? As-tu déjà fait quelque chose d'aussi fou ?

— Peut-être.

— Confirme-moi que je ne suis pas le seul à faire ce genre de folie, m'implore-t-il. J'ai de la chance, pour le moment, je pense que c'est la meilleure décision de ma vie, mais ce n'est pas encore gagné.

— Je sais ce que tu veux dire. Je peux te confier quelque chose ?

— Si tu veux.

— Ce n'est pas un hasard si je me retrouve ici en même temps qu'Annie, admets-je.

Il me lance un sourire complice qui veut tout dire.

— Je trouvais que c'était un heureux hasard, comme dirait ma chère Ève.

— Je planifiais venir à Cuba cet hiver essayer mes nouveaux jouets, mais disons que quand j'ai vu qu'Annie prévoyait un voyage, j'ai fouillé un peu pour savoir où et quand elle partait.

— Elle le sait ?

— Bien sûr que non. Les filles sont des romantiques, je suis convaincu qu'elle aime bien l'idée du hasard, du destin. Notre histoire s'est mal terminée, elle ne comprendrait pas que j'avais projeté de la revoir ici. Je crois qu'elle m'en voudrait de ne pas l'avoir fait avant, déclaré-je.

— C'est vrai, pourquoi avoir attendu si tu tenais à une autre chance avec elle ? veut-il savoir.

— C'est difficile à expliquer. Je pensais que je ne la méritais pas. Ça fait des années que je tente de bâtir quelque chose dont je peux être fier. Avant, j'étais pas mal un jeune frustré qui voulait oublier, qui gaspillait sa vie en quelque sorte.

— Je comprends. Tu sais, nous nous ressemblons, Gabriel. Moi aussi, j'avais quelque chose à prouver. Je pensais qu'Ève serait toujours là à m'attendre, mais je me suis trompé. J'ai constaté que les filles, comme tu le dis, sont des romantiques ; elles sortiraient avec nous même si nous étions les pires truands. Elles ont juste besoin d'être aimées et rassurées, souvent.

— C'est moi qui vais boire à ça, conclus-je.

Je tente de la rassurer, mon Annie, même si je sais que je ne lui ai pas tout dit sur ma venue ici. Le trio revient à la table. Audrey ne se gêne pas pour se rapprocher de moi. Elle ose même se pencher devant moi en venant s'appuyer sur les bras de ma chaise. Sa généreuse poitrine est exposée sous mes yeux. Elle est jolie, mais elle ne me fait aucun effet. Je ne sais pas à quoi elle joue, mais je ne suis pas intéressé.

— Tu es seul ce soir, Gabriel ? m'interroge-t-elle.

Je ne jouerai pas à ses jeux, je connais ce genre de fille. Elles ne se font jamais dire non, alors je suis probablement rendu un défi pour elle.

— Tu sais que je ne suis pas seul, réponds-je.

— Elle n'est pas là. Tu sais, je ne suis pas jalouse. Tu veux venir te promener avec moi ?

— Non. Tu sais que je ne suis pas disponible, insisté-je.

— La semaine n'est pas terminée, Gabriel, je garde espoir.

Elle retourne s'asseoir avec ses amies. Je reçois au même moment un texto de ma sirène. Elle me confirme qu'elle ne pourra pas passer la nuit avec moi, mais m'invite à leur apporter une bouteille de vin. C'est mieux que rien. C'est une excuse parfaite pour partir : je n'ai pas envie de repousser Audrey une autre fois.

— Je viens de recevoir un texto d'Annie, elles vont rester avec Justine, annoncé-je à Mathieu.

— Ça, c'est une mauvaise nouvelle ! se plaint-il.

— Elle m'a demandé de lui apporter une bouteille de vin. Viens avec moi, nous pourrons les voir quelques minutes.

— Bonne idée, je te suis.

— Je crois que nous sommes pathétiques.

— Je ne le dirai à personne si tu n'en parles pas non plus, me répond-il en riant.

De parler de ce qui se passe avec Annie m'a fait du bien. Je me sentais pas mal seul dans cette histoire. Mathieu semble être un bon parti pour sa copine. Je suis heureux d'avoir partagé ce moment avec lui. J'espère qu'Annie ne m'en voudra pas qu'il m'accompagne à leur chambre.

Nous réussissons à trouver du vin à un des bars, un serveur est allé en chercher (je ne sais pas où, mais je ne pose pas de questions lorsqu'il insiste pour que je le paye en argent). Je décide de texter Annie pour éviter de cogner à leur porte.

Salut, princesse, je suis à l'extérieur de ta chambre.

Je descends.

Je suis avec Mathieu.

Je fais le message.

Au bout de quelques minutes, elle arrive enfin. Ève ne l'accompagne pas.

— Je vous inviterais bien à rentrer, mais je crois que Justine a besoin d'une petite pause de testostérone ce soir. Ève va descendre quand je vais remonter.

Mathieu s'éloigne pour nous laisser ce petit moment seul.

— Ne me dis pas que tu as aussi besoin d'une pause ? la questionné-je.

— Non. Je pensais à toi.

— Tu devrais venir me rejoindre quand elle dormira.

— J'ai déjà bu trop de vin, je ne pense pas que je me rendrais, confesse-t-elle. Je ne voudrais pas me tromper de porte.

— Tu veux me rendre jaloux, Annie ?

— Jamais.

Elle me regarde avec ses grands yeux enjoués. Elle a du mal à garder l'équilibre. Je n'aurais peut-être pas dû apporter une autre bouteille. J'aurais juste envie de l'emmener, mais je ferais ainsi preuve de très peu de compréhension pour sa copine. J'admire leur relation.

— Tu ferais mieux de rentrer.

— Je n'ai même pas droit à un baiser ? s'indigne-t-elle.

Comment lui résister ? Je m'approche pour la prendre dans mes bras.

— J'avais tellement d'idées pour notre nuit ensemble.

— Embrasse-moi, Gabriel.

Mes lèvres rencontrent les siennes. Elle s'abandonne et m'embrasse avec passion, son corps épousant parfaitement le mien. Mon Annie, elle réveille en moi tellement de sensations que je n'ai pas envie de la quitter. Elle m'excite, j'ai besoin d'elle. Je sais que nous ne pouvons pas aller plus loin maintenant, alors je m'efforce d'ouvrir les yeux et de me décoller.

— Je vais rêver à toi.

— Moi aussi.

Lorsqu'elle se retourne, je la regarde prendre l'escalier qui monte à leur chambre. J'ai dû déployer beaucoup d'efforts afin de ne pas insister pour qu'elle vienne avec moi. Ève ne tarde pas à arriver. Mathieu sort de l'ombre et je me sens rapidement de trop.

— Je vous quitte. Mathieu, ça m'a fait plaisir de discuter avec toi ce soir. À demain.

Je les laisse. J'ai juste envie de rentrer ; j'ai besoin d'une douche froide. Les lèvres douces d'Annie sont encore imprégnées dans les miennes. Je repense à son rouge à lèvres rouge. La nuit va être longue.

JOUR 5

Chapitre 37

Je suis heureuse d'avoir eu un petit moment avec Gabriel. Je le trouve attentionné d'avoir respecté mon besoin de rester avec Justine ce soir. Même si je n'ai pas la tête à réfléchir, je me dis que ce n'est pas si mal d'avoir un moment sans lui. Les choses vont vite entre nous. Contrairement à Justine, j'ai toutes les belles promesses de Gabriel ; je ne sais juste pas comment notre couple sera possible à notre retour à la réalité. Nous allons devoir nous parler des vraies choses. Je ne supporterai pas une relation à distance. Je sais qu'il n'y a aucune certitude en amour, mais après tout ce que j'ai vécu avec lui, j'en ai besoin.

Lorsque je reviens dans la chambre, Justine est bien endormie dans son lit. Je ne crois pas qu'elle a voulu s'endormir parce qu'elle est par-dessus les draps en position presque assise. Elle devait nous attendre, mais son état l'a emporté sur sa volonté. Je dois avouer qu'elle a bu plus vite que nous ce soir. Je me permets d'aller la recouvrir, et elle ne s'en rend même pas compte. Elle s'installe automatiquement en position pour dormir. Je sens que je ne tarderai pas non plus. Ève revient à son tour.

— Elle dort ?

— Oui, je l'ai retrouvée endormie, confirmé-je.

— Ça va lui faire du bien, une bonne nuit de sommeil.

— Moi aussi, j'ai la tête qui tourne.

— Tu sais, je me sens un peu mal, mais tu crois qu'elle m'en voudrait si j'allais rejoindre Mathieu ?

— Bien sûr que non, tu la connais, notre éternelle romantique.

— Je vais revenir très tôt demain matin. Nous pourrions tenter de faire une activité, il ne nous reste plus beaucoup de temps dans ce petit paradis.

— Tu as raison, cette semaine passe trop vite, approuvé-je. Va rejoindre ton amoureux, je crois que je ferais pareil si je n'avais pas abusé. Là, j'ai juste envie de dormir.

— Merci, Annie. Je reviens tôt.

Elle s'empresse de remplir un sac avec ce dont elle a besoin pour sa nuit avant de partir.

Je repense au croquis de Gabriel et le sors pour le regarder. Même s'il n'est pas terminé, je le reconnais facilement. Notre après-midi me revient en tête. J'aimerais avoir mes facultés pour le continuer. Si je m'en sentais capable, je me rendrais à sa chambre et lui demanderais de reprendre la pose. Mes yeux se ferment et je m'endors, comme Justine, sans m'en rendre compte. Quoi de mieux que de m'endormir en pensant à Gabriel !

La nuit semble n'avoir été qu'une illusion. Je me réveille quand j'entends du bruit autour de moi. Je vois que c'est Ève qui vient d'arriver dans la chambre avec des cafés. Je vais m'ennuyer de ces cappuccinos au retour, mais surtout de les partager avec mes amies au début de chaque journée. Même en voyage, nous sommes des êtres d'habitudes.

— Tu as l'air en forme, ma belle Ève, ce matin, remarqué-je.

— Les nuits à Cuba sont très, euh… revigorantes !

— C'est le café qui devra me remonter ce matin ! Au moins, je n'ai pas mal à la tête.

— J'hésite à réveiller Justine, mais il faut qu'elle profite de cette belle journée. Je ne la laisserai pas rester dans cette chambre avec sa peine, énonce Ève.

— Tu as raison. Je prends ma douche, nous pourrons la réveiller après. C'est la première fois que nous sommes debout avant elle, c'est bizarre.

Je me prépare rapidement. Justine n'est pas heureuse de se faire réveiller. Le mal de tête ne l'a pas épargnée.

— Allez, belle Justine, pour une fois, c'est nous qui devons te pousser à te lever afin de te joindre à nous pour aller prendre le petit-déjeuner.

— Pas si fort, nous gronde-t-elle en gardant les yeux fermés.

— Tu sais, je te comprends, mais si je me souviens bien, vous n'avez eu aucune sympathie pour moi lors de l'excursion en catamaran. Il y a des conséquences à noyer sa peine quand on est entre amies.

— Entre amies intenses, oui ! lance-t-elle.

— Tu nous aimes comme ça, intervient Ève.

— Tu as raison, Ève, je vous aime avec toute votre intensité, mais j'ai besoin de comprimés pour ce mal de tête.

Justine se prépare à son tour. La douche, le café et l'ibuprofène semblent l'avoir remise sur pieds.

— Allons prendre le petit-déjeuner, mais si vous voyez David, il faut me le dire, je ne veux pas être surprise.

— Tu ne pourras pas l'éviter le reste de la semaine, répliqué-je. Ça me surprend qu'il ne t'ait pas textée.

— Il m'a écrit plusieurs fois. Je sais que je vais devoir lui répondre, mais j'ai juste besoin de réfléchir à ce que je veux lui dire.

Nous ne croisons aucun de nos hommes pendant le petit-déjeuner. Le buffet est aussi occupé que tous les matins. Je me fais faire une omelette même si je dois attendre. C'est la seule chose qui me fait du bien pour démarrer la journée.

— Qu'est-ce que nous pourrions faire aujourd'hui? J'ai envie de sortir du site.

— Moi, j'ai surtout envie de passer une journée avec mes amies. Mathieu veut aller faire de la pêche en haute mer, et je crois qu'il va inviter Gabriel et Simon à se joindre à lui.

— Qu'est-ce qu'il y a à faire? Je me souviens de l'excursion de Jeep. Je crois que nous pourrions aussi aller visiter une ferme de tortues ou aller au petit marché à côté.

Je me retiens de leur parler de la plage nudiste où je suis allée avec Gabriel. J'ai chaud juste à y penser. Je devrais leur suggérer d'y aller avec leurs hommes, mais le moment est bien mal choisi pour en parler.

— Je sais. Nous pourrions aller à la ville où je me suis rendue avec Mathieu, propose Ève. J'ai vu un spa quand nous nous sommes promenés, nous pourrions aller nous faire dorloter.

— Quelle bonne idée! Tu en as envie, Justine? m'informé-je.

— C'est exactement ce dont j'ai besoin. Merci de passer la journée avec moi.

— Voyons, Justine, nous sommes venues ici ensemble, j'ai envie de passer une journée avec mes meilleures amies.

Le plus avantageux est de prendre un taxi pour nous y rendre. Nous avons même pu nous réserver trois massages.

Notre représentant a été gentil de nous aider, et il savait de quel spa nous parlions. Il nous a rassurées que nous avions fait un bon choix.

— Je suis heureuse de sortir du site, ça va nous permettre de découvrir un peu plus le vrai Cuba, non ? lancé-je.

— Oui, j'avoue qu'avec Mathieu, nous avions réservé un taxi avec son chauffeur comme guide, alors nous avons pu découvrir beaucoup plus, mais j'étais quand même nerveuse parce que nous ne parlions pas la langue. C'était stressant, mais excitant de partir à la découverte du pays, émet Ève.

— Tu ne nous as pas trop raconté ta journée, intervient Justine.

Ève rougit.

— Il n'y a rien à raconter de plus. Nous sommes allés nous promener en ville, nous avons mangé et nous sommes revenus.

— Tu es bien rouge, Ève, mais je suis certaine qu'il y a des choses que tu veux garder pour toi, exposé-je.

— Tu as raison. Je suis convaincue que mes deux amies ne me disent pas tout non plus sur ce qu'elles ont fait cette semaine.

Justine rougit à son tour.

— Bon, si nous parlions de ce spa ? Comme j'ai hâte de me faire masser ! s'exclame Justine.

La route se passe bien. Les paysages de Cuba sont sans éclat même s'il y a de la verdure partout. Le climat semble trop sec pour créer de l'abondance tropicale dans la nature. Il manque d'humidité. C'est peut-être parce que nous sommes en hiver ici ; peut-être que le paysage serait différent l'été. Nous croisons des habitants ici et là, et ce n'est pas la richesse qui prime.

Vivre simplement. Je me demande bien pourquoi je me mets autant de pression. Si je vivais à Cuba, je pourrais peindre à longueur de journée sans me soucier des comptes qui m'attendent à la fin du mois. Je pourrais me nourrir d'œufs et de bananes ; j'ai vu assez de poules et de bananiers sur la route. J'aime beaucoup mon travail de graphiste, mais je me demande si je ne me cache pas derrière lui afin d'éviter d'affronter mes vraies peurs par rapport à mon art. J'ai l'impression que ma vie ressemble à une succession de décisions qui ne me poussent jamais hors de ma zone de confort.

Je me demande même qui est la vraie Annie. Si j'arrêtais de courir et de m'étourdir dans mon travail, j'obtiendrais certainement des réponses. Je ne peux m'empêcher de penser à Gabriel. Notre rupture a eu un impact jusqu'à ce jour sur moi, pour le meilleur, mais aussi pour le pire. Je crois que Gabriel aussi s'est lancé dans son travail pour ne pas ressentir ce vide. Il était temps que je le comprenne. Je ne veux plus que mes vieilles habitudes confortables qui ne me conviennent plus aient encore une emprise sur moi. Je veux que la peur me pousse à me dépasser, pas à regarder ma vie passer sans que je m'en rende compte.

Chapitre 38

*P*endant mon massage, je me surprends à rêver aux mains de Gabriel sur mon corps. J'espère que mon massothérapeute ne peut pas lire dans mes pensées. Je ne peux pas croire qu'il ne nous reste que deux jours ici ; ce n'est pas suffisant. J'ai besoin que nous puissions nous parler plus. Je crois que je vais tenter de dîner seule avec lui ce soir. Sinon, nous n'aurons que la soirée et la nuit, mais il est évident qu'après quelques verres et avec la fatigue de la journée, je n'aurai pas la tête à discuter la nuit venue. De toute façon, je dois être honnête : Gabriel me fait trop d'effet pour avoir une conversation sérieuse quand nous nous trouvons près de son lit.

— Voilà, belle princesse. J'espère que vous avez aimé.

— Oui, *gracias*[11].

Princesse ! Il a peut-être lu dans mes pensées malgré tout, Gabriel m'appelle ainsi depuis si longtemps. Quand nous nous sommes rencontrés, il aimait bien me taquiner en m'appelant Ariel ; je crois qu'il avait écouté *La Petite Sirène* une fois de trop quand sa sœur était plus jeune. Mis à part mes cheveux rouges comme les siens, je n'ai jamais trouvé que je lui ressemblais. Le prince charmant ne faisait pas

---

11. Merci.

partie des rêvasseries de mon adolescence. Je rêvais de dessiner et de peindre. Je ne remarquais pas les garçons, et ils n'étaient pas au courant de mon existence non plus. Tout a changé quand j'ai rencontré Gabriel.

L'amour vient changer bien des choses dans notre cerveau en plein développement. La façon dont Gabriel se comportait avec moi me portait à me sentir comme une princesse. Il n'y avait rien de trop beau pour me faire plaisir. Je ne voyais que lui. Je n'attendais que notre prochain moment ensemble. Il avait commencé à m'appeler sa princesse et gardait Ariel pour quand nous étions seuls. Peut-être que la petite sirène a vraiment marqué son imaginaire de jeune garçon. Ce n'était pas à moi de remettre en question ses fantasmes.

Je rejoins mes amies dans le bain chaud après notre massage. Je sens que quelques heures dans cet endroit ne seront pas suffisantes.

— Tu sais, tu vas me trouver ennuyeuse, Justine, mais c'est une bonne chose que tu aies eu besoin de prendre du recul avec David, lancé-je.

— Annie a raison, renchérit Ève d'un ton zen.

— Je dois avouer que ce petit paradis avec vous aujourd'hui est assez dur à battre, reconnaît Justine.

— De plus, je peux te confirmer qu'il n'y a rien de mieux que de faire l'amour après une réconciliation !

Elle s'élance pour m'arroser avec l'eau du bain. Je l'ai mérité.

— Je ne suis pas rendue là, mais si jamais ça arrive, je vais penser à toi, affirme-t-elle.

— Ne pense surtout pas à moi dans les bras de David ! la réprimandé-je.

— Ne t'inquiète pas, dans les bras de David, je ne pense plus du tout.

Nous restons toutes les trois dans le silence quelques instants. Elle a raison ; moi non plus, je ne réfléchis plus avec Gabriel. Je me demande s'ils sont aussi épris quand ils sont avec nous ? Ils montrent beaucoup plus d'assurance, mais je crois qu'ils sont aussi faibles que nous. David a quand même envoyé un splendide bouquet de fleurs à Justine avant que nous quittions l'hôtel ; il est manifeste qu'il n'a aucune envie de la laisser partir.

— Nous devrions aller nous promener un peu avant de rentrer, nous propose Justine.

— Oui, bonne idée, approuvé-je. Vous ne vous en doutez sûrement pas, mais j'ai faim !

— Tu as toujours faim.

— J'ai soif aussi ! J'ai bien aimé ces verres d'eau remplis de fruits exotiques, mais je prendrais bien un bon rhum avec 7 Up, il fait tellement chaud.

Nous décidons de nous promener au marché avant notre déjeuner sur une terrasse. Il est beaucoup plus grand que celui qui se trouve à côté de l'hôtel. J'ai déjà acheté des souvenirs quand j'y suis allée, mais je dois encore trouver des cadeaux pour ma maman d'amour et mes belles-sœurs. J'imite Justine, qui vient de dénicher de beaux sacs peints à la main. Mon côté artistique adore l'idée.

— Justine, toi qui parles espagnol, tu peux nous négocier un bon prix ? J'en prendrais quatre, non cinq : j'en veux un moi aussi.

— *No problema*[12] !

---

12. Pas de problème.

Elle négocie comme une championne. Je me sens un peu mal de marchander avec ces gens qui ne semblent pas gagner tellement, mais tout le monde le fait. Je crois qu'ils le savent et qu'ils fixent leur premier prix en conséquence. De plus, la dame vient d'en vendre sept en quelques minutes, elle semble bien heureuse. Elle nous donne même quelques porte-clés en cadeau.

— Tu es mon idole, Justine, la félicité-je.

— Tu sais, je pourrais vous donner des cours, à Ève et toi. Ce n'est pas si compliqué, l'espagnol.

— Je n'ai aucun talent pour les langues. De toute façon, nous t'avons, rétorqué-je.

Nous retrouvons Ève, qui était rendue quelques tables plus loin.

— Je vous cherchais. Vous avez acheté quelque chose?

Nous lui montrons nos souvenirs.

— J'aimerais bien acheter quelque chose à Mathieu, mais je ne sais pas trop quoi.

— Moi, je veux me procurer des cigares pour mes frères, déclaré-je. J'aimerais bien rapporter du rhum aussi, mais je garde mes deux bouteilles pour moi!

Nous trouvons facilement une boutique où nous tentons de faire de bons choix. Je n'ai jamais fumé de ma vie, alors je n'imagine pas commencer avec des cigares.

Nous sommes prêtes à rentrer. J'ai bien hâte de sauter dans la piscine. Nous avons de la chance parce qu'il fait très beau cette semaine, mais je n'ai pas l'habitude d'avoir si chaud. J'ai changé d'idée : je ne veux pas vivre à Cuba. Pour des vacances ça va, mais je ne produirais pas grand-chose dans mon appart sans air conditionné si nous avions ce climat en permanence.

Dans le taxi qui nous ramène, nous sommes toutes les trois accrochées à nos téléphones. Même Justine, qui n'est pas très techno, regarde ses textos. Je crois qu'elle est prête à revoir David. Pour ma part, je suis certainement prête à retrouver Gabriel. Il me manque déjà.

— Gabriel est à la piscine avec Mathieu, les informé-je.

— Oui, je viens de voir, dit Ève. Ils n'ont pas fait leur activité, mais Mathieu est heureux, il a pu essayer la planche aérotractée de Gabriel.

— Toi, Justine, tu as reçu d'autres messages de David?

— Oui, confirme-t-elle. Il veut me revoir.

— Tu dois suivre ton cœur, Justine, souligne Ève.

— Tu as raison, Ève. Je sais que nous devons nous parler. Je n'ai pas envie de le fuir, surtout quand il nous reste si peu de temps ici. Je ne sais pas ce qui est possible entre nous, mais je dois aller jusqu'au bout. Non?

— Tu sais, les regrets, c'est très malsain, je peux te le confirmer, signifié-je.

— Je ne veux rien regretter.

Elle a du courage, ma chère amie. Je n'envie pas sa situation. David lui a menti en ne dévoilant pas qui il est réellement. J'espère qu'il sera honnête avec elle.

— Je vais le revoir, je viens de le lui confirmer.

— Est-ce que nous mangeons ensemble ce soir? vérifié-je.

— Je ne pense pas que nous discuterons si longuement, je vous texterai dans une heure ou j'irai vous rejoindre à la piscine, si ça ne se passe pas bien.

Nous laissons Justine à la réception, et Ève et moi nous dirigeons vers la piscine.

— Je trouve ça bien que Mathieu et Gabriel passent du temps ensemble, énonce Ève.

— Oui. Ils sont si différents, mais Gabriel est doué pour se faire des amis.

— Vous êtes pareils tous les deux, vous êtes heureux quand vous êtes bien entourés.

— Tu as raison. Tu sais, Ève, ça m'a fait du bien de vivre avec toi depuis quelques mois. Je n'avais pas constaté à quel point ça me manquait d'avoir une colocataire.

— Je ne m'imagine même pas vivre seule comme Justine et toi. Quand je suis partie, c'était pour habiter avec Mathieu.

— Il y a quand même des côtés positifs à vivre seule, certifié-je.

— Tu ne m'en voudras pas trop alors si je décide de réemménager avec Mathieu ?

— Tu as déjà pris ta décision ?

— Il me semble que c'est la seule façon de nous donner une vraie chance, non ? J'ai passé l'âge où je vois mon copain juste les week-ends. Je crois qu'il est prêt à bâtir une vie avec moi, comme je l'ai toujours désiré.

— Je te le souhaite tellement, Ève. J'aime beaucoup Mathieu.

— Moi aussi, me dit-elle en rougissant.

Je l'envie. Elle sait ce qu'elle veut et l'a toujours su. Je lui souhaite sincèrement tout le bonheur du monde.

Nous arrivons à la piscine. Nos hommes s'empressent de se lever quand nous nous approchons.

— Enfin ! Je ne pouvais plus vivre sans toi, lâche Gabriel.

— Tu exagères, ça fait 10 ans que tu y arrives.

Je ne sais pas pourquoi je suis si bête. Peut-être parce que le fameux trio est assis tout près. *Il ne m'a jamais trompée.* Je dois me le répéter, car ce n'est pas encore une certitude dans mon cerveau. Des images me hantent : lui dans les bras d'une autre fille, c'est encore bien réel dans ma tête. Je dois trouver le moyen de m'en départir.

Il me fait son plus charmant sourire. Il me rassure sans le savoir.

— Je ne pouvais plus vivre sans toi non plus, cédé-je.

— Ce soir, tu es à moi. Je n'ai pas l'intention de passer une autre nuit sans toi.

— Je suis d'accord, mais tu sais, nous allons devoir penser à notre retour. Même si nous gardons la tête dans le sable pendant ce voyage, j'aimerais en parler.

— Voyons, Annie, nous trouverons le moyen d'être ensemble. Tu dois y croire, sinon tu ne trouveras que des excuses.

— Je crois que je suis encore sous le choc de te revoir, c'est comme si cette semaine n'existait pas réellement, avoué-je.

— Tu as passé beaucoup trop de temps avec tes copines. Je crois que nous devrions tout de suite aller à ma chambre pour que je te ramène à la réalité. Ce que nous partageons, Annie, c'est très réel.

Il a raison, et c'est ce qui me fait peur. Je me sens comme Ève : je n'ai pas envie de le voir partir de son côté à notre retour. Je ne supporterais pas de le voir juste les week-ends. J'ai envie de plus. Je veux que nous puissions rattraper le temps perdu. Pourquoi ai-je soudainement l'impression que c'est une situation impossible ?

Chapitre 39

$\mathcal{U}$n groupe commence à s'installer près de la piscine pour le 5 à 7 habituel. Ce moment va me manquer la semaine prochaine. Même si je m'achète du rhum et que je mets de la musique latine, ça ne sera tout simplement pas pareil dans mon salon à -30. Je veux profiter au maximum du temps qui reste.

— Tu viens au bar avec moi, Gabriel ?

— Bien sûr.

Je prends les commandes d'Ève et de Mathieu. Je sens qu'ils ne vont pas tarder à nous quitter. Ils se regardent avec tellement de tendresse que j'ai espoir pour eux. Gabriel glisse un bras autour de ma taille.

— Allons-y.

— J'ai pensé à toi aujourd'hui, confié-je.

— Ah oui, tu pensais à quoi ?

— C'était pendant mon massage.

— Annie, ne me dis pas des choses comme ça sans me préparer, me semonce-t-il.

Je comprends que ce n'est pas très discret, un homme en maillot qui s'excite. Je ne peux m'empêcher de rire.

— Je ne t'ai pas dit à quoi je pensais ! me défends-je.

— Non, mais j'ai eu des images de ton corps nu qui se faisait masser.

— Tu as beaucoup d'imagination.

— Tu sais comment je peux être créatif, moi aussi, mais il faudrait réussir à passer plus de temps ensemble pour que je te le rappelle.

— Peut être que nous pourrions manger ensemble ce soir, juste nous deux ? suggéré-je.

— C'est une très bonne idée. Tu crois que ça ira avec tes amies ? En passant, où est Justine ?

— Justine est allée discuter avec David. Je ne sais pas ce que ça va donner, leur histoire. Ève sera bien heureuse d'être seule avec Mathieu. Au pire, Justine pourrait aller les rejoindre.

Nous revenons auprès de nos amis avec les verres. Je suis fébrile de passer la soirée avec Gabriel ; notre premier rendez-vous officiel depuis 10 ans.

— Ève, j'aimerais sortir dîner avec Gabriel, tu crois que Justine pourrait se joindre à Mathieu et toi si jamais elle ne reste pas avec David ?

— Tu n'as pas à t'inquiéter, me rassure-t-elle, je sais que toi et Gabriel avez besoin de temps ensemble. Tu as eu des nouvelles de Justine ?

Je regarde mon téléphone.

— Non. Je vais la texter. Je me demande bien comment ça va avec David.

— Je n'en ai aucune idée, mais je sais qu'elle aura de la difficulté à lui résister. Je n'ai jamais vu Justine aussi resplendissante. On dirait qu'elle a quitté son cocon pour devenir un beau papillon.

— Oui, mais tu sais, un papillon, ça ne vit pas longtemps, contré-je.

— Annie! Je pensais que ta réunion avec Gabriel t'avait rendue moins pessimiste par rapport à l'amour.

— Je le suis, je crois, mais...

— Mais quoi? m'interrompt-elle. Tu sais, maintenant que j'ai rencontré Gabriel, j'ai pu vous voir ensemble. Je comprends que ça n'a pas dû être facile pour toi de le perdre du jour au lendemain. Mais tu dois faire confiance à la petite voix qui te guide.

— Crois-moi, Ève, ce n'est pas une petite voix qui me guide avec Gabriel!

— N'écoute pas ce que je dis alors, lâche-t-elle en souriant.

Je sais qu'elle me taquine.

— Tu sais bien que je t'écoute, chère amie. C'est pourquoi je veux dîner avec Gabriel. Mais ce n'est pas facile pour moi de laisser le passé derrière.

— Si l'amour est au rendez-vous, vous allez trouver des solutions. Même chose pour Justine.

— J'imagine, concédé-je.

— Bon, je rentre me préparer, je te souhaite une super soirée.

— Toi aussi. Merci, Ève.

Nous nous étreignons. Elle me fait toujours réfléchir en plus d'avoir souvent raison.

Gabriel s'approche de moi.

— Tu sembles songeuse, fait-il remarquer.

— Ça va, c'est mon état zen d'après-spa.

— Est-ce que je peux te convaincre de venir te préparer dans ma chambre?

Comment puis-je résister à cette demande?

— J'aimerais bien, accepté-je. Je viens te rejoindre, je dois passer par ma chambre avant.

Je le quitte pour aller chercher ce dont j'ai besoin. J'en profite pour prendre une douche rapide.

Un sentiment de déjà-vu m'assaille lorsque je marche vers sa chambre. Je me sens comme une adolescente. Je ne pensais pas que c'était encore possible d'avoir autant de papillons dans le ventre. J'ai juste envie de me retrouver dans ses bras. Je ne sais plus ce qui est sage, mais je dois être sous l'influence de mes deux amies (ou de Cuba qui m'a bien hypnotisée), parce que je n'ai aucune envie de lui résister. Nous aurons la soirée pour discuter, car ce n'est pas du tout ce que j'ai en tête lorsque j'arrive à sa porte. Elle est entrouverte ; il est peut-être dans la douche comme hier. J'entre. Je ne le vois pas dans la pièce. La porte qui mène au balcon est aussi ouverte. Il est là, assis à regarder la mer.

— Je n'avais pas remarqué cette superbe vue, Gabriel, c'est beaucoup mieux que la nôtre.

— Oui, nous sommes un des seuls bâtiments directement exposés à la mer.

— Il n'y a personne qui passe non plus, on dirait que nous sommes seuls sur le site.

Il se lève pour me rejoindre.

— Je peux te servir quelque chose ? J'ai du rhum et du 7 Up, comme tu aimes.

— Tu es bien attentionné.

— J'ai beaucoup pensé à toi aujourd'hui, reconnaît-il. Tu m'as quitté rapidement hier soir.

— Je sais. Je ne pensais pas passer la nuit à consoler Justine.

— Mais tu es là maintenant.

— Oui, acquiescé-je.

Il m'embrasse en douceur. Ses lèvres chaudes sur les miennes réveillent déjà tous mes sens. Il passe ses mains dans mes cheveux pour les détacher.

— Tu es tellement belle, Annie.

Il me rapproche de son corps. Nous nous embrassons encore plus intensément. Il m'accule au mur. Je suis soulagée parce que mes jambes commençaient à avoir du mal à me supporter. Il commence à m'embrasser dans le cou. Ma peau est si sensible sous ses doux baisers. Il commence à soulever ma robe pour me l'enlever. J'ai du mal à réfléchir, mais je sais que nous sommes encore sur le balcon.

— Allons à l'intérieur.

— Personne ne peut nous voir, m'assure-t-il.

Il m'enlève ma robe. Je n'ai pas mis de soutien-gorge, je porte seulement une petite culotte de style tanga. C'est avec lui que j'avais commencé à en porter. Il me sourit.

— Tu sais, ce sous-vêtement te va encore mieux qu'il y a 10 ans. Tourne-toi.

J'hésite. Je me sens si exposée. Je me laisse porter par ma gêne, il me semble que c'est la thématique de la semaine. Je me retourne et m'appuie sur le mur. Il commence à m'embrasser dans la nuque, mais continue sa descente dans mon dos. Il caresse en même temps mes seins avec ses mains. Il descend jusqu'à ma petite culotte. Ses mains attrapent mes fesses. Je me souviens de ses petites fessées dans la douche. Un spasme me traverse.

— Tu as les plus belles fesses, Annie.

Il commence à les embrasser. Il descend ma petite culotte. J'ai envie de sa langue sur mon sexe, je suis si excitée. J'ai du mal à respirer.

— Embrasse-moi, Gabriel.

Sans hésiter, il glisse sa langue le long de mes fesses et ses lèvres se déposent où je n'ai jamais été embrassé. Il fait tout en douceur. J'éprouve un léger malaise, mais il est vite dispersé par les sensations exquises soulevées dans cette région sensible. Sa main se glisse sur mon sexe pour me caresser. Mon désir monte encore plus. Je n'ai plus envie d'attendre, je veux le sentir en moi.

— Gabriel.

— Dis-moi ce que tu veux, Annie.

— Toi.

Je me retourne. Comme il est beau, agenouillé devant moi ! Ses yeux sont remplis de désir. Je lui tends les mains pour l'aider à se relever. Je le guide jusqu'à l'une des chaises. C'est un fauteuil qu'il a sorti de la chambre, il sera parfait. Je le veux devant moi, je veux le regarder. J'ai aussi besoin de le sentir près de moi.

— Assois-toi.

— Tu prends beaucoup d'initiatives, princesse.

— Ne me taquine pas, j'ai tellement envie de toi.

— Moi aussi.

Il s'assoit et je m'agenouille par-dessus lui. Sans attendre, je me glisse sur son érection si rigide.

— Ah, Gabriel.

Il me prend par la taille pour me guider. Je dépose mes mains sur le dossier derrière lui. Je l'embrasse. Il caresse mon dos avec ses mains. Sans que je m'y attende, il me tape une fesse. Mon sexe réagit encore plus sur son érection au fond de moi. La position est idéale, mon clitoris parfaitement appuyé sur sa longueur. Je sens que je ne vais pas tenir longtemps. Mes seins sont lourds et ont besoin qu'on s'occupe d'eux. Je les caresse devant lui.

— Annie, je ne vais pas tenir.

— Moi non plus.

Il accélère en m'attrapant la taille et attrape un de mes seins avec sa bouche pour en mordiller le mamelon. C'est exquis, je sens que je vais exploser. Lorsque mon orgasme se déclenche au même moment que le sien, je crie son nom. Mon corps en tremble, mon cœur bat si vite! Je me dépose sur lui. Ma tête s'appuie dans son cou. Il sent si bon. Peu à peu, je sens la petite brise de la mer qui me rappelle que nous sommes à l'extérieur. Même si je ne vois personne, je ne suis pas convaincue qu'on ne m'a pas entendue. Je rougis.

Chapitre 40

Gabriel

Dès qu'elle rentre dans la chambre, je sais qu'elle est là. Mon corps réagit instinctivement. Je dois me calmer, elle va penser que c'est tout ce que je veux d'elle. Malgré tous mes efforts pour tenter de la rassurer, elle semble se rapprocher par moment pour ensuite s'éloigner. Je ne sais pas ce que je dois faire pour la convaincre que le passé est derrière nous. La semaine passe si vite, il me reste peu de temps pour lui prouver que je suis sincère, que je l'aime. Je devrais peut-être lui avouer que ma présence ici n'est pas un hasard. Cet aveu sera ma dernière carte, mais je ne suis pas convaincu qu'il aura l'effet désiré si elle a l'impression de s'être fait manipuler, même si ce n'était pas mon intention.

Je vois dans ses yeux que son désir se fait aussi pressant que le mien. Elle accueille mes avances avec toute la passion qui l'habite. Je sais que je la pousse en insistant pour que nous restions sur le balcon, mais cette chaleur et la vue magnifique la rendent encore plus désirable. Les derniers rayons du soleil caressent sa peau, je dois la voir nue. Je n'hésite pas à lui enlever sa robe. Elle ne porte qu'une petite culotte, et mon corps s'excite encore plus quand je remarque ses fesses parfaitement exposées. Je ne réfléchis plus. Je m'empresse d'y glisser ma langue. Elle ne me repousse pas. Je suis surpris qu'elle se laisse faire. Je sens que c'est nouveau pour elle. J'ai juste envie de m'aventurer davantage avec ma langue, mais je me retiens, le bon moment viendra.

Elle ne tarde pas à reprendre les rênes. Elle me regarde avec ses grands yeux verts. Quand elle se laisse porter par toute la passion qui nous anime, je ne vois aucune crainte, je revois ma complice qui me faisait tellement confiance quand elle s'offrait à moi. Je voudrais ce regard posé sur moi pour toujours. Je vais briser les murs qui nous séparent. Je sais que j'y arrive quand nous faisons l'amour. Je la garderai dans mon lit une autre semaine s'il le faut.

Elle s'installe par-dessus moi. Je ne sais pas comment je réussis à garder mon sang-froid. Ses cheveux roux, encore plus brillants avec le soleil, sa peau légèrement bronzée, la blancheur de ses seins bien démarquée par les traces de son maillot... elle est sublime. Elle n'a aucune gêne à prendre son plaisir. Le sexe n'a jamais été aussi intense pour moi, ce n'est pas pour rien que je ne l'ai jamais oubliée. Nous ne tardons pas à jouir en symbiose. La chaleur de son corps sur le mien me comble de bonheur.

J'hésite à bouger, mais je sais que nous serons mieux dans le lit.

— Allons dans la chambre, suggéré-je.

— J'espère que tes voisins sont absents.

— Ils seront jaloux, c'est tout.

Nous rentrons. Je veux prendre une douche et me rafraîchir pour profiter de ma soirée avec ma sirène.

— Je vais prendre une douche, tu veux venir avec moi? propose-t-il.

— J'en ai besoin, j'ai eu chaud. Je me demande pourquoi...

— Viens, je laverai ton dos.

Nous nous y dirigeons. Il n'y a pas de gêne entre nous. Dès qu'elle se place devant moi, mon corps se réveille instantanément. C'est impossible à cacher.

— Tu m'impressionnes, Gabriel.

Elle arbore un sourire enjoué et se mordille encore la lèvre sans s'en rendre compte.

— Tu es une enchanteresse, Annie. Impossible de te résister.

— Ne me résiste pas.

— Tourne-toi, je lave ton dos et ensuite, je t'emmène dans le lit, déclaré-je.

— Je pensais que nous étions pour tout essayer sauf le lit cette semaine.

— Je te veux dans le lit, Annie. J'aimerais aussi que tu te laisses faire.

— J'adore me laisser faire entre tes mains, Gabriel.

Elle ne s'en rend peut-être pas compte, mais elle tente toujours de prendre la maîtrise quand nous faisons l'amour. Elle ne se donne pas autant que je le voudrais. Je veux qu'elle s'abandonne. Je veux qu'elle puisse me faire confiance. Une idée me vient. Nous sortons de la douche.

— Gabriel, tu veux m'apporter mon sac ? Je dois tenter de calmer ma crinière, sinon il sera trop tard.

— Bien sûr, prends tout ton temps, mais sache que je suis impatient.

Je l'embrasse dans le cou. Son regard croise le mien dans le miroir. Ses yeux sont brillants.

J'en profite pour aller chercher ce dont j'ai besoin. Je nous prépare aussi deux verres. Elle sort de la salle de bain avec seulement sa petite culotte.

— Tu vis dangereusement, Annie.

— J'adore le danger avec toi.

— Tu me fais confiance ?

Elle baisse les yeux ; je vois qu'elle hésite.

— Oui.

— Je t'ai servi un verre. Ça va nous faire du bien.

Le soleil vient de se coucher, mais il fait encore très chaud dans la chambre. J'avais éteint le climatiseur parce que la porte du balcon était ouverte.

— Merci. Santé, Gabriel !

— Santé, ma princesse. Buvons à nos retrouvailles.

— Je ne l'aurais jamais imaginé.

Moi oui, si tu savais. Je bois mon verre d'une seule gorgée. Elle fait pareil.

— Viens sur le lit, l'invité-je.

Je l'y entraîne par la main.

— Étends-toi.

— Tu viens avec moi ?

Elle veut avoir son mot à dire, c'est plus fort qu'elle.

— Tu as dit que tu me faisais confiance. Étends-toi et soulève les bras.

Elle obéit. J'aurais envie de sortir mon appareil photo pour immortaliser cette pose. Je ne veux par contre pas m'éterniser, je sais qu'elle ne restera pas longtemps à attendre. Je prends le cordon de sécurité que j'avais mis à côté du lit.

— Je vais t'attacher les mains, Annie.

Son regard me questionne.

— Tu as besoin de lâcher prise.

— C'est peut-être toi qui as besoin d'être en maîtrise? me demande-t-elle.

— Tu vois, tu tentes de maîtriser encore en me faisant douter. C'est pour ton bien.

Je lui attache les mains ensemble avant de les fixer à la tête de lit. Je ne pensais jamais utiliser une pièce de mon équipement de planche aérotractée de cette façon. Mes deux passions se rejoignent; je lui souris.

— Ça te fait rire de me voir ainsi? lance-t-elle.

— Au contraire, je vais te monter ce que ça me fait dans quelques instants.

Je n'étais pas certain de vouloir lui bander les yeux, mais elle a encore une emprise sur moi avec son regard. J'utilise un de mes bandeaux de sport.

— Tu es à l'aise? vérifié-je.

— J'ai froid, j'ai besoin de te sentir près de moi.

— C'est mon jeu, Annie.

— Est-ce que je vais devoir t'appeler Maître?

Je ne lui réponds pas. Je vois sa peau qui frissonne. Je me demande si elle a vraiment froid ou si c'est l'excitation de l'attente qui lui fait cet effet. Ses mamelons se serrent; ils sont déjà durs et je ne l'ai pas encore touchée. Elle est tellement excitante. Je vois que sa respiration s'accélère par le mouvement de sa poitrine. Je m'allonge par-dessus elle sans la toucher. Je m'approche de son oreille.

— Je veux que tu lâches prise, Annie.

Elle hoche la tête. Je glisse ma langue dans le creux de son cou. J'ai envie de l'embrasser partout. Je veux prendre mon temps. J'aimerais qu'elle me supplie quand elle ne pourra plus attendre, qu'elle s'abandonne complètement. Je veux lui montrer à quel point je tiens à elle, que je ne la laisserai jamais. Sa peau est si douce. Elle se tortille sous mes caresses, mais ne dit rien. J'embrasse ses seins. Je commence en douceur en caressant l'autre sein en même temps. Elle est exquise. Avec ses mains dans les airs, ils sont totalement exposés pour mon plaisir.

— Gabriel.

— Je sais.

Je continue ma descente. Elle ouvre ses jambes pour me donner un meilleur accès. Je vois facilement tout son désir. Mon pénis voudrait s'y insérer, mais je sens qu'elle ne s'est pas encore assez abandonnée. Lorsque j'y dépose mes lèvres, elle sursaute. J'encercle son clitoris avec ma langue pendant que je lui rentre un doigt. Je sens que c'est moi qui vais perdre la maîtrise. Je lui relève les genoux. Je glisse une main sous ses fesses pour mieux l'approcher. Je sens que son orgasme est près, alors je me retire doucement en l'embrassant à l'intérieur de la cuisse.

Je sais qu'elle voudrait que je continue, mais je n'ai pas terminé. Je la veux présente avec moi, je veux qu'elle ressente tout. Je veux qu'elle s'ouvre à moi après avoir fait l'amour, pas juste pendant qu'elle prend son plaisir. J'embrasse toute sa jambe, jusqu'à ses pieds. Ses orteils aux ongles corail ressemblent à des bonbons. Je les mets un à un dans ma bouche en prenant le temps de bien les savourer.

— Gabriel, j'ai besoin de toi.

— Je sais.

— Ne me fais pas attendre, m'implore-t-elle.

— Je veux que tu comprennes qu'il n'y a pas juste le sexe entre nous, Annie.

— Tu me tortures.

— Dis-moi ce que tu ressens, exigé-je.

— Mon corps est ta merci, tu vois bien ce que je ressens.

— En dedans, princesse.

Je vois qu'elle a du mal à me répondre et sa respiration s'accélère. J'embrasse son autre pied tout en caressant sa jambe.

— Je sens que tu tiens à moi, admet-elle.

Victoire ! *Je tiens tellement à toi, plus que tu peux l'imaginer.* Je ne dis rien de peur qu'elle se referme.

Chapitre 41

Pourquoi me torture-t-il autant ? Il semble vouloir prendre possession de mon corps, qui est déjà sous son emprise. Ses baisers et sa bouche qui se déplacent partout sur moi sont un assaut sur tous mes sens. J'ai du mal à réfléchir, mais je voudrais me coller à lui. Je crois que je commence à devenir dépendante de son corps. Qu'est-ce qu'il m'a dit ? Il veut que je m'abandonne, que je lui fasse confiance. Pense-t-il que je me donnerais si facilement à un autre ? *Arrête de penser, Annie.* C'est comme s'il voyait défiler tous mes questionnements dans ma tête.

Il m'a dit que je le supplierais ; je me mettrais à genoux maintenant, si je le pouvais. Je n'ai pas connu ce côté de Gabriel. Jamais il n'aurait pensé m'attacher. Je suis sous son charme. *Prends-moi, Gabriel.* J'ai envie de hurler, mais je sens que plus je contesterai, plus il me fera attendre. Je me glisserais une main entre les deux jambes moi-même, si j'en étais capable, tellement je brûle de désir.

Je ne réfléchis plus et m'abandonne sans m'en rende compte. Je décide de profiter de chaque baiser, chaque caresse. Il est dévoué à me faire plaisir, à me faire ressentir. Une larme me monte à l'œil ; heureusement que j'ai les yeux bandés. Je sens que le barrage s'ouvre, je n'ai plus de résistance. Gabriel. Le même que j'ai tant aimé, celui que j'aime encore. Je voudrais le lui dire, mais j'ai du mal à parler. *Dis-moi ce que tu ressens, Annie.* Comment ne peut-il pas ressentir ce que je ressens ? *Je t'aime, Gabriel.* Comme je voudrais le lui dire, je comprends qu'il m'aime aussi. Il vient de m'en faire la démonstration. Personne ne serait si attentionné s'il ne ressentait pas d'amour. C'est ce qu'il voulait me montrer. Mon cœur veut exploser de joie. Je retiens mes larmes.

— Enlève-moi le bandeau, Gabriel, commandé-je.

Il remonte doucement ses lèvres jusqu'à mon cou et me l'enlève doucement. Il fait déjà noir dans la pièce. Je suis un peu soulagée, je ne voudrais pas qu'il aperçoive mes yeux rouges.

— Tu veux me détacher les mains ?

Il obéit. Je m'empresse de les passer dans ses cheveux.

— Laisse-moi te masser les poignets.

— Ce n'est pas mes mains qui ont besoin de toi. Fais-moi l'amour, Gabriel, l'imploré-je.

Il me regarde avec tellement de tendresse, je le sens même si je ne vois que le contour de son visage.

— Je n'attendais que ça.

Il s'allonge par-dessus moi en m'enfilant son érection d'une lenteur maîtrisée. Je n'ai jamais ressenti autant d'émotions et d'excitation en même temps. Je le sens aussi présent que moi. Il commence à m'embrasser en me pénétrant à un rythme lent. Je le laisse décider. Mon corps se contracte sur lui, je sais que je vais jouir bientôt.

— Mon Annie.

Pas de princesse, pas de sirène. Juste Annie, mon nom à l'état brut. Il accélère en surélevant mes genoux. Je m'ouvre davantage. Je veux qu'il ressente tout ce que je ressens pour lui.

— Gabriel.

— Viens pour moi.

Sa respiration est aussi rapide que la mienne, nos corps ne font qu'un. Mon orgasme se manifeste si intensément que mes jambes se mettent à trembler. Il me donne un dernier coup avant de s'immobiliser sur moi. Son cri me confirme que la jouissance est aussi forte pour lui. *Mon Gabriel.* Nous restons un bon moment collés sans bouger. Je n'ose pas parler, je ne veux pas que cette symbiose entre nous prenne fin.

Il se retire doucement.

— Je ne veux pas t'écraser.

— Je suis bien, affirmé-je.

— Moi aussi.

Il m'embrasse tendrement le front avant de se lever.

— Je ressaute dans la douche. Je sais que tu vas devoir manger bientôt.

Je le regarde avec mes plus beaux yeux.

— Je peux continuer toute la nuit, mais nous avons besoin de forces, ajoute-t-il.

Je sais qu'il a raison, mon ventre s'est mis à gargouiller dès que j'ai pensé à manger.

— Je peux sauter dans la douche avec toi?

— Tout ce que tu désires.

Nous prenons une douche encore plus rapide que la dernière. Je crois que nos deux corps ont besoin d'une pause, mais sa présence me fait du bien. Nous nous préparons aussi rapidement. Gabriel n'est pas un homme compliqué. Je m'attache les cheveux, j'ai encore chaud.

— Il serait mieux de redémarrer l'air conditionné, souligne-t-il.

— J'avoue qu'il fait chaud.

— Où aimerais-tu manger ce soir?

— J'aurais bien aimé le restaurant italien, mais nous n'avons pas de réservation.

— Tout s'achète ici. Allons-y, nous trouverons bien le moyen.

Il est beau ce soir, habillé tout en blanc. Je porte une petite robe turquoise. Je n'aurais jamais acheté des couleurs aussi vives si je n'avais pas fait les boutiques avec les filles. Mais je dois admettre qu'elle met mes yeux en valeur. J'ai mis des sandales confortables; plus de talons pour moi. Gabriel est grand, il me dépasse de quelques centimètres. Je me colle à lui pour marcher. Je me suis toujours sentie bien près de lui. Nous arrivons au restaurant et comme Gabriel l'avait prédit, pour quelques pesos, nous pouvons avoir une table. On nous demande juste de patienter un petit 15 minutes. Nous nous installons sur un banc près de l'entrée, dans l'obscurité.

— Regarde les étoiles! lancé-je.

— Ah oui, c'est beau. Il n'y a pas de pollution ici, ça me rappelle le Bas-du-Fleuve. L'été, j'aime tellement m'installer en soirée avec une chaise longue et regarder les étoiles pendant des heures.

— Je t'envie. À Montréal, il y a tellement de smog qu'on ne voit pas grand-chose à part la lune.

— Tu ne vas pas souvent chez tes parents?

— Oui, quand même, surtout depuis que mes frères ont des enfants. Je suis la seule qui a déserté le nid.

— Est-ce que tu es heureuse à Montréal?

Il est intense aujourd'hui, il me brasse un peu trop en dedans. J'aimais bien jouer à l'autruche, et je me demande même si je ne devrais pas en faire ma prochaine collection:

Les autruches, ou l'art de se mettre la tête dans le sable pour passer à côté de sa vie... Est-ce que je passe réellement à côté de ma vie ? J'ai du mal à m'admettre que la réponse est peut-être oui.

— Je ne sais plus, avoué-je.

— Je te suis reconnaissant de ta franchise, Annie.

— Tu sais, jusqu'à tout dernièrement, je n'avais jamais remis mes choix en doute. Dans les derniers mois, j'ai commencé à vendre des toiles, je sens que le vent va tourner pour ma carrière artistique.

— Tu es très douée, tu ne devrais jamais douter de ton potentiel.

— Ce n'est pas que je doutais, mais le loyer ne se paye pas avec du talent et des toiles non vendues, répliqué-je.

— Je comprends, mais tu ne crois pas que si tu ne prends pas le risque, tu ne le sauras jamais ?

— Est-ce que tu veux me financer une année sabbatique ?

— Tu n'accepterais pas, même si je te le proposais.

— Tu as raison, reconnais-je.

— Tu pourrais demander à David.

— Pourquoi David ?

— Tu sais qui il est. Il a été très ouvert à me rencontrer pour discuter de mes projets d'expansion, annonce-t-il.

— Tu ne m'en as pas parlé.

— Tu sais, Annie, jusqu'à ce soir, nous n'avons pas eu la chance de discuter.

— Tu as raison. Allons manger, j'ai envie d'un bon verre de vin et je veux tout savoir de tes projets.

Mon premier dîner seule avec Gabriel. Je ne me souviens pas d'avoir fait ça avec lui aussi formellement. Nous avons certainement mangé au casse-croûte du coin et même à la pizzeria du village, mais sans plus.

— À quoi penses-tu ? me questionne-t-il.

— Je pensais à nous. C'est un de nos premiers dîners en amoureux au resto, non ?

— Je crois que tu as raison.

— J'aimerais bien porter ce verre à plusieurs autres dîner en ta compagnie, Annie !

Tout se passe tellement bien entre nous que je ne peux m'empêcher de me demander si c'est possible. L'heure est venue de parler des vraies choses ; je commençais à peine à profiter du moment présent. Comment Justine appelle-t-elle ça déjà ? Crever l'abcès, c'est ça. Crevons-le avant que ça fasse trop mal.

Chapitre 42

— J'admire ton optimisme, mais je me demande bien comment ça sera possible.

— Tu sais, Annie, quand on s'ouvre aux possibilités, on constate qu'elles sont infinies.

— Tu es devenu un grand sage. Explique ta sagesse.

— Mon entreprise de Québec va bien, je t'en ai déjà parlé, commence-t-il.

— Oui, tu habites près de Québec, je suis au courant.

— Laisse-moi continuer, reprend-il. J'ai loué un local sur la Rive-Sud, j'ai l'intention d'ouvrir une deuxième succursale de mon magasin prochainement.

Ce qui le rapprochera de Montréal, mais pour combien de temps? Je reste calme, car je sais qu'il tente de me convaincre. Il est encore plus charmant avec sa détermination.

— J'habite à Montréal depuis janvier, affirme-t-il.

J'ai l'impression que mon cœur s'arrête quelques secondes.

— Tu sembles surprise.

— Oui, je le suis.

Je ne peux pas croire qu'il habite si près de chez moi. Il semblerait que toutes les étoiles de la galaxie se soient alignées pour nous.

— Je sais que ça va vite entre nous, mais je veux que tu saches que j'aimerais une vraie nouvelle chance avec toi, Annie.

— Ça va trop vite, Gabriel.

J'ai pourtant envie de lui dire : *Oui, je le veux*, mais une petite parcelle au fond de moi m'empêche de le faire. J'ai déjà baissé ma garde et je suis ravie de cette deuxième chance, mais je ne suis pas prête à me lancer en bas du précipice.

— Je suis patient, Annie. Ça fait 10 ans, je peux attendre quelques mois de plus, rétorque-t-il.

— Ce n'est pas comme si tu m'attendais depuis 10 ans, Gabriel.

Il ne me répond pas. Je vois beaucoup de sincérité dans son regard quand il me dit qu'il va m'attendre. Je suis touchée. C'est assez de sérieux pour la soirée, j'ai envie de bouger, de profiter du temps qu'il nous reste sur cette île.

— Finissons ce dessert et allons au spectacle.

— Bonne idée, acquiesce-t-il.

Nous marchons main dans la main. Je suis heureuse de passer la soirée avec lui. Mes amies sont aussi heureuses chacune de leur côté. Justine ne m'a pas donné les détails de sa rencontre avec David, mais elle passe la soirée avec lui. Aucun nuage ne semble flotter au-dessus du bonheur d'Ève. Elle ne tardera pas à quitter mon appartement. Je repense à ma conversation du dîner avec Gabriel : il pourrait devenir mon colocataire. Il ne m'a pas dit où il habite. En même temps, j'en ai le vertige, ce n'est pas une bonne idée.

Nous arrivons dans la salle de spectacle. Nous remarquons rapidement Simon assis avec un groupe qui semble déjà faire la fête. Bien sûr, le trio de poulettes est là. Je ne peux pas lui en vouloir de passer du temps avec Magalie, car j'accapare son compagnon de voyage. Nous allons les rejoindre. J'ai envie de m'amuser, j'aime beaucoup le groupe maison, qui était là le premier soir.

— Danse avec moi, Gabriel.

— Je vais aller nous chercher quelque chose à boire.

Je reconnais, assises à proximité, les filles avec qui j'ai passé la première soirée.

— Annie!

Je m'approche pour les saluer.

— Nous ne t'avons pas revue, nous pensions faire la fête avec toi! lance l'une d'elles.

— La semaine passe trop vite, mais il est encore temps de nous amuser!

Je leur propose de danser avec moi. Le chanteur du groupe est doué pour faire lever les gens. Il ne se contente pas de chanter, il anime et s'assure que nous nous amusions.

Gabriel arrive avec les verres.

— Santé, princesse.

Il retourne s'asseoir avec Simon, tandis que je continue de danser.

— Dis donc, Annie, tu as de la chance cette semaine, dit une des filles.

— Pourquoi dis-tu ça?

— Deux Adonis pendant tes vacances!

Je me mets à rire. Je repense à Maxime. Je ne l'ai pas vu depuis quelques jours. C'est peut-être mieux ainsi. Il fait chaud, j'ai besoin de me rafraîchir.

— Je reviens, les filles.

Je passe à côté de Gabriel, qui m'attrape par la taille; je tombe assise sur lui.

— Je m'ennuie de ma sirène.

— Je reviens dans quelques instants, nous pourrons partir après si tu veux.

— Reviens vite, je suis impatient.

Je l'embrasse. Il a un goût sucré ; il boit les mêmes rhum punch que Justine. Je sais que nous devons attirer l'attention, mais je n'ai aucune gêne à me trouver avec lui.

Lorsque je me lève, je croise le regard d'Audrey, qui détourne le sien comme si elle ne nous observait pas. Je ne m'en soucie pas.

Dans les toilettes, je profite du miroir pour rattacher mes cheveux en les mouillant un peu. Je me passe aussi un peu d'eau sur le visage. J'adore cette chaleur, mais elle n'est pas idéale pour danser. J'ai déjà hâte de reprendre une douche avec Gabriel. Je passe par le bar nous chercher une dernière consommation. Comme je reviens à nos places, j'aperçois le fameux trio qui danse près de Gabriel et Simon. Je vois Magalie qui tente faire lever Simon, et Audrey qui prend les mains de Gabriel pour qu'il se lève. Je ne peux pas croire son audace. À ma grande surprise, il se lève en lui faisant son plus beau sourire. Elle se colle davantage sur lui. J'éprouve un sentiment de déjà-vu.

Je ne sais pas si j'en veux plus à elle parce qu'elle essaie de l'allumer ou à lui parce qu'il ne la repousse pas. Je ne peux m'empêcher de vouloir partir et les laisser ensemble. Mais à quoi joue-t-il ? Depuis le début de la semaine, elle lui fait de l'œil sans aucune subtilité. Est-ce que je vais devoir m'inquiéter toute ma vie des filles qui s'intéressent à lui ? Je ne reste pas pour voir la suite. Je passe prendre mon sac, j'ai besoin d'être seule. Gabriel me rejoint dès que j'arrive, sachant que je les ai vus.

— Annie.

— Non, Gabriel, continue de t'amuser.

— Tu vas encore t'enfuir ?

— Je ne me sauve pas, renvoyé-je. En ce moment, j'aime mieux partir pour ne pas te dire tout ce que je pense.

— Tu as toujours pensé que tu savais tout.

— J'ai des yeux, Gabriel, si je n'étais pas arrivée, tu aurais dansé avec elle.

— Même si j'avais dansé, je ne faisais rien de mal. Toi, il y a quelques jours, je t'ai surprise à jouer au volleyball avec un autre gars ; crois-tu que je n'ai pas vu les regards entre toi et le grand blond ? Il avait même les mains sur toi. Que se serait-il passé si je n'étais pas arrivé ?

— C'est le mieux que tu peux faire pour ta défense ? Tu m'accuses ? craché-je.

— Tu devrais me faire confiance.

— J'aimerais bien, mais il faudrait que tu fasses tes preuves.

— Il faudrait que tu m'en donnes la chance, riposte-t-il.

Je ne sais plus quoi penser, mais je n'ai pas envie de continuer cette discussion devant tout le monde.

— J'ai besoin de réfléchir.

— Fais ce que tu veux.

— C'est ce que je vais faire, maugréé-je.

Je prends mon sac et pars. Les larmes me montent aux yeux, mais je me retiens de pleurer. Je m'en veux de m'être emportée, mais j'ai du mal à me contenir quand je suis avec lui. Nous avons toujours été un cocktail assez explosif. Nous sommes tous les deux passionnés ; je dirais même assez fiers et entêtés aussi. Je ne suis même pas surprise qu'il ne me suive pas. Il veut me prouver qu'il a raison. Je vais lui montrer qu'il a encore du chemin à faire s'il veut que je lui fasse confiance.

Je tourne en rond, je n'ai pas envie de rentrer à la chambre. J'hésite à déranger mes amies. Je pourrais bien aller à la disco, je suis certaine que je croiserai des filles qui voudront danser avec moi. Je me décide tout de même à texter Justine, peut-être qu'elle aimerait sortir elle aussi.

Je dois avouer que j'ai besoin d'une amie. Je refuse par contre de m'apitoyer sur mon sort. C'est moi qui ai accepté de donner une chance à Gabriel, je dois vivre avec les conséquences. Toutes les filles le regardent, même les femmes d'âge mûr et les grands-mamans. Je le vois depuis le début de la semaine. Il les encourage, en plus, il ne peut s'empêcher de sourire à tout le monde. Je ne suis pas la seule à qui ce sourire diabolique fait autant d'effet. Il nous ensorcelle.

Je sais que je commence à me faire des scénarios. Au fond de moi, je comprends que je me cherche des excuses parce que je n'ai aucune envie d'affronter ma plus grande peur dans ma relation avec lui. Je préfère fuir plutôt que d'avouer que je crains que les choses ne marchent pas entre nous. Je ne survivrais pas à une deuxième rupture. Il est trop tard pour espérer me libérer, je suis déjà envoûtée par son charme. Je l'aime déjà trop.

Chapitre 43

Il me reste qu'à me replonger dans mon remède par excellence pour oublier : vive les shooters ! Je me dirige au bar de la discothèque. Le serveur ne comprend pas ce que je veux. Je dois avouer que je lui explique que je veux six verres, et il voit bien que je suis seule, ce qui doit l'inquiéter. Justine arrive pour me secourir.

— Justine ! Tu arrives juste à temps, l'accueilé-je.

— Qu'est-ce que tu tentes de commander ?

— Des shooters, bien sûr !

Elle me regarde d'un air inquiet elle aussi, mais s'empresse de commander. Je savais que je pouvais compter sur elle.

— Ève et Mathieu viennent nous rejoindre, commandes-en six ! l'intimé-je.

Je me retiens pour ne pas en demander 36 ! Nous allons retrouver David, qui est assis seul à une table.

— Bonsoir, David.

— Bonsoir, Annie.

Comme il peut être sérieux. Au moins, avec lui, je n'aurais pas à me soucier qu'il lance des sourires à tout le monde.

— Buvons à ces vacances, qui ne se passent pas du tout comme prévu !

— Annie!

Je vois que Justine rougit; elle regarde David et me regarde. Elle se prend aussi un verre, mais David n'embarque pas dans notre folie.

— *Salud!*

— C'est délicieux!

Justine a commandé une liqueur d'anis qui ressemble à de la Sambuca. Je l'aurais bien prise flambée avec des grains de café, mais je ne crois pas qu'on m'aurait comprise. De me retrouver avec Justine me fait du bien.

— Tu vas me dire ce qui se passe? s'informe-t-elle.

— Ah, Justine, c'est compliqué.

Je lui explique pourquoi je viens de quitter Gabriel et je suis replongée dans mes souvenirs de cette soirée fatale, il y a 10 ans. Plus je lui en parle, plus je comprends que ce n'est pas ce soir qui me préoccupe le plus, mais comment j'ai du mal à effacer ce lointain souvenir de ma mémoire.

— Je ne sais pas quoi te dire, Annie. Ça ne pourra jamais marcher si tu ne lui fais pas confiance.

— Ça semble si simple, non? J'aimerais bien lui faire confiance, je veux croire tout ce qu'il me dit et me fait ressentir. Mais des filles comme celle de ce soir, ou celle d'il y a 10 ans, il y en aura toujours qui lui tournent autour.

— Tu sais, Annie, tu as une partie de ta réponse. Tu dois accepter qu'il attire beaucoup d'attention. Tu sais, tu es pareille, souligne-t-elle.

— Je ne me suis jamais laissée séduire quand j'étais avec un autre, contesté-je.

— Ce n'est pas ce que je veux dire. Les hommes sont attirés à toi comme des aimants, les filles aussi. Tu te rappelles, le premier soir? Grand blond te faisait de l'œil; c'est toujours comme ça quand nous sortons avec toi. Il y a toujours une succession de gars qui aimeraient bien avoir ton attention et un peu plus, selon moi !

— Justine ! Comme si je le faisais exprès, protesté-je.

— Bien sûr que non, même si je suspecte que tu aimes bien recevoir de l'attention.

— Tu as raison. Je comprends que ce n'est pas sa faute, mais il aurait pu la repousser, renchéris-je.

— Il l'a certainement fait. Est-ce que tu lui as réellement donné la chance de s'expliquer ? Est-ce qu'il ne t'a pas prouvé depuis que vous vous êtes retrouvés à quel point il tient à toi ?

Justine a raison. Je me sens encore plus idiote de l'avoir quitté sans réfléchir. Je l'ai laissé là, avec elle en plus. Je m'en veux encore davantage.

— Allons danser, Annie, j'adore cette chanson.

— Moi aussi.

La piste de danse est ce dont j'avais besoin. Je me sens redevenir moi-même au rythme de mes hanches qui se mettent à bouger. La musique est forte, les lumières multicolores me brillent dans les yeux, les shooters me font du bien. S'il était là, je danserais bien avec le bel Enrique qui chante. Carlos, notre charmant animateur, arrive comme par magie ; il fera un bon substitut. Il m'attrape aisément par la taille ; j'admire la facilité des Cubains à se déhancher. Je n'éprouve aucune attirance pour lui, mais j'aime bien comment il me dirige sur la piste de danse. Je me laisse porter pour quelques chansons. La musique est une thérapie puissante, je me sens déjà mieux.

— Merci, Carlos.

— Tu danses bien, *bella*.

— Tu es si charmant.

Il m'embrasse sur la main. Peut-être que Justine a raison : je semble attirer assez facilement la gent masculine. Qu'est-ce que Gabriel aurait pensé s'il était arrivé à ce moment ? Je constate qu'il y a toujours deux côtés à une médaille. Ce soir, je n'ai voulu voir que le mien, il y a 10 ans aussi. J'ai besoin d'un autre shooter. Je retourne à la table, où Ève et Mathieu sont maintenant installés.

Cette dernière s'empresse de me faire un câlin. Justine a dû lui raconter ce qui vient de se passer, car elle ne me pose aucune question. Je vois que notre plateau de shooters a été rempli à nouveau.

— Merci d'être là.

— Je ne manquerais pas une des dernières sorties avec mes meilleures amies, me répond Ève.

Nous prenons bien sûr chacune un autre shooter. David et Mathieu semblent découragés de voir leurs promises qui profitent un peu trop de cette boisson divine. La musique latine semble avoir laissé la place à quelques succès populaires ; je reconnais *Only Girl in the World* de Rhianna. Je rêve de me sentir comme la seule fille au monde pour Gabriel. J'ai besoin de danser pour exorciser toute cette peine que je m'inflige. Je réussis à entraîner Ève sur la piste de danse.

Je me donne autant que Rhianna en chantant à tue-tête : *Want you to make me feel like I'm the only girl in the world, like I'm the only one that you'll ever love, like I'm the only one who knows your heart*[13]. Mon après-midi avec Gabriel me revient, et un frisson me traverse quand je pense à la manière dont il m'a attachée à son lit. Il me voulait à sa merci, mais c'était plus. Il tentait de me montrer à quel point il tient à moi.

---

13. Je veux me sentir comme si j'étais la seule au monde pour toi, la seule que tu aimeras jamais, la seule qui connaît ton cœur.

J'aimerais bien qu'il soit là, mais je me sens trop ridicule pour aller cogner à sa porte.

J'ai besoin de prendre un peu d'air. Ève retourne à la table pendant que je me dirige vers l'extérieur. Les toilettes sont toujours difficiles à trouver, il faut sortir d'un endroit pour les découvrir. J'ai un sentiment de déjà-vu lorsque je me passe de l'eau dans le visage. J'aimerais bien reculer le temps de quelques heures. Je crois que je vais rentrer. J'ai la tête qui tourne. Je suis contente que mes amies soient venues me rejoindre, mais j'ai l'impression qu'elles sont impatientes de se retrouver avec leurs hommes. Je ne leur en veux pas, mais je les envie. Justine semble avoir trouvé un terrain d'entente avec David.

Comme je sors, j'arrive face à face avec Gabriel. Je m'arrête instantanément devant lui.

— Gabriel.

— Annie.

Il me fixe intensément. Je ne l'ai jamais vu aussi sérieux. Je prendrais un de ses sourires légendaires. Qu'est-ce que je suis censée lui dire? *Désolée de m'être enfuie…* En ce moment, j'ai juste envie de me coller à lui pour sentir ses yeux amoureux sur moi. Je sais que nous devrions nous parler, mais c'est la dernière chose dont j'ai envie. Je m'approche. Je sens la chaleur de sa peau, si près de la mienne. Je glisse mes mains sur ses épaules. Je m'approche davantage. Il sent si bon.

— Je suis heureuse que tu sois là, Gabriel.

Mon commentaire semble le surprendre.

— Je ne sais pas à quoi tu veux jouer, Annie, mais j'ai juste envie de te mettre sur mes genoux et de te donner la fessée que tu mérites, rétorque-t-il.

Une secousse d'excitation me traverse. Je sais qu'il cherche à me provoquer. Je remarque aussi qu'il se retient de ne pas me sourire, mais ses lèvres le trahissent en se soulevant au coin de sa bouche. Je les prendrais bien sur moi, elles sont parfaites.

— J'aimerais mieux avoir ta bouche sur mes fesses, Gabriel.

— Tu es impossible. Comment suis-je censé te résister ?

— Ne me résiste surtout pas.

— Je ne sais pas encore ce que je vais faire avec toi, mais va aviser tes amies que tu t'en vas, m'ordonne-t-il.

— Mon Dieu, je ne me souvenais pas que tu pouvais être aussi dominant.

— Tu n'as encore rien vu. Reviens vite.

En le quittant, je me retiens de ne pas courir. Je sais qu'il m'en veut. Je ne sais pas si c'est un hasard qu'il m'ait retrouvée ou s'il m'avait cherchée, mais une chose est certaine : il y a une tension entre nous. C'est maintenant lui qui semble avoir monté la garde. Cette danse entre nous a assez duré. Nous avons assez souffert. On dit que la nuit porte conseil, alors je souhaite que celle-ci puisse nous guider. Nous méritons d'aller au bout de cette deuxième chance. Peu importe le résultat. Je ne le perdrai pas une autre fois par ma faute.

Chapitre 44

Gabriel

S'il n'était pas si tard, je sortirais ma planche pour me défouler. J'ai envie d'aller sauter dans la piscine pour faire quelques longueurs.

— Ça va, Gabriel ? s'informe Simon.

Il a été témoin de notre petite scène. Je n'ai pas envie d'en discuter avec lui.

— Ce n'est rien.

— Si tu le dis.

— Ne commence pas, Simon.

— Je n'avais pas compris que c'était si sérieux avec Annie.

— J'aurais dû la suivre, mais j'avais besoin de me calmer, expliqué-je.

— Je ne t'ai jamais vu dans cet état.

— Je ne sais pas à qui j'en veux le plus en ce moment. Cette Audrey devra comprendre une fois pour toutes que ses petits jeux ne sont pas amusants. C'est dangereux, une fille comme elle.

— Elle veut juste s'amuser, Gabriel, tempère Simon.

— Si c'était moi qui lui faisais des avances et qu'elle n'était pas intéressée, tu dirais la même chose?

Il ne me répond pas.

— Bien sûr que non. Je vous souhaite une bonne soirée, Simon.

— Je suis désolé, Gabriel. Tu sais, si Annie tient à toi, elle devrait te faire confiance.

— La confiance, c'est fragile, attesté-je, n'oublie jamais ça. C'est aussi la base dans un couple. Sans confiance, il n'y a aucune possibilité que ça marche.

— Bonne chance, Gabriel.

Il retourne rejoindre Magalie. Audrey s'empresse de m'approcher.

— Non, Audrey. Je vais être clair une dernière fois : toi et moi, ce n'est pas possible. Je n'apprécie pas tes manigances.

— Gabriel, tu ne devrais pas te laisser diriger par cette fille, déclare-t-elle. Tu es en vacances, tu devrais pouvoir t'éclater. Nous aurions du plaisir ensemble.

— Tu es incroyable. *Non*, Audrey. J'aimerais que tu ne m'approches plus d'ici la fin des vacances, encore moins quand je suis avec Annie.

— Mais elle n'est pas avec toi, proteste-t-elle.

— Pas pour longtemps.

Je pars sans attendre qu'elle revienne à la charge. Elle est intense, cette fille. J'espère qu'elle jettera son dévolu sur un autre que moi. Je me demande bien où est allée Annie. J'hésite à la revoir maintenant, je veux qu'elle puisse réfléchir comme elle le voulait. *Réfléchis, Annie, parce que j'ai bien l'intention de te faire voir que tu es à moi, si tu es incapable de le comprendre toute seule.*

Je m'attendais à de la résistance cette semaine, mais je pensais que notre après-midi nous avait enfin rapprochés. Il ne reste que deux jours, et je dois réussir à la convaincre de nous donner une vraie chance avant de quitter cette île. Je ne sais pas ce que je peux faire de plus. Une idée me vient en tête, alors je m'active. J'aurais dû y penser avant. Elle a besoin d'être séduite comme dans les premiers temps. Il faut parler au cœur d'une fille pour la séduire. Une fille amoureuse est prête à mettre de côté bien des choses. Je ne peux rien effacer de sa mémoire, mais je vais tout tenter pour qu'elle puisse enfouir ses vieux souvenirs très loin.

• • •

Une fois mon opération séduction en place, il ne me reste qu'à la trouver. J'hésite à la texter. Je sais que j'aurai plus d'impact si je peux me retrouver devant elle. La connaissant, elle est certainement avec ses amies, soit à sa chambre ou à la discothèque. Je passe par sa chambre, mais il n'y a aucune lumière. J'espère que je ne me trompe pas pour la disco. Dès que j'arrive, je la vois bien vite sur le plancher de danse. Elle est si séduisante quand elle danse, j'hésite à sortir mon appareil.

Son amie Justine arrive devant moi. Je ne veux pas qu'elle avise Annie de ma présence, je préfère le faire moi-même. Elles forment un trio très solidaire, ces filles, et je me sens comme un enfant qui va se faire disputer par la voisine.

— Tu n'as pas besoin de t'inquiéter, Justine, tenté-je de la rassurer.

— Tu ferais mieux de ne pas lui faire de mal.

Quand je la regarde danser ainsi, je pense plutôt au bien que j'en envie de lui faire. Mon corps réagit déjà juste à y penser. Je suis soulagé quand je la vois quitter le plancher de danse pour se diriger vers les toilettes. Le moment est parfait, j'espère que je serai capable de la convaincre de me suivre.

J'attends patiemment qu'elle sorte.

— Annie.

— Gabriel.

Ses yeux me laissent croire qu'elle est heureuse que je sois là. Je suis soulagé. Je décide de jouer la carte du mécontentement. Elle a toujours connu mon côté avec le bonheur facile. Depuis le début de la semaine, je fais tout pour la rassurer, la convaincre que nous devons saisir cette deuxième chance. C'est fini, le gars gentil. C'est peut-être ce dont elle a besoin. Je peux devenir un mâle alpha, comme David, il paraît que les filles aiment ça. Elle serait bien surprise si je la prenais sur mon épaule pour l'emmener à ma chambre. Ses yeux papillonnent déjà, alors je crois qu'elle aime ce côté de moi. Je ne suis pas surpris, c'est un défi pour elle. Je me retiens de sourire.

Elle ne tarde pas à aviser ses copines. Je ne peux pas croire ma chance qu'elle soit prête à me suivre si facilement. Je vois qu'elle est nerveuse, elle n'arrête pas de se mordiller la lèvre du bas. Je l'attrape par la taille pour la coller à moi. Nous marchons dans le silence jusqu'à ma chambre.

— Je t'ai rarement entendue être sans mot, Annie.

— Je crois que j'ai bu trop de shooters, mes pensées ont du mal à s'aligner.

Nous entrons dans la chambre. Je sais qu'elle sera surprise. J'ai installé plusieurs chandelles, que j'avais apportées dans ma valise sans avoir encore eu la chance de les sortir. J'ai aussi mis des pétales de fleurs roses sur le drap blanc de mon lit et y ai disposé une serviette en forme de cœur. Ses beaux grands yeux verts s'illuminent. Elle est encore plus belle à la lueur des chandelles.

— Je croyais que tu ne me pardonnerais pas.

— Comment as-tu pu penser une chose pareille ? Je t'aime, Annie, déclaré-je.

Elle se met à pleurer.

— Je suis tellement désolée.

— Viens ici, plus rien n'a d'importance. Laisse-moi t'aimer, Annie.

— Oui, accepte-t-elle.

Mes lèvres se déposent sur les siennes. Je goûte les shooters dont elle parlait. Un mélange d'anis étoilé et de vanille. J'attrape sa langue avec ma bouche. Je la désire tellement, et elle se laisse embrasser comme si elle avait autant besoin de se rapprocher. Son corps se colle au mien. Ses soupirs m'invitent à continuer. Elle glisse ses mains dans mon dos pour relever mon chandail, que j'enlève d'un seul geste. Elle porte une petite robe, que je lui enlève aussi facilement. Je m'empresse de la recoller contre moi. La chaleur de son corps réveille le mien davantage.

— Ne me quitte plus, Annie.

— J'ai besoin de toi, Gabriel.

— Dis-moi ce que tu veux.

— Juste toi, je veux te sentir en moi.

— Tout ce que tu désires, princesse.

Je la soulève dans mes bras pour l'amener sur le lit. Elle enroule ses jambes autour de ma taille en s'appuyant directement sur mon érection. J'aimerais lui montrer à quel point je tiens à elle en prenant mon temps, mais j'ai juste envie de m'enfoncer en elle, de sentir qu'elle est là. Elle m'embrasse dans le cou. Je regrette que nous n'ayons pas enlevé nos sous-vêtements. Je veux ses magnifiques seins sur moi. Je la dépose à côté du lit pour détacher son soutien-gorge et enlever sa petite culotte. J'enlève mon caleçon avec beaucoup moins de finesse.

— Tu es à moi, Annie.

Je ressors le mâle possessif en moi, même si je me sens comme un agneau sans défense quand je me trouve près d'elle. Elle s'allonge en me regardant avec tant de passion.

Je me dépose par-dessus elle sans attendre, et j'enfile mon érection d'un seul coup. Nous laissons tous les deux sortir un grand cri de joie, ou de soulagement, je ne sais pas. Je ne me suis jamais senti aussi vivant qu'en ces moments de communion parfaite avec elle. Lorsque j'accélère mes mouvements, ses hanches me suivent et m'en demandent encore.

Je l'embrasse sauvagement sur la bouche tout en lui mordillant la lèvre. Je sens que son orgasme approche. Elle me tient les épaules et enfonce ses ongles davantage chaque fois que je la pénètre. Son corps se contracte et je sens que je vais venir en même temps qu'elle. Mon Annie. Nous crions notre orgasme au même moment. C'est si intense que je me couche sur elle pour profiter de cette euphorie que nous venons de partager.

Ne me quitte plus.

Chapitre 45

J'ai du mal à reprendre mon souffle. L'odeur de Gabriel et son corps aussi humide que le mien me confirment que je n'ai pas rêvé cet orgasme si intense, que je suis bien dans son lit. Ma tête tourne encore et j'ai l'impression d'avoir imaginé ses paroles. *Je t'aime, Annie.* Je sens de nouveau les larmes qui veulent monter. Je ne pensais pas vivre autant d'émotions en une seule semaine. Je ressens un mélange d'adrénaline, de peur et d'euphorie, comme si j'étais dans le train d'une montagne russe qui monte vers le plus haut sommet. Je retiens mon souffle et je ferme les yeux. Je veux croire que mon tour de manège va bien se terminer, comme c'est toujours le cas dans un parc d'attractions. J'ai besoin de terre ferme avec Gabriel. Il m'aime. Au fond de moi, je le sais, je le sens. La vie nous offre une deuxième chance. Est-elle possible ?

— Désolé de t'écraser, mon amour, mais je resterais collé à toi toute la nuit.

— Je suis bien, l'assuré-je.

Il se soulève sur les coudes pour me regarder dans les yeux. Nos corps sont encore joints.

— Comme tu es belle, Annie.

— Arrête, je vais rougir et tu sais que je ne rougis pas.

— Je sais ce qui te fait rougir. Je t'ai vue danser à la disco, je me suis retenu pour ne pas enregistrer ton corps parfait qui se déhanchait au rythme de la belle Rihanna.

— Tu la trouves belle ?

— C'est toi qui es belle, mais tu sais, elle a les cheveux rouges comme toi dans le clip de cette chanson. J'aurais préféré te voir danser dans cette vidéo, indique-t-il.

— Tu sais, il n'est pas trop tard.

— Trop tard pourquoi ?

— Je peux danser pour toi, proposé-je.

Son regard m'indique que l'idée lui plaît. Je comprends que c'est peut-être une bêtise, mais j'adore sentir ses yeux sur moi, et je me sens encore plus désirée quand je sais l'effet que j'ai sur lui.

— Laisse-moi sauter dans la douche pour me réveiller un peu et me rafraîchir.

— Je viens avec toi.

— Si tu insistes, dis-je avec un sourire enjoué.

— Tu sais qu'avec toi, je ne fais que ça, insister. Je n'ai aucune maîtrise.

— J'aime bien quand tu ne te maîtrises pas, admets-je.

Je sens mes joues rougir. Comment peut-il me faire autant d'effet ? Mon corps devrait être rassasié par ce que nous venons juste de vivre. Nous nous dirigeons dans la douche. Je sens déjà monter mon désir. Je savonne lentement tout mon corps en me caressant les seins, le ventre, les fesses sous son regard intense.

— Je peux aussi jouer à ce jeu.

Il me prend le savon pour se savonner aussi. Il pousse la tentation un peu plus loin en se masturbant devant moi ; son désir se pointe déjà. J'aurais envie de me mettre à genoux, mais je me retiens : je veux qu'il brûle de désir un peu plus. J'aime cette complicité qui est revenue si naturellement entre nous.

Lorsque je sors de la douche, j'hésite à remettre ma robe. J'ai envie de danser pour lui, mais une petite gêne s'empare de moi. Je décide de fouiller dans ses vêtements pour mettre un de ses hauts sans manche. Ça sera parfait. Je prends mon téléphone pour trouver une chanson appropriée dans mes diverses listes de lecture. Je l'ai trouvée. Je l'ai entendue par hasard, elle ne joue pas encore à la radio, mais ça viendra. J'ai la version remixée, que je décide de faire jouer ; elle est plus rythmée. Gabriel sort de la salle de bain entouré d'une serviette.

La lumière des chandelles qui éclairent la chambre est si romantique. Quand je suis rentrée, j'étais trop remplie d'émotions, je n'avais pas saisi tout ce qu'il avait fait pour moi. Je me sens choyée. Il s'approche de moi pour m'embrasser dans le cou.

— Viens t'asseoir, je suis prête.

— Tu es séduisante avec mes vêtements, me complimente-t-il.

Son sourire est revenu. Mon Gabriel, il est réellement là. C'est plus romantique que les livres de Justine. À vrai dire, cette semaine est digne des plus grandes histoires d'amour pour mes amies et moi. Gabriel s'installe sur un des fauteuils.

— Est-ce que j'ai le droit de prendre mon téléphone ? s'enquiert-il.

J'hésite. Ce moment est pour lui, mais est-ce que j'ose le laisser me filmer ? Je ne sais pas ce qu'il l'excite autant de me voir danser. Je me dis qu'il nous restera ce moment après les vacances. Cette vidéo marquerait en quelque sorte notre reprise officielle.

— D'accord, mais c'est pour tes yeux seulement.

— Je n'ai aucune intention de te partager, m'assure-t-il.

— Qui sait? Peut-être que ça va m'inspirer pour ma nouvelle collection.

— J'aimerais bien voir où tu es rendue avec mon dessin.

— Il avance bien, l'informé-je, mais j'aurai besoin que tu joues au modèle encore.

— Ça me fera plaisir.

Il me regarde plus intensément. La tension entre nous escalade déjà.

— Danse pour moi, Annie.

Oui, juste pour toi. Je me dirige vers mon téléphone pour lancer la chanson. Mon cœur palpite. Pourquoi ai-je proposé de danser déjà? Les rythmes langoureux de *Don't Be So Shy* d'Imany se font entendre. Je canalise la déesse en moi pour chasser la gêne. Je détache mes cheveux et les secoue pour me rendre encore plus provocante.

Take a breath, rest your head, close your eyes, you're alright, just lay down, turn my side, do you feel my heat on your skin[14]?

Je ferme mes yeux et la musique s'empare de moi. J'adore cette chanson. C'est si facile de se déhancher au rythme des paroles. Je ne sais pas si Gabriel ressent la magie de ce qui est dit, mais je sens que mon corps a envie qu'il le touche.

Take off your clothes, don't be so shy[15]...

Je voudrais qu'il se lève pour danser avec moi. Lorsque j'ouvre les yeux, nos regards se croisent. Son téléphone est pointé sur moi. Je lui lance un sourire gêné tout en caressant

---

14. Respire, pose ta tête, ferme les yeux, tout va bien, étends-toi, tourne-moi, sens-tu ma chaleur sur ta peau?

15. Déshabille-toi, ne sois pas si gêné

mon corps avec mes mains. Je ne porte que son haut, qui me cache à peine ; je n'ai même pas remis ma petite culotte. Je le soulève délicatement. Ses yeux brillent ; il n'avait pas remarqué que j'étais nue en dessous. Je monte mes mains jusqu'à mes seins, que je caresse sous son regard qui me supplie de continuer. Je lui tourne dos et me caresse maintenant les fesses. J'imagine ce qu'il voit. Je sais comment il aime cette partie de mon corps. C'est très excitant le tenter ainsi.

Can you feel my hips in your hands? And I'm laying down by your side, I taste the sweet of your skin[16]…

Je ne sais pas comment il reste immobile, mon invitation à me rejoindre est claire. Je me lèche les lèvres, j'ai la bouche sèche contrairement à tout mon corps humide qui brûle pour lui. Je lui fais signe du doigt de venir danser avec moi. Il me fait signe que non avec sa tête. Il me fait un clin d'œil. Je voudrais arrêter le temps.

Blow out the fire[17]…

C'est la seule parole qui me reste en tête. *Éteins le feu, Gabriel.* Peut-elle se terminer, cette chanson ? Je m'approche de lui tout en continuant de me déhancher. Les dernières paroles se font entendre.

Take off my clothes, and bless me further, don't ask me why, don't ask me why[18].

Je ne veux plus réfléchir. Je sais ce que je veux. Je le veux à moi, tout à moi. Il dépose son téléphone. Nous restons un moment à nous regarder. Ma respiration va vite, mon cœur aussi.

— Tu es une vision, Annie.

---

16. Peux-tu sentir mes hanches entre tes mains ? Je m'étends près de toi pour goûter la douceur de ta peau

17. Souffle pour éteindre le feu

18. Déshabille-moi, rends-moi encore grâce, ne me demande pas pourquoi, ne me demande pas pourquoi.

— J'espère que tu as aimé.

Il m'attrape par la taille, et lorsque je m'approche pour l'embrasser, il se lève. Ce fauteuil me rappelle nos rapprochements sur le balcon. J'aime bien cette position pour faire l'amour, assis face à face, nos corps ne faisant qu'un.

— Je veux voir ton corps.

J'enlève son haut sans hésiter.

— J'aurais aimé que tu l'enlèves en dansant, admet-il.

— Je voulais que tu puisses imaginer ce que tu ne voyais pas.

— Ton corps est gravé dans ma mémoire Annie. Tu fais partie de mon ADN.

Il est intense. C'est très excitant quand il est si sûr de lui. Il me prend par la taille pour m'embrasser. J'ai tellement envie de lui, mais je veux que nous puissions prendre notre temps cette fois. Je souhaite que cette nuit chasse une fois pour toutes ce qui n'est pas réglé entre nous.

JOUR 6

Chapitre 46

Il y a de la magie dans l'air. Je ne comprends pas toutes les forces qui nous ont menés à cet instant précis, mais je veux croire au destin. Nous sommes debout, l'un face à l'autre, comme si nous attendions tous les deux que l'autre fasse le prochain pas. Je me contenterais de m'allonger près de lui pour la nuit. De sentir que quelqu'un tient à moi me fait du bien, ça fait si longtemps. Mon cœur de béton n'est plus.

Je m'approche pour sentir sa chaleur, j'ai besoin de ses bras autour de moi. Je l'embrasse dans le cou. Je me colle davantage. Ses mains commencent à me caresser les seins, qui sont si lourds. Lorsqu'il prend mes mamelons entre ses doigts, mes jambes deviennent molles.

— Gabriel.

Il nous dirige vers le lit.

— Tourne-toi.

C'est à son tour de m'embrasser dans le cou. Un frisson me traverse. Il reprend son tendre massage de mes seins. Je sens son érection dans mon dos. Je me cambre davantage pour m'y appuyer les fesses.

— J'ai hâte de réécouter la vidéo, mais je n'ai pas assez vu tes fesses pendant ta petite danse. J'ai bien envie de les regarder maintenant.

Il me prend par la taille.

— Appuie tes mains sur le lit.

Je comprends ce qu'il veut. Lorsque j'obéis, mes fesses sont entièrement exposées pour lui. Je veux qu'il me touche, partout. Il se penche sur moi pour m'embrasser le dos. Ses lèvres sont si douces. Il continue de m'embrasser jusqu'à la chute de mes reins. Je suis si excitée que je glisse une main entre mes jambes. Il s'allonge sur mon corps en m'attrapant la main. Son érection vient s'appuyer sur mes fesses.

— Laisse-moi continuer.

Je brûle pour lui. *Blow out the fire.* Il glisse ses doigts habiles le long de mon sexe. Je suis si mouillée. J'entends sa respiration qui accélère comme la mienne. Il me tourmente de haut en bas en s'arrêtant pour torturer mon clitoris. J'ai envie de le sentir en moi, mais les sensations sont si divines. Il me rentre un doigt. Je ne peux m'empêcher de suivre le rythme avec mon corps. Je sens que je vais exploser.

— Gabriel.

— Tu es si excitante.

Il retire sa main, ma jouissance était tellement proche que je tremble. Il attrape mes fesses et guide lentement son érection. Je le sens tellement bien en moi, il est si dur et chaud. Mon sexe se contracte sur lui, et il en veut plus.

— Doucement, nous allons faire durer le plaisir cette fois.

Je suis incapable de répondre, mais j'ai juste envie de lui dire non. C'est comme une immense soif qu'on doit assouvir avec une grande gorgée d'eau. Mon corps veut boire à sa source depuis 10 ans. Lui seul peut l'hydrater. Il accélère le rythme comme s'il pouvait lire dans mes pensées. Je ne peux plus attendre et mon orgasme se fait sentir dans tout mon corps. Je crie son nom et l'implore de ne pas arrêter. Je sens sa secousse ; il avait aussi soif que moi. Nous ferons durer le plaisir une autre fois.

Il m'embrasse tendrement le dos avant de s'éloigner. Nous sommes tous les deux à bout de souffle. Je me glisse sur le ventre telle une chenille pour mettre tout mon corps dans le lit. Je n'ai plus de force dans les jambes. Il s'installe à côté de moi et m'approche contre lui. Nous sommes humides et sentons le sexe, mais je suis au paradis dans ses bras aimants. Il nous couvre d'un drap. Je ferme les yeux et me laisse porter par les plus beaux rêves.

Mes rêves sont une collection de souvenirs de nous deux. Je nous revois au secondaire. Je lui écrivais sans cesse de petits mots pour lui donner rendez-vous aux diverses pauses, parfois même entre deux cours. Même si nous n'avions pas le droit de nous embrasser à l'école, nous étions très créatifs. Il avait réveillé quelque chose en moi et je voulais toujours être avec lui. Un premier amour, c'est fort, ça marque si profondément. Je rêvais sans cesse à ses doux baisers.

Je sens ses lèvres chaudes et si parfaites sur les miennes et sors la langue pour les tracer. Je pense à son sourire et je souris à mon tour. J'ai le cœur léger.

— Tu penses à quoi, belle princesse, pour sourire comme ça ?

J'ouvre les yeux. Il est si près. Je ne rêvais pas nos derniers baisers.

— Je pensais à nous.

— Je suis heureux que ça t'apporte ce sourire.

— Nous avons été si ridicules, pendant trop longtemps.

Je ne sens plus aucune crainte. Une première vraie lueur d'espoir me traverse l'esprit depuis que je l'ai recroisé. Je n'ai plus peur. Je ne lui en veux plus, je ne m'en veux pas non plus.

— Tu sais, Annie, j'ai une confidence à te faire.

— Ah oui ? Tu ne vas me dire que tu es marié…

— Il y a juste toi pour penser à ça. Non.

J'entends mon téléphone qui se met à vibrer.

— Attends. Les filles doivent me chercher, j'aurais dû donner des nouvelles avant de m'endormir.

— Mais tu avais mieux à faire.

— Arrête, je me sens mal. Je dois leur répondre.

Je regarde mes textos. Ève propose que nous allions prendre le petit-déjeuner. Elle me rappelle qu'il ne nous reste que cette journée complète pour profiter de nos vacances. Comme si nous n'en profitions pas assez. Mon baromètre de plaisir est assez élevé, je doute que tous les touristes réunis du site aient profité de leurs vacances autant que moi cette semaine.

— Les filles veulent que je les rejoigne pour le petit-déjeuner.

— Reste avec moi.

— J'aimerais bien, mais tu ne veux pas profiter de ton jouet encore un peu ? Toi aussi, tu pars demain.

Comme je le dis, je constate qu'il nous reste un peu plus de 24 heures ensemble. Je sais que nous allons nous revoir, mais j'ai encore du mal à saisir comment les choses se passeront. Je me sens redevenir l'adolescente qui lui envoyait de petites notes parce que j'avais si hâte de le voir. Je sais que nous ne serons pas séparés que le temps d'un cours ou deux, mais possiblement des jours, peut-être même des semaines. Je sens une boule se former dans mon ventre. Je ne veux pas y penser maintenant.

— J'aurais aimé que tu en fasses avec moi. Penses-tu que tu pourrais venir me rejoindre à la plage après?

— Je pense que ça pourrait fonctionner. Je crois bien que nous irons à la plage aujourd'hui.

Je l'embrasse et me lève pour sauter dans la douche. Je ne tarde pas. J'attache ma crinière et mets un short et son haut, celui avec lequel j'ai dansé hier soir.

— Je ne crois pas que tu devrais mettre ce short, Annie.

— Pourquoi?

— Parce que j'ai juste envie de te l'enlever, il couvre parfaitement la partie de ton anatomie que je préfère, explique-t-il.

— Les hommes ne sont pas tous aussi pervers.

— Tu nous connais mal, Annie. Tu vas en faire rêver plus d'un aujourd'hui.

— Mes fesses sont à toi, Gabriel.

— Je suis heureux que tu le comprennes enfin.

— Qu'est-ce que tu veux dire? demandé-je.

— Pour moi, ç'a toujours été évident que nous méritons cette deuxième chance.

Il me regarde avec tellement de tendresse. Je repense à notre nuit; il m'a avoué qu'il m'aimait. Je ne le lui ai pas encore dit. Je ne sais pas pourquoi, les mots ne semblent pas vouloir sortir. Je tiens à lui. Je sais que je veux aller au bout de cet heureux hasard, mais je ne suis pas prête à me placer dans une situation de vulnérabilité.

— Moi aussi, je crois que nous la méritons.

Il se lève du lit, encore nu. Il me colle à lui.

— Je t'aime, Annie. Quand j'y pense, je crois que je n'ai jamais cessé de t'aimer. Je ne te laisserai pas sortir de ma vie une autre fois.

Il est intense.

— Je voudrais être aussi convaincue que toi, mais je t'aime aussi, Gabriel.

Voilà, c'est dit. Je le sens dans tout mon être. C'est de l'amour que j'éprouve pour lui. Comment est-ce possible après tout ce temps ? Je n'ai plus envie de me questionner. Je flotte sur un petit nuage d'amour. Mais puisque l'adage *Vivre d'amour et d'eau fraîche* ne me suffirait pas, mon ventre choisit ce moment pour crier sa faim.

— Je me sauve, indiqué-je.

— J'ai déjà hâte de te revoir.

Il m'embrasse tendrement le front. Je le quitte, mais je dois y consacrer toute ma volonté : son corps parfait, totalement exposé, me fait regretter mon départ.

Chapitre 47

Je rejoins Ève directement au buffet, mais Justine n'est pas encore arrivée. Ève me semble préoccupée ce matin.

— Ça va, Ève ?

— Oui, ça ira.

— Que se passe-t-il, tu veux m'en parler ?

— Disons qu'un petit nuage plane sur Mathieu et moi, mais le soleil de Cuba devrait le faire fuir.

Pauvre Ève. Tout allait si bien depuis sa réunion avec Mathieu. J'ose à peine lui dévoiler que j'ai enfin espoir en ma relation avec Gabriel.

— Qu'en est-il de toi, belle Annie ? Il semblerait que c'est le calme après la tempête.

— Ah, si tu savais ! Je suis certainement au paradis en ce moment.

— Je suis heureuse pour toi. Vous avez parlé du retour ?

— Gabriel semble croire que c'est possible entre nous. Il est si confiant, je sens qu'il veut réellement nous donner cette deuxième chance.

— Il faut que tu y croies aussi, Annie, sinon ça ne pourra jamais marcher.

— Je veux y croire.

Je m'empêche de lui confier que je l'aime. Que le destin est entre ses mains. Il est censé être à Montréal pour quelque temps, et je souhaite que cette période suffise à nous permettre de mettre à l'épreuve toutes les belles promesses énoncées ici.

— Qui ne risque rien n'a rien.

— Tu as raison, Ève, j'aimerais juste pouvoir calculer le risque.

— Moi aussi, me dit-elle, bien songeuse à nouveau.

J'aperçois Justine qui se dirige vers nous. Je suis certaine qu'elle aimerait bien elle aussi calculer le risque avec David. Dieu seul sait comment leur histoire va se dérouler de retour à Montréal. Elle est aussi radieuse qu'Ève ; je n'ai jamais vu Justine rayonner autant. Ses beaux grands yeux bleus sont encore plus clairs que le ciel parfait de Cuba.

— Il semblerait que j'ai une autre amie qui a passé une nuit au paradis, souligné-je.

Elle rougit ; elle se trahit si facilement.

— Je pourrais dire la même chose de toi. Tu as l'air d'une déesse de l'amour, je ne pensais pas que tu pouvais dégager encore plus d'attrait sexuel !

— Très drôle.

Je suis heureuse d'être ici avec mes amies. Je ne sais pas comment j'aurais survécu à ces retrouvailles avec Gabriel si je n'avais pas eu leur appui.

— Je ne peux pas croire qu'il ne nous reste qu'une journée complète, se plaint Ève.

— Tu as raison. As-tu des projets avec Mathieu ? l'interrogé-je.

— Pas pour le moment, il veut aller à la pêche en haute mer. Je lui souhaite que ça marchera cette fois-ci.

Nous discutons de ce que nous avons envie de faire. La plage l'emporte. C'est ce qui va me manquer le plus à mon retour. Des images de tout ce que j'y ai vécu avec Gabriel me viennent en tête. J'ai certainement repoussé mes limites pendant ce voyage. Il a un pouvoir sur mon corps. Mon attrait sexuel, comme dirait Justine, s'appelle Gabriel.

Cette dernière nous quitte, elle veut aller faire quelques photos avant de nous rejoindre. Puisqu'Ève et moi avons déjà nos maillots et sacs de plage, nous nous y dirigeons. Je texte Gabriel pour l'aviser.

Je vais à la plage, tu viens me rejoindre ?

Je vais faire de la planche avec Simon. Viens en faire avec nous !

J'aimerais bien, mais Ève est avec moi.

Elle aimera ça, qu'elle vienne aussi.

Je te reviens xxx

J'aimerais bien t'offrir cette sensation.

Tu m'offres déjà beaucoup de sensations.

J'ai bien l'intention de continuer.

Je veux bien.

J'ai chaud. Je voudrais aller le rejoindre. Ève voudra-t-elle me suivre ? C'est peut-être ma dernière chance de l'essayer.

— Dis-moi, Ève, est-ce que tu aimerais essayer la planche aérotractée de Gabriel ?

— Ç'a l'air beaucoup trop difficile. Toi, tu essaierais ?

— Avec Gabriel comme instructeur, je n'ai pas peur.

— J'aimerais bien te regarder essayer.

— Tu es certaine ? Je ne veux pas que tu t'emmerdes à m'attendre.

— Voyons, Annie, je suis à la plage, le soleil brille et j'ai bien l'intention de remplir ce verre d'un bon pina colada.

Qu'est-ce qui pourrait manquer à mon bonheur ? De plus, je crois que ça va être excitant de te regarder !

— OK, je vais tenter d'en faire.

Mon cœur palpite ; ce sport semble si facile de loin, mais je ne suis pas convaincue qu'il l'est.

— Allons-y.

Nous passons par le bar pour faire remplir nos verres, ce qui va aussi me manquer la semaine prochaine, bien que dans les rues de Montréal, en février, nous n'ayons pas vraiment besoin de nous désaltérer à cause du soleil brûlant. Nous marchons sur la plage pour nous rendre à l'endroit d'où partent les planches. C'est un peu plus loin, car il ne faudrait pas que les planches et les baigneurs se retrouvent au même endroit, ce qui serait dangereux. Je vois Gabriel et Simon assis près de leur équipement.

— Je suis un peu nerveuse, c'est beaucoup plus imposant que je croyais !

— Je te trouvais bien courageuse, mais tu seras entre de bonnes mains, tu as le meilleur instructeur, m'assure Ève.

— Le plus beau aussi.

— Ah oui, pour être beau, il est beau, ton Gabriel.

J'éclate de rire. Il faut bien que je me rende à l'évidence : les choses seront toujours ainsi. Les filles le trouvent beau, il attire tous les regards. Il n'y a pas d'homme plus sympathique en plus. Mais je sais que ses yeux brillent pour moi quand nous arrivons. Je voudrais avoir ce regard posé sur moi toute ma vie.

— Nous sommes prêts, annonce-t-il. Tu vas essayer aussi, Ève ?

— Euh, non. Mais je vais être une super spectatrice. Je dois avouer que c'est encore plus impressionnant de près, tout cet équipement.

— Moi aussi, je suis impressionnée, interviens-je.

— Nous allons y aller doucement. J'ai mis une plus petite voile, m'explique Gabriel. Nous allons surtout nous amuser à garder ta voile dans les airs, les deux pieds sur la plage, pour commencer.

— Je suis soulagée, j'avais envie de renoncer.

— Tu vas être superbe. En plus, tu as de la chance, Simon et moi allons tout faire pour toi ou presque.

Il s'approche de moi.

— Je suis heureux de partager cette passion avec toi.

— Tu as bien voulu participer à mes projets cette semaine.

— J'avoue que ce qui te passionne était beaucoup plus excitant, mais je te promets que ceci va te faire autant de bien.

— Je suis très fébrile d'essayer, mais avant, tu veux m'aider à bien m'appliquer de la crème?

Je me déshabille.

— Je change d'idée. Je crois que ça va être tout aussi excitant de te voir mettre mon équipement avec ce bikini. Dommage que nous ayons des spectateurs.

Oui, dommage. Nous ne sommes pas les seuls à vouloir profiter de cette belle journée pour en faire. Gabriel attrape mon tube de crème pour en appliquer dans mon dos. Il prend son temps. La chaleur de ses mains me fait du bien.

— Merci, Gabriel.

— Tu sais comment j'aime te mettre de la crème.

Il m'observe d'un air enjoué. J'ose à peine le regarder; il n'a qu'à mettre ses mains sur moi pour que je tombe sous son charme. Il nous faudra bien trouver un moment pour être seuls aujourd'hui.

— Viens, je vais installer ton harnais et t'expliquer ce que nous allons faire pour commencer.

Il glisse le harnais autour de ma taille pour bien l'ajuster. Je suis amoureuse de mon instructeur privé. *Concentre-toi, Annie.* Ensuite, il m'explique le mouvement de la voile, mais je n'écoute pas trop ; tout ce que je comprends est qu'il y a une façon de la prendre pour la faire monter et une autre pour la faire descendre. Il me rassure que lui et Simon vont faire tout ça pour moi pour commencer.

Il m'explique ensuite le fonctionnement de la barre qui vient me relier à la voile. Je commence à me demander si je ne vais pas m'envoler lorsqu'il m'attache à la voile. Je reconnais la pièce avec laquelle il m'a attachée. Je me sens rougir. Je dois rester concentrée.

— Gabriel, j'ai peur de m'envoler.

— Il n'y a aucun danger.

— Oui, mais tu es plus fort que moi.

— Tu es la fille la plus forte que je connaisse, mais ce n'est pas une question de force ici, c'est une question de maîtrise.

Il discute avec Simon, qui va se placer à côté de la voile. Nous nous reculons ensuite la longueur des lignes qui nous relient à la voile. Je sens que toute ma maîtrise m'échappe. Je sais que Gabriel parle de liberté quand on pratique ce sport, mais je sens que les lignes sont comme mon cœur que je mets dans les mains de Gabriel. Je ne tiens qu'à un fil, ou dans ce cas, à quelques-uns. Je veux être courageuse et me lancer à la mer, je rêve de retrouver la liberté d'aimer librement. Sans avoir peur. Simon laisse monter ma voile doucement. Mon cœur palpite. Jamais je n'ai pensé que ce voyage m'exposerait à mes plus grandes peurs. Il est trop tard pour changer d'idée.

Chapitre 48

Gabriel

Je suis heureux comme un enfant de partager cette passion avec Annie. Je sens qu'elle est nerveuse, ce qui me surprend. Je m'installe derrière elle. Simon laisse monter la voile tandis que je laisse Annie s'habituer à son équipement. Le vent est parfait pour cette première fois.

— Tu vois, princesse, c'est le vent qui fait tout le travail.

— J'avoue, c'est comme tenir un cerf-volant géant.

— Oui, c'est un peu ça dans le sable. Si tu veux, nous irons dans la mer sans la planche. Tu pourras te laisser porter dans l'eau par la voile, ça va être un meilleur exercice pour gérer la barre.

Nous nous avançons dans l'eau.

— Je te propose de faire des tests avec ta barre. Guide ta main vers l'avant et l'autre derrière pour ralentir. Tu vois ? Fais-le, je reste près de toi.

— Mais je vais partir ? me demande-t-elle.

— Oui, tu vas parcourir de petites distances dans l'eau. Ça va te permettre de voir ce que la voile va faire quand tu seras sur la planche.

— Je te fais confiance.

Elle me regarde avec ses grands yeux verts. Je vois bien qu'elle hésite, mais de sortir de sa zone de confort lui fera du bien. Je sens même que ça nous rapproche ; elle doit me faire confiance.

Un courant de vent l'emporte rapidement sur quelques mètres. Elle réussit à reprendre la maîtrise sans trop d'efforts.

— C'est ça, laisse-toi porter dans l'eau un peu. Tu sens comment ça tire ?

— Oui, j'avoue que je commence à avoir hâte d'essayer avec une planche.

— Tu es certaine que tu te sens prête ? Simon va y aller avec toi, il est déjà prêt.

Nous exerçons ensemble la technique pour bien partir avec la planche. Elle comprend vite le principe. Je sais qu'elle peut y arriver, je la prépare quand même depuis près d'une heure.

— Tu as des questions ? Tente de ne pas prendre trop de vitesse, ne va surtout pas essayer des manœuvres dont nous n'avons pas parlé.

— Je vais où je veux.

— Tu vas voir, les vents vont t'emmener, mais aussi vite te ramener ici au bord.

— OK, je suis prête, même si j'ai peur.

— Il n'y a pas de danger, la rassuré-je. Tu vas y arriver.

— Oui, mais j'imagine qu'on ne veut pas que la voile tombe elle aussi.

— C'est peu probable. Même si tu tombes, ça va être comme tantôt, la voile va continuer à voler, c'est toi qui dois la diriger.

Je m'empresse de parler avec Simon. J'aimerais bien partir avec elle, mais je préfère regarder de loin afin de m'assurer que tout se passe bien.

— J'ai confiance en toi.

Je l'embrasse rapidement sur le front.

— Vas-y, montre-moi que tu es une vraie sirène.

— Une sirène vit sous l'eau, ne me souhaite pas ça !

Nous rions. Elle n'a aucun mal à partir. Elle est douée et déjà loin. Je suis soulagé, la météo est parfaite pour cette première fois. Ève, qui observait de loin, vient me rejoindre.

— Je suis jalouse, elle a tellement de courage, cette amie.

— Tu as raison, c'est une de ses plus grandes qualités.

— J'avoue. J'aimerais bien qu'elle puisse avoir assez de courage pour pousser son art au maximum.

— Je crois qu'elle a des projets prometteurs, même si je suis déjà un admirateur de sa dernière collection.

Je remarque que je me confie à son amie.

— Mais où as-tu vu ses toiles, Gabriel ? Il me semble que toi et Annie ne vous êtes pas reparlé depuis les 10 dernières années ?

— J'ai dû les voir sur Facebook, tu sais, elle est amie avec ma sœur.

— Ah, c'est sûrement ça, concède-t-elle.

Je vois qu'elle est sceptique. Je ne vais certainement pas lui confier que j'en ai une en ma possession. Par contre, notre conversation me rappelle que je devrais en parler avec Annie. Je n'ai plus envie de lui cacher quoi que ce soit. Je dois aussi lui confier que ce n'est pas tout à fait un hasard si nous nous sommes croisés ici. Je sais que notre lien de confiance est fragile, je ne voudrais pas freiner mon progrès avec elle après tous les efforts que j'ai investis à la convaincre qu'elle peut me faire confiance.

— Je m'inquiète pour Justine. Je lui ai confirmé par texto que nous étions ici avec toi, mais elle ne me répond pas. Je crois que je vais retourner sur le site pour tenter de la retrouver. Tu peux faire le message à Annie?

— Bien sûr.

— Justine aurait pu prendre de magnifiques photos de notre amie. C'est un équipement très impressionnant. C'est beau à voir voguer sur l'eau.

— Tu sais, Ève, je suis persuadé que tu y arriverais, toi aussi.

— Merci, Gabriel, mais non, ce n'est pas pour moi, tous ces sports dangereux.

— Ah, tu changerais d'idée avec ta première poussée d'adrénaline.

— Peut-être. Bon, j'y vais! Avise Annie de me texter lorsqu'elle reviendra, nous devrions être à la plage.

Annie a de la chance d'avoir des amies aussi proches. J'ai tellement voyagé et travaillé depuis quelques années que mes seuls amis sont des collègues comme Simon. Je ne planifie pas travailler moins dans les années à venir, mais je suis prêt à accorder beaucoup de temps à notre relation.

Je vois qu'ils reviennent. Je sens que l'arrêt sera un peu improvisé en raison de mon cours en accéléré; je n'aurais jamais permis autant de latitude à un débutant dans un de mes cours.

Elle arrête comme une championne malgré tout. Je m'approche d'elle dans l'eau.

— Tu m'as vue, Gabriel?

— Bien sûr que je t'ai vue, tu étais fantastique.

— Ah, mon Dieu, si tu savais comment j'étais bien en pleine mer à me laisser guider par le vent!

— Je te l'avais dit.

— Oui, mais le vivre est une autre chose. L'expression *Libre comme le vent* prenait tout son sens.

— La prochaine fois, j'en ferai avec toi.

— Nous partons demain, je ne sais pas si ça sera possible, mais j'aimerais bien en refaire, je crois que j'ai eu la piqûre. Je peux juste imaginer sur la neige!

— Ça se ressemble beaucoup, mais tous les vêtements briment un peu plus le sentiment de liberté.

Je la guide sur le sable. Je lui explique ce qu'elle devra faire pour faire atterrir sa voile. J'aide ensuite Simon à faire atterrir la sienne.

— Merci, Simon, tu as été un bon guide.

— Ça m'a fait plaisir, dit-il. Tu sais, Annie se débrouillait bien pour une première fois, j'ai rarement vu autant d'aisance si rapidement.

— Je te l'ai dit, qu'elle est spéciale. Si jamais tu trouves une fille comme elle, ne la laisse jamais partir. C'est mon conseil de vieux sage.

— Tu es loin d'être vieux et encore moins sage, mais je vais retenir le conseil.

Je retourne rejoindre Annie, qui a commencé à s'appliquer de la crème.

— Viens, je vais le faire.

— Tu es si serviable. Je ne veux pas courir de risque, le soleil est tellement fort et sur l'eau comme ça, je sentais ma peau brûler.

Je lui applique de la crème partout. J'adore pouvoir promener mes mains sur tout son corps.

— Nous devrions retourner à ma chambre.

— Gabriel ! Mais dis-moi, Ève n'est plus là ? remarque-t-elle.

— C'est vrai, j'ai oublié de te dire qu'elle est partie à la recherche de Justine.

— Pourquoi à sa recherche ? Elle est allée la retrouver, tu veux dire ?

— Non, elle n'avait pas de nouvelles alors elle voulait s'assurer qu'elle n'était pas en train de vous chercher à la plage.

— Ah. Je vais regarder mes textos, elles doivent m'attendre pour le déjeuner.

— Reste avec moi.

Je me colle pour l'embrasser dans le cou. Nous sommes à l'ombre sous un arbre qui nous cache à peine des regards. Comme elle m'excite, cette fille ! Mes lèvres caressent les siennes. Elle a le goût de la mer.

— J'aimerais bien céder à ton charme, mais laisse-moi au moins m'assurer que mes copines ne m'attendent pas. Nous avions décidé de passer cette dernière journée ensemble.

Elle sort son téléphone de son sac pour regarder ses messages. J'espère qu'elle décidera de rester avec moi. J'ai eu bien des fantasmes en la regardant naviguer sur ma planche, j'ai eu du mal à contenir mon désir. Heureusement que j'ai laissé mes pieds dans l'eau fraîche. Je lui enlèverais bien son petit bikini pour savourer son corps parfait. Je remarque que son regard vient de changer, qu'elle fronce les sourcils. Elle semble même avoir perdu les belles couleurs prises lorsqu'elle était en mer.

— Mais que se passe-t-il, Annie ?

— C'est Justine, elle a disparu !

— Elle est peut-être avec David.

— Non, je dois y aller, insiste-t-elle.

Je vois que ça ne va pas du tout.

— C'est Ève qui t'a écrit ?

— Oui. Justine est partie en catamaran avec Caroline, mais elles ne sont jamais revenues.

— Je suis persuadé qu'il y a une bonne explication. Je viens avec toi.

— Comme tu veux.

Pauvre Annie, je vois que cette histoire la bouleverse. Elle s'inquiète certainement pour rien. Les filles peuvent être si dramatiques. Justine est probablement en rendez-vous secret avec David. Que pourrait-il arriver de si terrible dans un tout inclus comme le nôtre ?

Chapitre 49

Les sensations fortes de la dernière heure ne sont rien comparativement au texto que j'ai reçu d'Ève : *Justine est perdue en mer!* Comment peut-elle m'écrire quelque chose de la sorte sans plus d'explication? Je m'empresse de l'appeler, mais elle ne répond pas. Je suis soulagée que Gabriel m'accompagne, même si je n'ai pas envie de faire la conversation. Mon cœur bat si vite!

— Doucement, Annie, nous allons la retrouver.

— C'est facile à dire, j'aimerais avoir ton assurance.

Nous nous rendons à la plage de l'hôtel. Je ne vois pas mes amies. Je reçois enfin un texto d'Ève qui me dit qu'elle est à la réception. Je m'empresse de m'y diriger.

— Je suis inquiète, Gabriel.

J'ai du mal à contenir mes larmes. Je ne sais pas pourquoi, mais j'imagine le pire. Justine, c'est mon amie sage, celle qui ne prend jamais de risque, qui est un grand livre ouvert, elle ne nous cacherait rien.

— Calme-toi, Annie, il fait chaud et notre course pour nous rendre jusqu'ici n'aidera pas ton amie si tu te retrouves avec un coup de chaleur. Dès que nous arrivons à la réception, je te trouve de l'eau.

Je ne l'écoute plus. Mon seul objectif est de rejoindre Ève. Je l'aperçois au loin. Je cours pour la retrouver.

— Mon Dieu, Ève, tu vas me dire ce qui se passe ?

— C'est fou, Annie. Justine et Caroline sont parties en catamaran, mais ne sont jamais revenues.

— Mais voyons, ce n'est pas possible.

— Je sais. C'est pourquoi Chloé m'a retrouvée sur la plage comme je cherchais Justine. Elle était affolée, elle les a vues partir, mais s'est vite aperçue qu'elles ne revenaient pas.

— Mais avez-vous demandé une explication au centre nautique ou à quelqu'un d'autre ?

— Oui, c'est ça, le problème, m'informe-t-elle. Personne ne sait ce qui s'est passé, ce n'est pas un employé de l'hôtel qui est parti avec elles.

Je sens mes jambes devenir molles. Je suis comme dans un film d'horreur. Je sens le bras de Gabriel se glisser autour de ma taille pour me soutenir. Je dois rester forte. Nous devons les retrouver.

— L'hôtel doit commencer des recherches.

— Oui. Tu ne le devineras jamais, mais tu vois l'homme là-bas, le grand avec les cheveux foncés ? Il connaît très bien David et sa sœur. Je n'ai pas compris par quel hasard il est ici, mais il discute actuellement avec les gens de l'hôtel de la suite des choses.

— Je veux lui parler. Je veux aider.

— Moi aussi, mais il va venir nous voir. Il sait que Chloé et moi voulons des nouvelles et voulons aider, surtout.

Je lance un regard à Chloé, qui est assise dans un fauteuil près de nous. Pauvre fille, elle se retrouve bien seule.

Elle a les yeux vitreux, et je sens qu'elle est aussi dépassée par cette situation.

— Gabriel, tu irais nous chercher quelque chose à boire ?

— J'y vais. Tu devrais t'asseoir aussi un moment.

Il me regarde avec tellement de tendresse. Il comprend ma détresse. Je ne me suis jamais sentie aussi impuissante.

— Viens, Ève, assoyons-nous.

Alors que nous nous installons, mes yeux ne quittent pas l'homme identifié par Ève. Je constate que David n'est pas là. Est-ce qu'il pourrait être responsable de leur disparition ? Peut-être qu'il a juste voulu que sa sœur et Justine aillent le rejoindre quelque part ? Il a tellement les moyens, tout serait possible pour lui.

— Dis-moi, Ève, est-ce que tu as des nouvelles de Mathieu ?

— Non, il est en mer, la connexion ne rentre pas.

— Est-ce que tu sais si David est bien avec lui comme prévu ?

— Oui, ils sont partis ensemble ce matin. Pourquoi ?

— Parce que je me demande si David ne serait pas responsable de cette histoire...

— Comment peux-tu penser qu'il enlèverait sa propre sœur ?

— Non, pas de façon négative ! Peut-être qu'il voulait leur faire une surprise, les emmener quelque part ?

— Je n'y avais pas pensé, mais tu ne crois pas qu'il aurait avisé Chloé ? rétorque mon amie.

— Je ne sais plus, j'ai du mal à réfléchir.

L'homme mystérieux se dirige enfin vers nous. Nous nous levons toutes les trois. Je n'ai jamais vu un homme aussi imposant, pas seulement en raison de la carrure de ses épaules ni de la grosseur de ses bras soulignée par son t-shirt moulant, mais son regard sérieux m'indique que je veux être son amie, et non le contraire. Je lui accorde toute ma confiance sans même qu'il ait eu à prononcer un seul mot.

— Nous partons à l'instant pour la marina, il semblerait que le catamaran y a été vu, nous avise-t-il.

— Nous venons avec vous! s'écrie Ève.

— Non. Nous ne savons pas ce qui se passe, nous ne mettrons pas votre vie en danger.

— En danger? répète Chloé avant d'éclater en sanglots.

— Calme-toi, Chloé, c'est une façon de parler.

Je regarde la pièce d'homme avec mes yeux mécontents. Pas trop sensible, le monsieur.

Il regarde Ève.

— Je dois y aller. J'ai ton numéro, je te texte dès que j'en sais plus.

Il repart aussitôt. Je vois quelques hommes embarquer avec lui. J'imagine qu'ils travaillent à l'hôtel. Gabriel revient enfin.

— Qu'est-ce qui se passe? Je voulais aller plus vite, mais le bar était occupé.

— C'est un ami de David. Il est parti à la marina, le catamaran aurait été vu là-bas.

— Est-ce que tu veux y aller?

— Non, je ne crois pas que nous pourrions aider. Tu as vu la marina, ce n'est pas grand, ils auront vite fait le tour.

Nous restons dans le silence à boire nos punchs sans alcool. J'ai l'impression de vivre les plus longues minutes de ma vie. Qu'est-ce que nous sommes censés faire pendant que nous attendons des nouvelles?

— Je voudrais que Mathieu soit là.

— Pauvre Ève, je sais. La pêche devrait se terminer bientôt.

— Oui, il devait terminer vers 13 h, et il est 12 h 30. Je ne peux pas croire ce qui arrive, Annie. Comment est-ce possible ?

— Je ne sais pas. Je garde espoir qu'il y ait une explication logique, déclaré-je même si rien de logique ne me passe en tête.

Deux belles filles comme Justine et Caroline, je peux juste imaginer leur valeur. Pourtant, je n'ai jamais eu connaissance d'un acte violent se produisant avec des touristes à Cuba. Les nouvelles peuvent bien rapporter ce qu'elles veulent, mais tellement de Québécois viennent ici, s'il y avait des dangers, on le saurait. Pauvre Justine. J'espère qu'elle va bien.

Gabriel se colle sur moi en me prenant la main.

— Est-ce que je peux faire quelque chose pour toi ?

— Non. Ta présence me suffit.

Ève tient la main de Chloé. C'est comme si notre respiration était en suspens. J'hésite à interroger Chloé. Je voudrais lui demander ce qu'elle a vu plus précisément, mais elle semble si perdue. Je ne vais pas augmenter son stress. Peut-être que nous devrions aller manger ? Ça nous changerait les idées le temps que Mathieu revienne de son activité. Il sera à la marina, il pourra certainement nous donner des nouvelles.

— Ève, tu as texté Mathieu ? Dis-lui ce qui se passe à la marina.

— Oui, je lui ai écrit de me contacter dès qu'il revient sans trop entrer dans les détails. Je ne veux pas qu'il alarme David.

— Nous devrions aller manger, proposé-je sans réfléchir.

— Je n'ai pas faim.

— Moi non plus, ce qui me surprend, mais nous devrions garder nos forces et surtout nous changer les idées en attendant.

— Tu as raison. Viens, ma belle Chloé, l'invite Ève.

— Je crois que je vais attendre ici.

— Voyons, tu crois que nous allons te laisser seule? rétorqué-je.

— Merci de rester avec moi.

— Nous allons passer au travers ensemble, l'assure Ève.

Elle est si rassurante. Je ne sais pas comment elle fait pour sourire à Chloé. C'est vrai qu'elle travaille avec des enfants, à qui on ment souvent avec notre plus beau sourire. On ne voudrait jamais les exposer à nos préoccupations ou à notre propre stress. Pourtant, Chloé n'est pas une enfant. Je me souviens de l'époque où j'avais 19 ans. Je me trouvais tellement grande. Je vivais à Montréal, je terminais mon cégep, et j'avais tellement de rêves et d'espoir en mon avenir.

Même si j'envie un peu tout ce qui l'attend, je ne retournerais pas à cette époque. Je suis soulagée que mes études soient bien loin derrière. Je sais que je n'ai pas la vie rêvée, mais je sens que ça approche. Je remarque que ce voyage m'a fait le plus grand bien. J'avais besoin de réponses; je les ai obtenues, et encore plus. C'est peut-être le choc de la disparition de Justine, mais je comprends que je n'ai qu'une seule vie à vivre, et je la vivrai.

Je ne suis pas du genre à prier, mais en ce moment, je me mettrais à genoux pour avoir Justine devant moi et la serrer dans mes bras. *Petit Jésus, protégez Justine, peu importe où elle se trouve, et surtout, ramenez-la saine et sauve. Caroline aussi.* Je n'ose même pas penser à d'autres scénarios. Justine doit revenir.

Chapitre 50

Nous nous dirigeons vers le restaurant de grillades près de la piscine. Je n'ai pas envie de manger, mais je sais que c'est possiblement une bonne chose. Les minutes sont déjà longues. Qui sait ce qui nous attend ? Nous trouvons une petite table, et un serveur vient nous offrir quelque chose à boire avec son plus beau sourire. J'hésite, mais je me dis qu'un peu d'alcool serait le bienvenu pour nous tous. Je m'empresse de commander des pinas coladas, et personne ne s'y oppose. Je ne sais pas si Chloé a même le droit de consommer de l'alcool. Pauvre petite, je dois lui changer les idées.

— Dis-moi, Chloé, tu connais Caroline depuis longtemps ?

— Oui, nous allons à la même école depuis le primaire. Elle est ma meilleure amie depuis que j'ai 10 ans.

— Tu as de la chance d'avoir une si bonne amie. Nous trois, Ève, Justine et moi, fêtons nos 10 ans d'amitié ici.

Comme je le dis, j'ai les yeux qui se remplissent d'eau. Ève attrape ma main qui est déposée sur la table.

— L'amitié, c'est précieux, Chloé, énonce Ève. Tu as de la chance de le comprendre si jeune.

— Ève a raison. Ne t'inquiète pas, nous allons toutes être réunies rapidement.

Gabriel me regarde comme s'il aimerait me rassurer, mais semble aussi préoccupé que moi. Je repense à Julien, l'homme qui a tout pris en charge. Si je ne savais pas qu'il travaillait avec David, je trouverais louche qu'il arrive au même moment que la disparition. Je me demande si Chloé le connaît.

— Dis-moi, Chloé, est-ce que tu connais Julien, l'homme qui est parti à la marina ?

— Non, pas vraiment. Je l'ai vu quelques fois avec Caroline, c'est pourquoi je l'ai reconnu quand je l'ai vu. Tout ce que je sais est qu'il travaille avec David. Il accompagne aussi parfois Caroline comme garde du corps.

— Comme garde du corps ? répète Ève.

— Oui, Caroline est toujours accompagnée.

Elle le prononce comme si c'était la chose la plus normale du monde. Je me souviens d'avoir lu que les parents de David étaient décédés tragiquement. Je me demande s'il y a un lien avec cette histoire de garde du corps. Je sais que la vie privée de Caroline et de David ne me regarde pas, mais pourrait-il y avoir un lien avec la disparition des filles ?

— Est-ce que tu sais pourquoi elle est toujours accompagnée ?

— Non, Caroline n'aime pas en parler. C'est David qui est très protecteur et qui l'exige. Ça ne plaît pas toujours à Caroline, mais c'est comme ça depuis que je la connais.

— Est-ce qu'elle et David sont accompagnés ici ? s'enquiert Ève.

— Je ne crois pas. David a offert ce voyage à Caroline pour ses 19 ans, c'est lui qui a décidé de l'accompagner.

— Cette histoire me donne des frissons.

— Ne commence pas à t'inquiéter, Ève, lui dis-je. Nous ne savons pas encore ce qui se passe. Tout ça n'est peut-être qu'un énorme malentendu.

— Tu dois avouer que c'est quand même bizarre que ce Julien débarque à Cuba au moment où les filles disparaissent. Ne me dis pas que tu n'y as pas pensé.

Je voudrais la rassurer, mais de plus en plus de questions me traversent l'esprit aussi. Gabriel ne tarde pas à vouloir calmer la situation.

— Nous sommes dans un site touristique à Cuba, je ne crois pas qu'il faut nous inquiéter. On ne vient pas kidnapper deux touristes sur la plage sous les yeux de tous.

— Tu as peut-être raison, mais tu dois avouer qu'il est facile de nous faire des scénarios avec ce que nous savons, riposté-je.

— Je crois que nous devrions nous commander une autre tournée avant que votre imagination devienne encore plus fertile, propose Gabriel.

— Je voudrais que Mathieu me donne des nouvelles, intervient Ève. Il doit être sur le point d'arriver, si ce n'est pas déjà fait.

— Gabriel a raison, je nous commande d'autres pinas coladas, affirmé-je.

Nous touchons à peine à nos assiettes, mais je mange toutes mes frites. Nous tentons de jouer la carte du courage, mais je vois bien qu'Ève et Chloé sont comme moi : elles sont aux prises avec une immense boule de stress. L'attente est insoutenable, rien ne peut faire avancer le temps plus vite. Une sonnerie nous parvient enfin du téléphone d'Ève. Nous nous figeons tous.

— Ah, mon Dieu, c'est qui ? veux-je savoir.

Tandis qu'Ève regarde son message, nous la fixons dans le plus grand silence.

— C'est Mathieu, il vient d'arriver à la marina. Il me dit qu'il est avec David. Ils viennent d'être mis au courant de la situation, mais ils ne savent rien de plus pour le moment. Il est désolé de ne pas pouvoir être ici avec moi.

Elle éclate en sanglots. Je crois qu'elle se retenait ; elle est certainement soulagée qu'il soit revenu.

— Viens ici, Ève.

Je la serre dans mes bras. Je regarde Gabriel, qui semble se sentir encore plus impuissant.

— Il doit bien y avoir quelque chose que nous puissions faire, souligne-t-il.

— Attendons encore un peu. Moi aussi, j'aimerais bien embarquer dans un taxi pour me rendre à la marina, admets-je.

Ma théorie que David voulait leur faire une surprise ne tient plus la route. Mathieu nous a bien confirmé qu'il est avec lui.

Chloé demeure silencieuse. Je manque de mots pour la rassurer, je suis si inquiète. Je crois qu'elle est certainement réconfortée de ne pas être seule pendant cette crise.

J'ai soudainement besoin de bouger.

— Ça vous dirait d'aller vous asseoir près de la piscine ?

— Oui, il fait tellement chaud, je crois même que je vais sauter à l'eau, accepte Ève.

— Moi aussi, ça me ferait du bien. Je me sens encore collée avec le sel de mer.

— C'est vrai, Annie, avec toute cette histoire, nous n'avons pas reparlé de ton expérience de planche aérotractée.

— Ah, Ève, c'était magique. Tu dois l'essayer un jour, on se sent tellement bien à se laisser porter par le vent!

— Tu avais l'air bien. Une vraie championne en plus, je crois que tu as impressionné Gabriel.

Gabriel a entendu son nom.

— Elle m'impressionne depuis toujours, ma chère Annie.

Je sens que je vais rougir. Gabriel me regarde avec ses yeux si charmeurs. Mon corps réagit tout de suite. Ce n'est pas le moment de me laisser séduire. Je m'aperçois que je ne devrais pas retenir Gabriel, c'est aussi sa dernière journée. Sa présence avec nous ne réglera pas le problème.

— Merci, Gabriel. Tu sais, tu peux retourner en faire, si tu veux. Je te donnerai des nouvelles dès que j'en aurai.

— Je ne veux pas te laisser seule avec toute ton inquiétude.

— Tu ne peux rien faire de plus, Gabriel. Tu devrais aller profiter de la mer, il ne reste qu'un peu plus de 24 heures.

— Je reste avec toi, insiste-t-il.

Nous nous installons sur des chaises longues à l'ombre de palmiers. Gabriel s'offre pour aller au bar. Je ne sais pas si c'est une bonne idée, mais nous sommes toutes les trois plus calmes depuis que nous avons consommé quelques verres.

— Tu veux venir avec moi te rafraîchir dans la piscine, Chloé? suggère Ève.

— Oui, ça va me faire du bien, j'ai tellement chaud.

— Annie, est-ce que tu viens avec nous?

— Je vais juste attendre que Gabriel revienne. Laisse-moi ton téléphone au cas où tu recevrais un texto.

— Bonne idée.

Je regarde mon téléphone. Comme j'aimerais recevoir un texto de Justine me disant que tout va bien ! Nous lui avons envoyé plus d'un message ; je suis certaine qu'elle nous répondrait, si elle le pouvait.

Gabriel revient enfin.

— Merci, Gabriel, d'être resté avec moi. Tu sais, cette semaine est tellement invraisemblable, je crois que je pourrais en écrire un livre.

— J'avoue que cette histoire avec ta copine est assez étrange.

— Je ne parle pas juste de ça. Mes retrouvailles avec toi aussi tiennent de la fiction, non ?

Il détourne le regard sans me répondre.

— Gabriel ?

— Désolé. Il n'y a rien de fictif dans ce que je ressens pour toi, Annie.

Il me regarde soudainement sérieusement. Lorsqu'il s'approche pour m'embrasser, je me laisse tenter par ses lèvres si douces et chaudes. Nous avons tous les deux le goût sucré des pinas coladas. Son baiser s'intensifie, et il glisse sa langue sur la mienne. Me sentir près de lui me fait tellement de bien. C'est comme une grande caresse dont j'avais besoin. La douceur du moment prend fin. Quand j'ouvre les yeux, il me fixe du regard. Il est évident qu'il aimerait que nous puissions continuer notre danse des derniers moments ailleurs.

— J'aimerais bien te suivre, mais je veux rester ici.

— Je sais, mais comme j'aimerais pouvoir t'emmener à ma chambre maintenant ! me renvoie-t-il.

— Tu es rendu trop sage, il me semble que nous n'avons pas terminé d'explorer les différents endroits exotiques de ce site.

— Je t'aime bien dans un lit, Annie, mais je suis ouvert à tes suggestions.

— Merci de me changer les idées, Gabriel.

Notre échange est interrompu par la réception de messages sur le téléphone d'Ève. Mon cœur palpite.

Chapitre 51

J'ose à peine regarder les textos qui viennent d'entrer. Je vois bien qu'ils proviennent de Mathieu. Je fais signe à Ève, qui est au loin dans la piscine, de revenir.

— Tu veux que je regarde, Annie ? me demande Gabriel.

— Non, ça va.

J'ouvre le premier.

Justine et Caroline ont été retrouvées.

C'est à mon tour d'éclater en sanglots. Gabriel me prend dans ses bras, mais je le repousse.

— Je veux voir l'autre texto, je ne sais pas si elles vont bien.

J'ouvre le deuxième.

Je reviens à l'hôtel, je te raconterai toute l'aventure. J'ai hâte de te serrer dans mes bras xxx

Je me sens un peu mal de lire ce message destiné à Ève, mais je sais qu'elle comprendra. Je m'empresse de lui texter.

Comment vont les filles ?

Une réponse arrive presque aussitôt.

Je préfère t'expliquer en personne. Mais on s'occupe d'elles, ne t'inquiète pas.

Mais comment peut-il être si calme ? Je me retiens de lui réécrire. Ève et Chloé arrivent.

— Elles ont été retrouvées ! leur annoncé-je.

Même si elles sont toutes mouillées, je m'empresse de leur faire un gros câlin. Nous restons un moment collées. Dire que nous sommes soulagées serait un euphémisme.

Ève prend son téléphone pour regarder ses textos. Je suis certaine qu'elle est impatiente de revoir Mathieu.

— Je ne peux pas croire qu'il ne nous donne pas plus d'information! Je suis très inquiète, Annie.

— Moi aussi. Nous devrions aller à la réception pour l'attendre, proposé-je.

Pauvre Chloé. Je m'empresse de lui résumer les messages. Elle ne semble pas rassurée non plus.

— Vous croyez que je devrais texter David? J'ai son numéro.

— Non, je crois que nous devrions attendre les explications de Mathieu. Il doit être encore sous le choc et bien occupé à éclaircir ce mystère.

— Tu as raison, reconnaît Chloé.

— Mais tu restes avec nous, lui intimé-je.

— Merci, c'est très gentil. Je ne sais pas ce que j'aurais fait si je n'avais pas vu Ève arriver à la plage.

Je vois qu'elle tente de garder son sang-froid, mais en ce moment, nous avons toutes les trois du mal à y parvenir. Gabriel s'approche de moi.

— Annie, je vais vous laisser aller à la réception, j'ai quelques consignes à donner à Simon pour cet après-midi; je veux qu'il fasse quelques tests de plus avec l'équipement avant le départ de demain.

— Vas-y, Gabriel, je t'écris dès que j'en sais plus.

— Je n'aime pas te laisser quand nous en savons si peu, mais promets-moi que tu me textes, si tu as besoin. Je reviens dès que je règle le tout avec Simon.

Il m'embrasse rapidement dans le front et nous quitte.

— Allons-y, Mathieu ne va pas tarder, lancé-je.

Nous marchons rapidement vers la réception. J'ai un sentiment de déjà-vu même si mon cœur palpite un peu moins.

— Nous devrions écrire à Justine, souligné-je.

— Tu crois que c'est une bonne idée ? Elle nous écrirait si elle le pouvait, non ?

— C'est vrai que nous lui avons déjà envoyé plusieurs textos. Peut-être que son téléphone est tombé en mer ?

— Tu as beaucoup d'imagination, Annie.

— Oui, j'aimerais en avoir moins, mais ça ne m'aiderait pas avec mon art.

— Tu sais, je ne t'ai même pas vue une fois dessiner cette semaine.

— J'ai dessiné. Pas autant que je l'aurais souhaité, mais j'ai eu beaucoup d'inspiration pour ma nouvelle collection.

Comme je le dis, je me sens soudainement devenir rouge. Ève me fait un petit sourire complice.

— Ah, je vois ce que tu veux dire !

Mon amie me connaît bien. J'éclate de rire. Pour une raison que j'ignore, je suis incapable d'arrêter. Ève rit de bon cœur avec moi. Chloé nous regarde comme si nous étions deux extraterrestres. Nous n'allons certainement pas lui confier pourquoi nous rions.

— Désolée, Chloé, je crois que c'est le stress qui nous quitte un peu, m'excusé-je.

Elle me fait un petit sourire gêné. Je ne me souviens pas avoir été aussi naïve à son âge, mais elle semble si sage et si pure. Je ne crois pas qu'elle pourrait visualiser mes prochaines toiles.

Comme nous arrivons à la réception, nous voyons Mathieu débarquer d'un taxi. Ève se précipite dans ses bras.

Comme c'est beau, l'amour! Par contre, je n'ai pas envie de romantisme en ce moment, je veux savoir comment va mon amie. Ève me devance avec les questions.

— Je suis soulagée que tu sois là, mais tu dois tout nous dire. Comment vont Justine et Caroline?

— Calme-toi, mon amour. Elles vont bien, ou du moins elles iront bien.

— Ce n'est pas le moment de nous parler en paraboles, Mathieu. Commence par le commencement, dis-nous ce qui s'est passé, l'enjoint Ève.

Nous nous installons sur les fauteuils de la réception, où il s'empresse de nous raconter tout ce dont il a été témoin. En revenant de son expédition de pêche avec David, ils ont tout de suite été mis au courant de la situation. Il nous parle brièvement de Julien (il a été aussi surpris que nous de la coïncidence de son arrivée). Il nous confirme que Justine et Caroline ont bien été enlevées. Même si j'ai du mal à suivre à partir de ce moment, je m'efforce de l'écouter raconter la manière dont elles ont été secourues.

— Ah, mon Dieu! s'exclame Ève. Qui les a retrouvées?

— Nous avons eu des doutes sur un des bateaux accostés à la marina. David et Julien se sont précipités pour aller voir de plus près.

— Mais ç'aurait pu être dangereux!

— Oui, mais si vous aviez vu l'état de David, et même de Julien, vous auriez compris qu'un peu de danger n'allait pas les empêcher de rejoindre les filles si elles étaient là.

— Quelle histoire! Mais tu ne nous as pas dit comment elles allaient. J'imagine qu'elles devaient être terrifiées, conçois-je.

— Elles étaient retenues dans la cale du bateau. On les avait attachées.

— Pauvre Caroline! s'exclame Chloé.

Je me colle à Chloé pour lui prendre la main. Ève demeure près de Mathieu depuis son arrivée.

— Caroline allait bien, même si elle a eu très peur, elle a été très courageuse.

— Qu'en est-il de Justine? vérifié-je.

— Je n'aime pas vous apporter cette nouvelle, mais l'expérience a été plus difficile pour elle.

— Mathieu, dis-moi ce qu'elle a, insiste Ève.

— Il semblerait qu'elle a tenté de s'enfuir et qu'ils ont été un peu moins patients avec elle. Elle est partie avec David en ambulance à l'hôpital.

— Mais tu dois en savoir plus, qu'est-ce qu'ils lui ont fait, ces malades? s'indique Ève.

— Calme-toi, Ève. Elle est entre de bonnes mains. De ce que j'ai pu savoir avant qu'elle parte, à part quelques ecchymoses, je crois qu'elle s'est peut-être fracturé une jambe.

C'est à mon tour de m'énerver.

— Nous devons aller la rejoindre.

Je me mets à trembler, mais je retiens mes larmes; ce n'est pas le moment de me laisser emporter par mes émotions.

— David est avec elle. Croyez-moi, il s'en occupera. Il va s'assurer qu'elle reçoive tous les soins dont elle a besoin.

— Mais il la connaît à peine, elle va se sentir si seule si nous ne sommes pas avec elle, protesté-je.

— Laissez-moi vous rassurer : David fera tout pour elle. J'ai vu la rage dans ses yeux, il était prêt à assassiner pour sauver votre amie.

— Il y avait quand même sa sœur, dans ce bateau, lui rappelle Ève.

— Tu as raison, il aurait tout fait pour sa sœur aussi, mais vous auriez dû le voir quand il a vu Justine. Il tient beaucoup à elle, vous n'avez rien à craindre.

Je suis un peu rassurée, mais comme j'aimerais pouvoir me téléporter auprès d'elle !

— Caroline est-elle allée à l'hôpital ? demande Chloé timidement.

— Non, elle était avec Julien et les policiers quand je les ai quittés. Je suis persuadé qu'elle ne va pas tarder à revenir.

— Merci, Mathieu. Tu nous rassures, même si je suis inquiète pour Justine. C'est complètement fou, cette histoire, affirmé-je.

— Est-ce que les coupables ont été arrêtés ? lui demande Ève.

— Oui, il y avait deux hommes sur le bateau. Mais je n'en sais pas plus.

— Les filles ont eu de la chance d'être retrouvées si rapidement, même si ç'a semblé si long.

— Tu as raison, Ève, interviens-je. Si Mathieu a vu juste, notre amie a eu bien de la chance de rencontrer David pendant ces vacances. Il lui a sauvé la vie. Je trouve ça très romantique.

— Je ne sais pas si Justine va trouver son aventure romantique, mais je dois avouer que nous avons toutes les trois eu de la chance cette semaine, conclut Ève.

Elle regarde son Mathieu avec des yeux si amoureux. Il la colle encore plus à lui. Je suis si heureuse pour elle.

Je repense à Gabriel et lui texte rapidement des nouvelles. Je me demande si Ève a raison : est-ce de la chance de l'avoir retrouvé cette semaine ? J'imagine que seul le temps viendra me le confirmer.

Chapitre 52

Je suis soulagée que cette mésaventure tire à sa fin.

— Je ne sais pas si c'était de la chance, mais je suis heureuse de savoir que notre amie se trouve entre de bonnes mains, dis-je à Ève.

— Tu devrais aller rejoindre Gabriel, tu es entre de bonnes mains, toi aussi.

— Je sais, j'ai de la chance, même si je n'ai pas un nouvel amoureux qui m'a sauvé la vie ou même un ex qui est venu jusqu'à Cuba pour me témoigner son amour.

Je vois que Mathieu me regarde drôlement. Je ne comprends pas.

— Mais voyons, Annie, tu ne penses pas que Gabriel a su te témoigner son amour ? énonce mon amie.

— Oui, je pense qu'il est sincère, mais je ne sais pas ce qui arrivera réellement après cette semaine de rêve. J'avoue que c'est un heureux hasard. Crois-moi, j'en ai profité, mais je crois que je vais devoir attendre pour ma preuve d'amour.

— Après 10 ans à ne pas être capable de t'oublier, il vient te rejoindre à Cuba et tu trouves que ce n'est pas une assez grande preuve ? réplique Ève.

— Mais de quoi tu parles ?

Je vois qu'elle devient mal à l'aise.

— Désolée, Annie, je croyais que tu savais.

— Savais quoi? C'est une coïncidence de revoir Gabriel! J'avoue que c'est quand même romantique de nous retrouver après 10 ans.

— Tu sais, Annie, tu es mon amie, je t'aime plus que tout, mais je crois que tu tentes encore d'ignorer la réalité. Pendant 10 ans, je t'ai vue fuir ta vie sentimentale, je crois qu'il est temps que tu ouvres tes yeux.

M'ouvrir les yeux? Je ne peux pas croire l'audace de mon amie. Qu'est-ce qu'elle en sait de toute la peine que j'ai subie à cause de Gabriel, même si elle en a été témoin? Fuir? Je ne fuis rien. Je suis bien prête à aller plus loin avec Gabriel, mais contrairement à ce qu'elle pense, mes yeux sont grands ouverts.

— Tu sais, Ève, je comprends ce que tu me dis : tu voudrais certainement que je puisse moi aussi avoir droit à mon conte de fées; tu voudrais que Gabriel soit mon héros, mon superhéros même, mais ça fait longtemps que j'ai rangé mes lunettes roses.

— Je crois que tu ne m'écoutes pas, Annie. Gabriel est venu à Cuba expressément pour te revoir parce qu'il n'a jamais pu t'oublier.

— Gabriel est ici pour essayer un nouveau modèle de planche aérotractée, contesté-je. Je crois que les histoires romantiques t'ont un peu trop affectée, Ève, tu en vois partout.

— Demande-le-lui, si tu ne me crois pas. Je ne sais pas pourquoi il ne te l'a pas encore avoué.

Mon amie semble si convaincue de ce qu'elle vient de me dévoiler. J'ai du mal à croire que Gabriel serait venu à ma rencontre, que tout aurait été planifié. Comme je commence à me perdre dans mes questionnements, nous voyons Caroline et Julien qui débarquent d'une voiture. Chloé s'élance vers Caroline. Je reconnais ma complicité avec mes amies, même si je suis un peu ébranlée de ma discussion avec Ève.

— Nous sommes heureuses que tu ailles bien, Caroline, lance Ève. Mathieu vient de tout nous raconter. Tu as été si courageuse.

— Merci, mais vous savez, c'est votre amie qui a eu tout le courage. Je n'aurais jamais survécu sans Justine.

Comme j'aimerais que Justine soit là. J'ai le cœur gros quand je pense qu'elle est toute seule à l'hôpital dans un pays étranger. Je me console un peu parce que je sais que David est avec elle, mais comme j'ai hâte qu'elle revienne !

— Je suis certaine que tu as aussi eu beaucoup de courage, Caroline, souligné-je.

Julien s'approche d'elle.

— Je crois que tu devrais te reposer, Caroline, lui indique-t-il.

— Oui, tu as raison, mais Chloé vient avec moi.

— Bien sûr.

Nous les saluons, et je n'ose pas demander plus d'explications à Julien. Lui aussi semble ébranlé, même s'il tente de garder son calme. Il s'empresse de suivre les jeunes filles.

Je me sens rapidement de trop, je vois bien qu'Ève et Mathieu aimeraient bien se retrouver seuls.

— Je vais y aller, moi aussi, annoncé-je.

— Mais voyons, Annie, reste avec nous, proteste Ève.

— Je suis certaine que tu veux passer un moment avec Mathieu. De plus, je suis épuisée, je crois que je vais aller me reposer à la chambre.

— D'accord, mais tu promets de me texter pour que nous nous retrouvions plus tard ?

— Oui. Nous nous textons aussi si nous avons des nouvelles de Justine. Je me demande si ça sera long à l'hôpital.

— Tu as raison, nous ne savons même pas ce qu'elle a.

Nous avons toutes les deux le cœur gros. Nous avons besoin de repos. Je la serre dans mes bras avant de la quitter. Je repense à notre conversation en me dirigeant vers notre chambre. *Gabriel est venu à Cuba expressément pour te revoir parce qu'il n'a jamais pu t'oublier.* Mais d'où sort-elle un raisonnement pareil ? Je ne suis plus capable de réfléchir. Je me présente au bar pour aller me chercher de l'eau. Le soleil est encore plus fort en après-midi, et j'ai chaud. Je vais sauter dans la douche dès que je rentre. J'en profite pour texter Gabriel pendant que j'attends.

Je vais à ma chambre me reposer.

As-tu eu d'autres nouvelles de Justine ?

Non, rien de plus.

Je viens te rejoindre bientôt.

Si je dors, tu pourras me coller.

Je ferai plus que te coller.

Je le souhaite.

Je me rends à la chambre, où l'air conditionné me fait du bien. Je ne ferme pas la porte complètement, pour que Gabriel puisse entrer au cas où je m'endormirais. Je repense à Justine ; comme elle a dû avoir peur ! Pourtant, je me sens tellement en sécurité sur le site. C'est vrai que notre chambre est au deuxième, mais je lasserais aussi la porte entrouverte si j'étais en bas. Je saute dans la douche. Je me sens mieux instantanément. Cette dernière journée avant de partir ne se passe pas comme je l'avais imaginé à mon réveil. Je n'ai pas envie de penser à faire ma valise.

Mon expérience en mer du matin me revient en tête. Comme j'aimerais refaire de la planche avant de partir! Gabriel a de la chance de vivre de sa passion. Je sais qu'il n'est pas toujours sur ses planches; la gestion de ses entreprises doit quand même être exigeante, mais il semble heureux. Est-ce que je peux dire que je suis heureuse? Est-ce que je me suis déjà posé la question? À part ma frustration de ne pas vivre exclusivement de mon art, je crois que je suis assez heureuse, non? Je profite bien de la vie, il me semble.

Je ne rêve pas comme Ève de me marier et d'avoir des bébés, pas tout de suite en tout cas. Je ne travaille pas toujours trop comme Justine au point de ne plus profiter de la vie. Ces vacances m'ont donné confiance pour la suite avec mon art; en prime, elles ont même remis Gabriel sur ma route. La vie est belle.

Un bruit me sort de ma rêverie. J'écoute attentivement. C'est la douce voix de Gabriel qui me rejoint dans la salle de bain. Il s'empresse de se déshabiller et de sauter dans la douche avec moi. Son corps me fait rêver.

— Je souhaitais bien te trouver toute nue.

— Tu es incorrigible. Je pensais justement à toi.

— Ah oui, à quoi pensais-tu? s'enquiert-il.

— Je pensais à ton corps parfait.

— Je te confirme que le tien est encore plus agréable à regarder. Tu as causé tout un émoi ce matin chez les adeptes qui ont assisté à ton initiation.

— Arrête, c'est n'importe quoi.

— Tu demanderas à Simon, insiste-t-il.

— Tu me taquines, mais continue, j'aime ça.

— Tu aimes ça, quand on te regarde ?

— Pourquoi pas ? Il n'y a rien de mal à se faire désirer.

— Je suis convaincu que tu n'as jamais manqué de regards sur toi, Annie.

Je deviens mal à l'aise. C'est vrai que je n'en ai jamais manqué. J'ai longtemps cherché celui qui me ferait oublier le regard de Gabriel. Malgré bien des tentatives, je ne l'ai jamais trouvé. Je repense à Ève ; c'est ce que j'aurais dû lui répondre : *Je ne fuyais pas ma vie sentimentale, je tentais par tous les moyens de la retrouver.* Je me colle à Gabriel, car j'ai besoin de me sentir près de lui. Mes lèvres rencontrent les siennes. Il intensifie nos baisers. Serait-il jaloux ? Il ne tarde pas à m'acculer au mur de la douche.

— J'ai besoin de toi, Annie.

Son pénis enflammé me pénètre sans hésitation. Je ne réfléchis plus. Son assaut me comble entièrement. C'est l'assurance dont j'avais besoin, la nécessité de me sentir en vie, de savoir que ce cauchemar allait se terminer en célébration de la vie. De l'amour.

— Dis-moi que tu penses à moi, exige-t-il.

— Toujours.

— J'ai tellement rêvé de ces moments avec toi.

— Moi aussi.

— Je t'aime, Annie.

— Moi aussi, répété-je.

Sans tarder, nos corps se rendent au paradis au même moment. Nous restons immobiles sous le jet froid de la douche pendant que nous revenons lentement à la réalité.

Chapitre 53

Gabriel

Mon Annie. Comme j'ai pensé à elle cet après-midi! En sa présence, j'ai voulu jouer au gars fort lorsque nous avons appris que Justine et Caroline manquaient à l'appel. Je n'allais certainement pas alimenter la peur qu'elle ressentait déjà. J'ai vite compris que c'était sérieux, et j'avais du mal à me retenir de faire de la projection. Qu'est-ce que j'aurais fait si c'était Annie qui avait disparu?

Je l'ai quittée pour aller me changer les idées parce que je ne tenais plus en place. J'étais soulagé quand elle m'a annoncé que les filles avaient été retrouvées, et j'ai tout de suite eu besoin de me sentir près d'elle, voire en elle. Je me sens comme une bête de l'avoir prise aussi rapidement, mais c'était plus fort que moi.

L'eau froide commence à la faire frissonner, elle est couverte de chair de poule.

— Nous devrions sortir.

— Oui, acquiesce-t-elle.

Nous sortons de la douche. Même si l'air conditionné se fait sentir, nous sommes bien. Nous allons nous asseoir dans le lit, enroulés de nos serviettes.

— Je suis soulagé que ta copine ait pu être retrouvée si rapidement.

— Moi aussi. J'ai hâte d'avoir d'autres nouvelles.

J'ai rarement vu Annie aussi préoccupée.

— Je suis convaincu que David s'occupera bien d'elle, ne t'inquiète pas.

— Tu as raison, mais tu sais, nous ne savons toujours pas comment elle va réellement. Peut-être qu'elle ne pourra même pas partir demain.

— Tu sais, Annie, nous ne pouvons rien faire pour le moment, nous devons attendre, mais l'important est qu'elle a survécu à cette histoire. Rester à Cuba quelques jours de plus ne serait pas la fin du monde.

— Je suis heureuse que tu sois là, Gabriel. Merci.

— J'avais tellement hâte de te revoir, je suis désolé, j'ai eu du mal à maîtriser mon excitation.

Elle se met à rire, ce qui me soulage.

— J'aime bien quand tu ne te maîtrises pas, précise-t-elle.

— Ah oui ? Tu aimerais que je ne me maîtrise pas de nouveau ?

Je caresse ses cuisses avec mes doigts, que je glisse de haut en bas en prenant mon temps. Elle me regarde avec ses grands yeux verts remplis de désir. Comme j'ai espéré ce moment quand j'ai réservé ce voyage !

— Tu es si belle quand tu me regardes comme ça.

— Comment ?

— Avec autant de désir. Dis-moi ce que tu aimerais.

Elle se mordille la lèvre comme si elle voulait se retenir de me dire ce qui lui passe par la tête. Elle n'a pas besoin de me répondre, j'ai déjà une idée. Je prends son pied dans ma main et je commence à l'embrasser. C'est très excitant de la voir s'exciter. Elle me fixe du regard comme si elle me mettait au défi de continuer. J'embrasse lentement tout son pied, en suçant chaque orteil; j'ose même les mordre un peu. Je poursuis en embrassant sa cheville, et je continue de monter tout en la léchant et en l'embrassant. Rendu à son genou, je glisse ma main entre ses cuisses, mais j'arrête juste avant de la toucher où j'en brûle maintenant d'envie.

Je continue de l'embrasser et glisse ma langue le long de sa cuisse. Elle n'hésite pas à s'ouvrir à moi pour me donner un meilleur accès. La serviette qui la cachait à peine tombe de chaque côté de ses cuisses dès qu'elle bouge. Elle est totalement exposée. Je vois à quel point elle est excitée. Je m'empresse de l'embrasser. Lorsque j'active ma langue de haut en bas, j'entends tous les petits sons qui sortent de sa bouche. Elle m'implore de ne pas arrêter. Je caresse avec ma langue son point si sensible avant de l'attraper entre mes lèvres pour le caresser avec plus d'insistance.

— Gabriel.

Je glisse ma langue à l'entrée de ce paradis. Elle s'ouvre davantage. Comme j'aime qu'elle n'hésite pas à se laisser transporter par la passion qui l'anime! Je lui glisse un doigt pour tenter de lui en donner plus tout en continuant de la faire frémir avec ma langue qui se promène sur son sexe si exposé. J'ai envie de la faire jouir, de m'offrir le privilège de la sentir atteindre cette extase sur mes lèvres.

— Viens pour moi, Annie.

Je sens son corps qui se contracte de plus en plus. Je lui rentre de plus en plus rapidement mon doigt jusqu'à ce qu'elle crie sa jouissance. Je savoure tous ses spasmes. Après un moment, elle me guide par-dessus elle avec ses bras.

— Viens en moi, Gabriel.

Elle attrape mon érection, qui n'a que cette envie. Elle me caresse de haut en bas. Je sens que je vais venir dans ses mains tellement je suis excité.

— Est-ce que tu sais à quel point tu m'excites ? Je n'ai jamais ressenti tout ce que je ressens quand je te fais l'amour, Annie.

Elle me guide en elle. Cette fois, je ne vais pas la prendre comme dans la douche. Je veux faire durer le plaisir même si je dois concentrer tous mes efforts afin de ne pas céder à mes pulsions. Je l'embrasse doucement alors que mon corps bouge lentement en elle, et je sens chacune de ses contractions sur mon membre si dur en elle.

— Je suis si bien avec toi, Gabriel.

Mon Annie qui s'ouvre enfin, qui ose croire que c'est possible entre nous.

— Promets-moi que tu ne me quitteras plus.

— Jamais, confirme-t-elle.

J'accélère mes mouvements, je soulève ses genoux pour pouvoir la pénétrer plus profondément. Elle n'hésite pas à enrouler ses jambes autour de ma taille. Je n'ai qu'une seule envie : exploser en elle. Elle est à moi.

— Gabriel, je vais venir.

— Oui, viens avec moi, Annie.

Nous nous fixons du regard ; ses yeux sont si brillants. Je l'aime tellement que j'en ai peur.

— Annie.

Je viens très fort en elle ; mes jambes ont du mal à me supporter tellement c'est puissant. Elle vient au même moment, et ses ongles dans mon dos me témoignent à quel point l'orgasme était fort pour elle aussi. Je m'empresse de me coucher en la ramenant près de moi tout en restant en elle. Elle glisse une jambe par-dessus la mienne pour se coller davantage. J'ai rarement ressenti un aussi grand calme au fond de moi. Nous nous endormons ainsi.

Dès que j'ouvre les yeux, j'aperçois ses yeux de sirène sur moi.

— Désolé, je me suis endormi.

— Moi aussi, je viens tout juste de me réveiller, m'informe-t-elle.

— Tout est si calme, tu as vu l'heure?

— Non, mais il fait clair, c'est encore l'après-midi.

— As-tu eu des nouvelles?

— Je n'ai pas encore regardé.

Elle me quitte pour prendre son téléphone. Juste de voir son corps réveille déjà le mien. Je me demande comment je vais survivre sans sa présence dans les prochains jours. Elle se dirige à la salle de bain. Je sauterais volontiers dans la douche à nouveau. Elle revient, mais elle a remis sa robe de plage.

— Je pensais que tu allais dans la douche, j'allais te rejoindre.

— Non, pas tout de suite. Ève m'a écrit, elle a eu des nouvelles de David. Justine va bien, mais elle doit rester à l'hôpital encore un peu en attendant les résultats de quelques tests.

Je sens qu'elle a le cœur gros. Elle baisse les yeux.

— Ne t'inquiète pas comme ça, tout ira bien.

— Je le souhaite.

— Qu'est-ce que je peux faire pour te faire plaisir?

— J'ai une question pour toi, Gabriel, et je veux que tu me dises la vérité.

— Bien sûr. Toujours.

— Ève m'a dit tantôt que de te croiser ici n'était pas un hasard. Je ne comprenais pas ce qu'elle tentait de me dire, mais je crois que je viens de saisir. Ta présence à Cuba en même temps que moi était-elle planifiée ?

Avec son air sérieux, je ne sais pas ce que je devrais répondre, mais j'ai l'impression qu'aucune réponse ne sera la bonne.

Chapitre 54

— Est-ce que ma réponse a de l'importance?

Dès qu'il me répond, je sais que le tout était planifié. Comment ai-je pu être si naïve? Le destin qui nous donnait une deuxième chance… quelle stupidité! Quand c'est trop beau pour être vrai, c'est souvent le cas. Il a tellement de charme, il m'a manipulée; je ne peux pas croire que j'ai embarqué dans son jeu.

— Bien sûr que la réponse a de l'importance! Tu m'as menti, Gabriel!

— Je ne t'ai pas menti.

— Tu ne me l'as pas dit, ce n'est pas honnête. Tu m'as manipulée en me faisant croire que tu étais si heureux de me recroiser après tout ce temps. Que nous méritions une autre chance!

— Annie, laisse-moi parler.

— Non, je suis furieuse. Je t'en veux, je m'en veux aussi. M'as-tu aussi menti pour ce qui s'est réellement passé il y a 10 ans? Tu avais tellement bien monté ton coup, peut-être que tu allais me dire tout ce que je voulais entendre?

— Annie!

— Non. Pas de *Annie*. Tu sais, Gabriel, avec tout ce qui s'est passé entre nous, je ne sais même plus ce qui est vrai. Si tu voulais me revoir, tu n'avais qu'à venir me voir à Montréal ou tenter de rentrer en contact avec moi.

— C'est toi qui avais fermé la porte, Annie. Ça m'a pris tout ce temps pour tenter de t'oublier, mais je n'y suis jamais parvenu.

— Tu vas jouer au gars qui fait pitié maintenant? Non. Tu ne me manipuleras pas davantage.

— Tout ce que je ressens pour toi, c'est vrai. Je n'ai jamais eu l'intention de te manipuler.

— C'est pourtant ce que tu as fait. Tu ne m'as laissé aucune chance, tu as joué un jeu dès le premier soir. *Je ne pensais jamais te croiser ici!* Je ne sais plus quoi penser.

— Tu pourrais tenter de te calmer et essayer de voir ce que tu ressens réellement. Tu penses que j'ai voulu te manipuler; tu as tort. Oui, j'ai bien voulu te montrer que nous avions droit à cette deuxième chance, je voulais que tu t'en rendes compte toi-même. Je ne voulais justement pas te bousculer en avouant que nos retrouvailles n'étaient pas un hasard.

— Ça, c'est jouer avec mes sentiments, c'est me manipuler, rétorqué-je.

— Voyons, Annie, planifié ou non, c'est magique entre nous, quelle est la différence?

— Tu m'as menti. Tu savais que j'avais du mal à te faire confiance après ce qui s'est passé, pourquoi tu ne m'as pas tout avoué plus tôt?

— Premièrement, mettons les choses au clair. Il ne s'est rien passé pour que tu cesses de me faire confiance. Deuxièmement, comme il y a 10 ans, tu es prête à tout foutre en l'air parce que ta confiance, ou dans ce cas-ci, ton ego, n'est pas capable de reconnaître que c'est extraordinaire, ce qui se passe entre nous, planifié ou non!

— Tu as tort. J'aimerais que tu partes, j'ai besoin d'être seule.

— Tu sais, Annie, j'avais oublié à quel point tu étais soupe au lait. À quel point tu es un bébé gâté, incapable de reconnaître ce qui est bon pour elle. Il serait grand temps que tu apprennes à devenir un peu plus vulnérable, que tu te laisses vivre de vraies émotions au lieu de toujours les fuir.

— Va-t'en!

— Oui, je te quitte. Tu sais, c'est peut-être une bonne chose que tu me remontres tes vraies couleurs avant de me crever le cœur pour de bon. Je ne passerai pas les 10 prochaines années à essayer de t'oublier, crois-moi.

C'est lui qui vient de crever le mien. Je me dirige sur le balcon. Le temps est devenu gris, c'est la première fois qu'il y a comme un risque de tempête dans l'air cette semaine. Je suis furieuse, comme le vent qui est en train de se lever. Comment ose-t-il me parler ainsi? Il aurait juste pu m'admettre qu'il a eu tort. Il trouve plutôt encore que c'était une bonne idée de me mentir. Je me trouve tellement innocente d'avoir voulu croire ses belles paroles. Ève avait raison. Elle qui voulait juste m'encourager en me montrant que Gabriel avait fait ce voyage pour moi m'a fait voir que je ne pourrai jamais plus lui faire confiance. J'entends la porte qui se referme. Je retourne dans la chambre.

Son odeur me monte tout de suite au nez. Le lit est encore tout froissé de nos ébats de l'après-midi. Je suis déchirée; j'éclate en sanglots. Cette journée est mon pire cauchemar. Mon trop-plein d'émotions qui s'accumulent depuis la disparition de Justine éclate. Je suis complètement dépassée par ce qui vient de survenir avec Gabriel. Je m'endors sans m'en rendre compte.

La sonnerie de mon téléphone vient me sortir de mes rêves. Comme j'aurais aimé y rester encore un peu! La réalité me revient tel le *Titanic* qui vient de frapper le fameux iceberg. J'ouvre mes yeux pour regarder qui me texte. C'est Ève.

Justine sera à la réception d'ici une heure, tu me rejoins là-bas?

Je m'empresse de lui répondre.

Oui, sans faute.

J'ai dormi plus que je ne le pensais. Justine devrait arriver vers 20 h. Pauvre elle, elle doit être épuisée. Je repense à Gabriel; je n'ai reçu aucun texto de sa part. Je sais que je me suis laissée emporter, mais c'est certainement pour le mieux. Par contre, je ne vais pas raconter aux filles tous mes problèmes, encore moins à Justine. Elle a assez des siens. De plus, nous partons demain, alors personne ne s'en rendra compte. Gabriel n'est même pas à bord du même vol. On ne me posera pas de questions.

Je m'empresse de prendre ma douche pour tenter de désenfler mon visage encore rougi par ma crise de larmes. J'attache mes cheveux, ce qui me donne déjà meilleure mine. Je m'habille simplement; je ne sais pas comment se déroulera le reste de la soirée avec Justine, mais j'aime mieux être à l'aise pour m'occuper d'elle.

Je me dirige à la réception. Ève est déjà là, seule.

— Annie. Je suis heureuse de te voir.

— Moi aussi.

Les larmes me montent aux yeux.

— Que se passe-t-il?

— Rien du tout, je crois que je suis juste anxieuse de voir Justine.

— J'ai hâte qu'elle arrive. J'ai tellement de questions.

— Oui, mais je crois que nous ferions mieux de tout simplement lui offrir notre soutien ce soir, elle est certainement encore ébranlée.

Nous voyons un taxi arriver; c'est bien elle et David. Nous nous empressons de les rejoindre. Nous nous écrions en même temps :

— Justine!

La boule dans la gorge me revient dès que je vois Justine. Ah, mon Dieu, c'est pire que ce que je croyais. Elle a le visage recouvert de contusions avec un pansement sur l'œil gauche. Elle a du mal à bouger, alors David l'installe dans un fauteuil roulant. Elle a le pied droit dans un plâtre. Elle semble souffrir.

— Ah, Justine, nous sommes si soulagées que tu sois là, lance Ève.

— Moi aussi, mais je suis épuisée.

— Allons à la chambre, tu pourras dormir, suggéré-je.

David s'empresse de nous aviser que Justine l'accompagnera dans sa chambre. Ni moi ni Ève n'osons nous y opposer. Je comprends maintenant ce que Mathieu a vu, ce qu'il a bien tenté de nous expliquer. Je suis heureuse que mon amie soit entre ses mains même si j'aimerais bien avoir un peu de temps avec elle.

— J'ai tellement faim et j'aimerais avoir mes choses, pensez-vous que vous pourriez me rendre ces services?

— Tout ce que tu veux, je rêve depuis ce matin de faire quelque chose pour t'aider.

J'évite de lui dire à quel point je me suis sentie impuissante, à quel point elle nous a fait peur. Elle part avec David, et nous lui promettons d'aller la rejoindre rapidement.

— Je vais aller faire sa valise, je vais en profiter pour aussi commencer la mienne, propose Ève.

— Oui, tu es mieux organisée que moi. Je vais aller au buffet, je vais en profiter pour manger aussi un peu.

— Tu n'as pas dîner ? Tu étais trop occupée avec Gabriel ?

— Oui, c'est ça. Bon, j'y vais.

Évité de justesse. Je ne veux plus penser à Gabriel.

Je me dirige vers le buffet avant la fermeture ; j'espère qu'il restera quelque chose d'intéressant pour Justine et David. La station de pâtes faites sur mesure me semble le meilleur choix, même si je doute qu'elles resteront chaudes. Je me fais donc d'abord préparer une assiette que je mange seule comme une grande fille avec beaucoup de pain et de beurre. Je réussis même à boire un verre de vin rouge, qui me fait le plus grand bien. J'ai l'impression de prendre ma première grande respiration depuis la matinée.

JOUR 7

Chapitre 55

Ève et moi arrivons au même moment à la chambre de David. Je transporte un grand cabaret avec leur repas ; vive le service aux chambres à Cuba ! J'ai même apporté une bouteille de vin rouge dans mon sac. Je ne crois pas que Justine devrait en prendre avec ses médicaments, mais je veux conserver l'humeur zen que j'ai réussi à retrouver.

— Mange, ma belle Justine, tu te sentiras mieux.

— Tu es drôle, Annie, manger pour se sentir mieux à Cuba, c'est comme dire : *Va courir à la pluie pour te sentir propre.*

— Oh, Justine, je pense que tu devrais te retenir de faire de l'humour ce soir, intervient Ève.

Nous rions toutes les trois. Justine est bien installée sur un des sofas, entourée de tout plein d'oreillers. Nous avons approché la table pour qu'elle puisse manger confortablement. Nous n'osons pas lui poser de questions ; elle nous racontera sa mésaventure quand elle se sentira prête.

— Je ne peux pas croire que nous partons déjà demain ! s'exclame-t-elle.

— Dans moins de 24 heures, nous serons dans l'avion ! renchérit Ève.

— Je dois avouer que je suis heureuse de partir, nous confie Justine.

— J'admets que cette semaine a été assez mouvementée, nous aurons besoin de vacances pour nous en remettre, souligné-je.

Nous restons un long moment dans le silence. Nous semblons toutes les trois avoir la tête pleine. Je ne peux m'empêcher de penser à Gabriel. Je suis heureuse d'être avec mes amies, mais je commence à appréhender la nuit qui vient.

— Nous devrions te laisser te reposer, Justine.

Ève est si sage. Je resterais bien pour terminer la bouteille de vin, mais je crois que je vais aller au bar me chercher une dernière consommation avant de rentrer pour m'assurer de dormir. *Boire pour oublier,* c'est ce qu'on dit, non ? J'adore les chansons qui permettent de s'apitoyer sur son sort. *Noyer son chagrin,* j'aime bien aussi. Chagrin d'amour. Je ne l'ai pas vu venir, celui-là, quand j'ai fait ma valise pour venir ici.

— Oui, Justine, tu devrais te coucher, insisté-je.

— Ça ne va pas tarder. David est parti courir, et dès qu'il revient, je me couche, promis.

— Si tu as besoin de quoi que ce soit cette nuit, tu nous textes, compris ? dit Ève.

— Oui, promis, mais vous savez, je suis entre de très bonnes mains, même si je ne comprends pas pourquoi il veut tant s'occuper de moi. Surtout avec ce dont j'ai l'air, je me suis fait peur moi-même quand je me suis vue.

— Tu sais, Justine, tu as bien de la chance. David semble très heureux de s'occuper de toi. En tout cas, il n'a jamais voulu te laisser venir avec nous, non ? lancé-je.

— Je ne sais pas.

Pauvre Justine, elle est si fatiguée. Je suis certaine qu'elle ira mieux après une bonne nuit de sommeil. Ses blessures sont très physiques, je souhaite qu'elle ne soit pas affectée psychologiquement. Je la serre bien fort dans mes bras, tellement rassurée qu'elle soit là. Nous la quittons.

— Dis-moi, Annie, tu vas rejoindre Gabriel?

— Oui, je crois.

Je ne vais certainement pas lui dire : *Non, je m'en vais pleurer ma vie dans notre chambre en prenant plusieurs verres de trop pour noyer mon chagrin d'amour.*

— Toi, tu passes la nuit avec Mathieu?

— Oui, mais je vais passer par notre chambre avant, j'ai laissé ma valise.

— Tu veux passer par le bar avec moi avant?

— Oui, je dois avouer que je suis encore ébranlée d'avoir vu Justine comme ça.

— Moi aussi. Je suis si soulagée qu'elle soit là, mais je suis inquiète. Elle semblait souffrir.

— Les médicaments vont l'aider, souhaitons qu'elle ait une bonne nuit.

Nous nous dirigeons au bar. Nous commandons toutes les deux des digestifs, soit une liqueur d'amandes qui ressemble à de l'Amaretto. J'en demande une double dose, Ève aussi. Cette boisson a le goût du paradis.

— Santé, ma belle Annie, buvons à cette dernière nuit qui se termine mieux que nous aurions pu l'imaginer!

C'est trop, j'éclate en sanglots.

— Mon Dieu, Annie. C'est terminé, Justine va bien, il ne faut plus t'en faire.

— Ce n'est pas ça.

— Que se passe-t-il ?

— Ah, Ève, je ne sais plus.

— Pauvre Annie, je veux comprendre.

— J'ai laissé Gabriel.

Je suis incapable de m'arrêter de pleurer.

— Mais de quoi parles-tu ?

— Tu avais raison, Ève. Tout était planifié.

— Mais c'est une bonne nouvelle.

— Comment peux-tu dire ça ? Il m'a menti, Ève !

— Il t'a caché sa vraie motivation à être ici, mais il l'a fait parce qu'il t'aime.

— Tu es pire que lui. Quand on aime, on ne manipule pas l'autre, riposté-je.

— Tu sais à quel point je t'aime, mais en ce moment, je crois que tu exagères. Peut-être qu'il aurait pu te le dire dès le début, mais le résultat aurait été le même.

— Non. Nous nous sommes laissés parce que je ne lui faisais plus confiance. Il a encore une fois abusé de ma confiance, Ève.

— Tu as raison, il aurait dû être honnête. Je comprends comment tu te sens, mais en même temps, je n'ai jamais vu mon amie aussi rayonnante que cette semaine.

Qu'est-ce que je suis censée lui répondre ? Elle a raison. J'étais heureuse, je flottais sur un nuage de bonheur, mais tout a basculé.

— La confiance, c'est précieux, Ève. Il a brisé quelque chose.

— J'aimerais savoir quoi te dire, Annie. Je vois bien que cette situation te rend malheureuse. Je ne sais pas si c'est mon histoire qui m'influence, mais parfois quand nous osons pardonner, la vie nous réserve de belles surprises.

— Il ne s'est même pas excusé, Ève. Tu sais, c'est ce que je souhaitais. À la place, ç'a dégénéré entre nous, nous avons tous les deux dit des choses très blessantes, peut-être même impardonnables.

— Pauvre Annie. Viens ici.

Elle me serre dans ses bras. Le serveur du bar a bien tenté de nous éviter du regard depuis quelques instants, mais je le vois qui arrive avec deux autres verres. Il est possiblement soulagé que je ne pleure plus comme une Madeleine, ou il l'est parce que ce n'est pas à lui que je me suis confiée. Je lui lance mon plus beau sourire. Il me répond avec un clin d'œil. Je suis heureuse d'avoir pu discuter avec Ève. C'était beaucoup trop de garder le tout pour moi.

Je sens que la nuit va être longue ; je suis prête à prendre l'avion qui me mènera loin de cette semaine, qui m'a replongée dans tant de souvenirs.

Chapitre 56

Nous buvons notre dernier verre sans trop discuter. Nous nous dirigeons ensuite vers notre chambre. Ève s'offre de passer la nuit avec moi, mais je refuse. Elle a le droit de profiter de cette dernière nuit avec Mathieu ; de plus, j'ai besoin d'être seule. Le silence de la nuit est interrompu par la sonnerie d'un texto ; mon cœur s'arrête. J'ai comme un sentiment de déjà-vu. Je me calme, c'est sûrement Mathieu qui s'impatiente. Elle regarde le message en fronçant les sourcils.

— Que se passe-t-il ? s'enquiert Ève.

Elle me regarde avec des yeux inquiets, comme si elle appréhendait de me dévoiler le contenu du message.

— C'est Justine ?

— Non, c'est Gabriel, précise-t-elle.

— Il ose t'écrire ?

— Non, ce n'est pas ça, Annie. Il a eu un accident.

— Quoi ?

— Mathieu vient de croiser Simon, il ramenait Gabriel à sa chambre.

— Mais où était-il ?

— Il était à l'infirmerie de l'hôtel, m'informe-t-elle.

— Est-ce qu'il va bien ? Qu'est-ce qu'il a eu ?

— Je n'en sais rien. Mathieu vient nous rejoindre.

— Est-ce que tu crois que ces 24 heures seront les pires de ma vie, Ève?

Mon corps se met à trembler. Un accident? Comment est-ce possible? Où est-il allé? Ma tête est pleine de questions. C'est de ma faute, il était si furieux quand nous nous sommes laissés, je ne l'ai jamais vu dans cet état.

— Je crois que c'est bon signe s'il va à sa chambre, non?

— Merci de me rassurer, Ève, mais je me sens si coupable.

— Coupable, pourquoi?

— C'est de ma faute, il était si furieux.

— Arrête tout de suite, nous ne connaissons même pas la nature de l'accident; il est peut-être juste tombé en marchant! Il avait peut-être trop bu! renchérit-elle.

— Ne tente pas de me faire rire, Gabriel ne boit jamais trop!

— Allons à la chambre, nous en saurons plus quand Mathieu arrivera.

— Je devrais aller voir comment il va.

— Tu es certaine que c'est ce que tu veux faire?

Elle a raison, je suis inquiète, mais s'il va bien, il se demandera pourquoi je suis là. Je ne suis pas prête à le recroiser. Je pensais même ne jamais le revoir. Une partie de moi a quand même juste envie de partir à la course pour se trouver à son chevet. *Il serait grand temps que tu apprennes à devenir un peu vulnérable, que tu te laisses vivre de vraies émotions au lieu de toujours les fuir.* Ah, Gabriel, pourquoi fallait-il que tu reviennes dans ma vie cette semaine?

Mathieu arrive quelques minutes après nous.

— Que s'est-il passé? m'empressé-je de le questionner.

— Qu'est-ce que Simon t'a dit? ajoute Ève.

— Du calme. Gabriel a eu un accident de planche aérotractée en fin de journée.

— Il est sorti pendant les grands vents ? m'étonné-je.

— Oui, je ne comprends pas pourquoi il a pris ce risque.

— Je te l'avais dit, Ève, c'est de ma faute.

— Gabriel est un grand garçon, Annie, c'est lui qui a pris la décision. Il n'est pas un amateur quand même !

Je ne suis pas rassurée. Il n'aurait jamais dû risquer d'aller en mer avec ces conditions météorologiques.

— Que s'est-il passé ?

— Simon a essayé de le décourager, mais il n'a pas pu le raisonner. Il a tenté une manœuvre qu'il n'aurait pas dû.

Ève s'approche de moi pour me tenir la main.

— Il a reçu un grand coup à la tête quand il est retombé, et il a perdu connaissance. Heureusement que Simon était là.

Je ne sais pas quoi dire. Je suis sous le choc. M'imaginer Gabriel flottant évanoui en pleine mer me donne froid dans le dos.

— Il n'a pas été transporté à l'hôpital ?

— Non. C'est à au moins une heure de route, alors on n'a pas voulu le bouger jusqu'à son réveil. Il est revenu à lui assez rapidement. Le médecin suspectait une commotion alors il a voulu le garder près de lui afin de s'assurer que son état demeurait stable.

— Il va mieux ? demandé-je.

— Avec une commotion, c'est difficile à évaluer, c'est souvent la première nuit qui va en dire plus. Il avait très mal à la tête.

— Mes frères ont déjà fait des commotions. Il ne fallait pas les laisser seuls la première nuit, il fallait même les réveiller aux heures.

— Tu as raison, Simon va rester avec lui.

— Pauvre Gabriel, énonce Ève.

Elle dit tout haut ce que je n'ose pas dire même si je le ressens si profondément.

— En tout cas, vous avez de la chance de rentrer demain parce que je partirais aussi, nous confie Mathieu.

— C'est vrai, tu es arrivé une journée après nous.

Nous discutons encore un peu, mais nous sommes tous les trois fatigués de cette journée riche en émotions. Je n'ose même pas regarder l'heure. Je repense à Justine. Nous devrons être en forme pour elle demain, elle aura besoin de nous.

— Je crois que je vais aller me coucher, annoncé-je.

— Tu es certaine que tu veux rester seule, Annie?

— Tu ne peux rien faire, et moi non plus. Je crois que nous méritons tous une bonne nuit de sommeil, pour ce qu'il en reste.

— Tu me textes, si tu en as besoin.

Je la rassure qu'elle peut partir en paix. Je me retrouve seule dans la chambre. Mes deux amies ont apporté leurs valises avec tout ce qu'il restait d'elles. Je regarde autour : trois lits, pour les trois amies inséparables que nous sommes. Cette semaine nous aura rapprochées comme jamais. Nous ne serons plus jamais les mêmes.

Je sens une pulsion qui me rappelle que je suis en vie. Que je veux vivre. Je sens naître une force qui n'était pas là, comme si elle avait eu besoin qu'on la martèle pour la libérer. C'est aujourd'hui que j'arrête d'avoir peur. Comme j'en ai perdu, du temps, à me cacher sous ce bloc de pierre qui a ralenti tous mes pas! Peur de ne pas y arriver, de ne pas être assez bonne, de manquer de tout et de rien, de m'ouvrir, d'aimer. J'ai passé trop de temps à tenter de prouver que j'étais bien au-dessus de mes affaires, mais je comprends aujourd'hui que ce masque m'allait à la perfection. Cette semaine, pour la première fois depuis si longtemps, j'ai osé enlever le masque. Je suis devenue vulnérable, contrairement à ce que Gabriel a pu dire. J'ai cessé d'avoir peur. J'ai laissé mon cœur aimer à nouveau. Je dois revoir Gabriel.

Chapitre 57

Gabriel

Je me réveille avec un mal de tête intense. La lumière de la pièce est tamisée ; je reconnais tout de suite que je ne suis pas dans ma chambre. J'ai du mal à garder les yeux ouverts.

— Gabriel.

Je reconnais la voix de Simon, mais je n'ai pas envie d'ouvrir mes yeux. Les dernières heures me reviennent en tête. Comme j'aimerais reculer le temps ! Mais je suis bel et bien dans ce lit qui n'est pas le mien. J'ai honte d'être là. Je sais que j'ai risqué ma vie, peut-être même celle de Simon. Cette journée a été comme un mauvais rêve dont il est impossible de se réveiller.

J'étais si furieux quand j'ai quitté Annie. En fait, je devrais dire quand elle m'a quitté. Comment ose-t-elle me dire que je l'ai manipulée ? J'ai pris mon temps avec elle pour lui montrer que notre couple méritait une autre chance. C'est vrai que j'aurais pu lui admettre pourquoi j'étais ici, mais ç'aurait été le pire scénario, elle se serait mise sur ses gardes tout de suite : *Tu sais Annie, je suis ici pour te séduire à nouveau, et je n'accepterai pas un refus.* Je voulais qu'elle vienne vers moi naturellement, je ne voulais pas la brusquer. J'y étais presque, j'allais tout lui avouer.

Je ne réfléchissais plus quand j'ai décidé de sortir avec ma planche. J'avais une rage en moi que j'ai rarement ressentie. Je devais me défouler, et quoi de mieux que d'affronter quelques vagues ? Même si le vent semblait se lever, je pensais bien maîtriser la situation. Pauvre Simon, qui voulait me décourager, mais il a bien vu qu'il n'y pouvait rien. Heureusement qu'il m'a accompagné dans ma folie temporaire. Je me souviens d'avoir voulu tenter une boucle et d'avoir été transporté par une bourrasque pour ensuite ressentir une douleur atroce. J'ai dû perdre la tête parce que je n'ai aucun souvenir de la manière dont je me suis rendu ici. Je ne sais même pas si je suis encore à l'hôtel.

Lorsque je tente de bouger mon corps, je ressens un peu de douleur, mais je ne pense pas avoir de blessures graves. C'est ma tête qui élance comme si elle allait exploser. La nausée me prend. Je vais être malade. Je me soulève rapidement, je dois me lever.

— Gabriel, ça va ?

Simon est à côté de moi, et il a tout de suite la réponse à sa question. Il n'hésite pas à me tendre le bol qui se trouvait à côté du lit. Ça ne doit pas être la première fois. Mon corps n'est peut-être pas blessé, mais je reconnais les signes probables d'une commotion. Heureusement que Simon est là. Il m'offre un verre d'eau.

— Merci, Simon.

— Comment te sens-tu ?

— Tu viens de voir comment je me sens.

— Je vois que tu te sens mieux !

Il me fait un petit sourire. Heureusement que je fais un peu pitié, sinon il ne se gênerait certainement pas pour m'engueuler. Je le ferais s'il était à ma place. J'ai eu de la chance, mon équipement, certainement moins. Ça conclut les essais de cette nouvelle planche. Je vais quand même l'inclure dans mon inventaire.

— Tu sais, Simon, au moins nous savons que la nouvelle planche ne résiste pas aux grands vents.

— Tu as de la chance que je t'aime comme un grand frère, Gabriel, parce que je suis partagé entre mon envie de te donner une volée avec ce qu'il reste de ta planche et celle de te prendre dans mes bras tellement je suis soulagé que tu sois enfin réveillé.

— Je suis désolé, Simon, j'ai perdu la tête.

— Tu m'as déjà souhaité d'être amoureux, Gabriel, mais après ce que j'ai vu aujourd'hui, j'espère que je ne le serai jamais.

Il a peut-être raison. La vie serait drôlement plus simple sans les aléas de l'amour. Je ne sais plus quoi en penser.

— Où sommes-nous, Simon ?

— Nous sommes à l'infirmerie de l'hôtel. Nous t'avons transporté ici après ton accident. Puisque tu t'es réveillé plusieurs fois, le médecin a pensé te garder ici en observation, mais ne semblait pas trop s'inquiéter.

— Je ne me souviens plus trop de ce qui s'est passé.

— Tu as possiblement une commotion, car le médecin a trouvé une bonne bosse sur ta tête. Je lui ai dit que tu avais la tête dure, que ça devrait aller.

— J'aimerais avoir quelque chose pour la douleur, demandé-je.

— Oui, il a laissé des comprimés pour lorsque tu te réveillerais. Je dois par contre l'aviser de ton réveil. Je vais aller le chercher.

Je m'empresse d'avaler les deux comprimés. Je voudrais aller me coucher dans mon lit. Il fait déjà nuit, je me demande quelle heure il est. Avec le retour prévu demain, je veux bien dormir et ce petit lit me donne déjà des courbatures.

Le médecin de l'hôtel (un vrai ou pas, je ne pose pas de questions) me confirme qu'il pense que j'ai une commotion. Il veut bien que je retourne à ma chambre, mais insiste pour qu'on me réveille aux heures pour s'assurer que je vais bien. Simon le rassure qu'il s'occupera de moi. Par contre, quand vient le moment de me lever, je suis incapable de rester debout plus de quelques minutes. Une voiturette de golf vient nous chercher à la porte pour nous raccompagner.

— Tu sais, Simon, tu n'es pas obligé de rester avec moi.

— Voyons, Gabriel, tu ferais la même chose pour moi.

— Il n'y a pas une certaine Magalie avec qui il serait plus plaisant de passer ta dernière nuit ?

— Je reste avec toi, insiste-t-il.

Lorsque nous arrivons à ma chambre, l'effort d'avoir autant bougé commence à me rattraper. Je ne tarde pas à m'installer pour la nuit, les yeux déjà lourds.

— As-tu encore très mal à la tête ?

— Non, les médicaments font effet, mais je m'endors.

— Le médecin a dit que ça t'aiderait à dormir, je regrette de devoir te réveiller.

— Je ne suis pas très inquiet. Si tu veux, prends ma clé, tu reviendras plus tard.

— On verra.

Je m'endors sans protester, paisiblement. Par contre, toutes les émotions de la journée viennent rapidement envahir mes rêves. Je m'imagine confronter Annie au lieu de la fuir. Je pense à tous les moyens que j'aurais pu tenter pour qu'elle m'écoute, au moins. Une partie de moi voudrait ne plus jamais la revoir alors qu'une autre voudrait l'attacher comme je l'ai fait cette semaine jusqu'à ce qu'elle admette que nous avons droit à cette chance.

Je rêve qu'elle est près de moi. Ses douces caresses m'enivrent. Son odeur me monte à la tête, c'est comme si elle était réellement là. Mon corps se réveille, je voudrais lui montrer combien je tiens à elle. *Annie.* J'entends sa douce voix qui me rassure que tout ira bien. Ses lèvres chaudes se déposent sur les miennes. Je voudrais ne jamais me réveiller.

Chapitre 58

J'ai besoin de m'assurer que Gabriel va bien. Même si je crois que nous n'avons aucune chance d'être ensemble, je voudrais le remercier d'avoir ouvert mon cœur à nouveau. Je lui en veux encore de m'avoir caché la vérité, mais je sais qu'il l'a fait sans vouloir me blesser. Ma confiance était déjà si fragile. Mais je veux le voir, car je me sens responsable de son accident. Je me dirige vers sa chambre. Simon m'accueille dès que j'ose frapper.

— Annie !

— Bonsoir, Simon. Gabriel est là ?

— Tu sais que c'est sa chambre. Il dort.

J'hésite à insister pour le voir. Simon n'a pas l'air content que je sois là. Lui aussi pense que c'est de ma faute.

— J'aimerais le voir.

— Je ne crois pas que c'est une bonne idée.

— Je ne le réveillerai pas, je veux juste m'assurer qu'il va bien.

— Pourquoi, tu as besoin de te sentir moins coupable ?

— Gabriel est un grand garçon, je ne maîtrise pas ses bêtises.

Il me regarde un moment.

— D'accord.

J'entre enfin. La chambre est sombre, mais la télévision est allumée ; Simon devait l'écouter.

— Est-ce que tu passes la nuit avec lui ?

— Oui, le médecin veut que je le réveille régulièrement.

— Tu dois le réveiller bientôt ?

— Non, il vient de s'endormir, m'informe-t-il.

— Tu sais, Simon, je peux rester avec lui un peu si tu veux.

Je n'ai pas envie qu'il continue de me regarder comme s'il hésitait entre faire mon procès et m'expulser d'un moment à l'autre.

— Je te laisse une heure avec lui.

Il me quitte sans en dire plus. Il a peut-être vu que je m'inquiétais sincèrement. Je m'approche du lit. Gabriel est si grand, mais a l'air si fragile dans son sommeil profond. Il ressemble à un ange. Par contre, son sommeil semble s'agiter, il bouge beaucoup. Je m'assois près de lui.

Je n'hésite pas à lui caresser le visage et les cheveux. Tant d'émotions me traversent. Je ne sais plus ce que je ressens. Une larme coule sur ma joue. Je suis soulagée qu'il soit là. Je n'hésite pas à lui murmurer mon soulagement. Je lui raconte que malgré tout ce qu'il peut penser de moi, je tiens à lui, qu'il a été trop important dans ma vie. Comme j'ai voulu y croire, à cet amour perdu ! Mais je ne vois plus comment c'est possible. Je le remercie d'avoir essayé et lui avoue que c'est possiblement ce dont j'avais besoin pour m'ouvrir à nouveau. Mais que d'être avec lui fait trop mal.

Je dépose le plus doux des baisers sur ses lèvres ; je ne veux pas qu'il se réveille. Il a le goût amer des médicaments, mais ses lèvres répondent aux miennes. Ses yeux sont toujours fermés. Je reste près de lui, perdue dans mes pensées, à combattre le sommeil jusqu'au retour de Simon. Je quitte sa chambre. Mon téléphone me confirme qu'il est deux heures, alors je dois dormir un peu.

Je marche d'un pas décidé. Une envie de frites me prend lorsque je passe devant le bar près de notre chambre. Je crois que la disco vient de fermer parce que le bar est plein. Tout le monde a faim à cette heure où les fêtards se cherchent une excuse pour ne pas rentrer. Je ne m'ennuie pas de passer la nuit dehors. J'ai la chance de me faire servir rapidement, et je me dirige vers ma chambre avec mon assiette.

Les petits chemins me semblent beaucoup plus obscurs. Je crois qu'il y a plus de nuages que d'habitude, car ni la lune ni les étoiles n'offrent de lumière. J'entends un couple qui vient en riant, mais je n'ai pas envie de voir des couples heureux à cette heure. J'ai eu assez de voir mes deux amies ce soir. La nuit me rappelle que je ne profiterai pas des bras de Gabriel, que c'est terminé pour moi. Tout semble pire la nuit. Pourquoi étais-je passée le voir ? Je reconnais la voix de Maxime, c'est lui qui marche vers moi. Il est avec une fille, alors je n'ai pas envie de le croiser. Je me cache rapidement à l'entrée d'un bâtiment pour les laisser passer.

Je reconnais la voix de Cynthia, une des filles du fameux trio. Je suis soulagée que ce ne soit pas Audrey. Je ressens un petit pincement. Je sais bien que Maxime était ici pour passer du bon temps, il me l'a bien montré et dit clairement, mais j'avais raison : moi ou une autre, il n'y avait aucune différence à ses yeux. Je sais que c'est moi qui n'ai pas voulu aller plus loin, mais je me demande ce qui se serait passé si j'avais osé au lieu de me laisser charmer par Gabriel. J'aurais certainement le cœur moins brisé, mais il serait probablement encore plus vide.

Cette petite scène me rappelle la manière dont je fuis mes sentiments depuis 10 ans. Je comprends que ce n'est plus possible pour moi, je sais que je mérite mieux. Surprendre Maxime aux bras d'une autre fille me confirme que je suis soulagée que ce ne soit pas moi. Ce voyage s'avère être une thérapie.

Je ne tarde plus pour me rendre à la chambre. Je mange mes frites rapidement pour enfin succomber au sommeil. Tous les évènements de la journée se bousculent dans mes rêves qui se transforment rapidement en cauchemar.

À mon réveil, je comprends que tout ce à quoi j'ai rêvé s'est vraiment passé. Je suis heureuse que nous soyons enfin rendus à quelques heures du départ, et je rêve déjà de l'avion. Je texte mes deux copines. J'aimerais bien voir Justine ce matin. Elle sera plus reposée, et je veux m'assurer qu'elle va bien. Je pense aussi à Gabriel, mais je ne lui texte rien. J'ai laissé mon numéro à Simon pendant la nuit en l'avisant bien de me contacter si jamais la situation changeait. Je n'ai reçu aucun message de sa part. Justine ne tarde pas à me répondre. Elle veut aller à la boutique pour acheter de derniers souvenirs. C'est une excellente idée. Il me manque aussi quelques petits cadeaux. Même si je voudrais accélérer le passage des heures, je me promets de profiter des derniers rayons de soleil de Cuba.

Chapitre 59

Je passe prendre Justine. David est bien hésitant à la laisser sortir de la chambre sans lui. Elle n'a qu'à lui faire ses plus beaux yeux pour le convaincre. Je détecte quelque chose qui n'était pas là hier soir. Une paix les entoure, comme une nouvelle complicité.

— Ah, Justine, je suis heureuse d'enfin passer un peu de temps avec toi après toute cette histoire.

— Moi aussi. Tu sais, je suis très reconnaissante que David s'occupe de moi, mais je commençais à étouffer ce matin, enfermée dans sa chambre.

— Je te comprends. Mais ça semble très bien se passer entre vous deux.

— Tu as raison. Tu sais, il m'a confié qu'il m'aimait, hier soir.

Elle devrait sauter de joie (peut-être pas sauter parce qu'elle est quand même encore dans son fauteuil roulant avec une jambe dans le plâtre, mais quand même). Je ne comprends pas son air un peu triste.

— Voyons, Justine, c'est ce que tu souhaitais.

— Oui, mais comment puis-je être certaine qu'il ne se sent pas juste responsable de ce qui m'est arrivé ?

— Comment ç'aurait pu être de sa faute? Des malades vous ont enlevées, il n'a pas d'emprise là-dessus, même s'il n'est pas loin d'un dieu tout-puissant lui-même.

— Arrête de me faire rire, j'ai mal partout quand je ris!

— Désolée.

Nous rions encore plus.

— Tu sais, Annie, je ne peux pas tout te dévoiler, mais notre enlèvement est possiblement relié au passé de David.

Je ne sais pas quoi dire.

— Qu'est-ce que vous savez de plus?

— Je ne sais pas grand-chose de plus. Le troisième suspect a été arrêté cette nuit, mais je sais que David se sent très coupable de ce qui m'est arrivé.

— Tu sais, Justine, coupable ou pas, je ne suis pas aveugle. De plus, un gars comme David Sinclair ne dit pas à une fille qu'il l'aime juste parce qu'il se sent coupable.

— J'espère que tu as raison. En tout cas, je suis si impuissante en ce moment que je vais me laisser porter par ses belles paroles.

— Là je reconnais la romantique en toi.

— Toi, comment ça va avec Gabriel?

Qu'est-ce que je suis censée lui répondre?

— Ça va bien.

— Voyons, Annie, je ne t'ai jamais vue aussi heureuse. Ça doit aller mieux que bien?

— Oui, c'est super.

Comme je déteste lui mentir. Je suis soulagée que nous arrivions à la boutique. Pauvre Justine, elle attire tous les regards. Comment est-elle supposée expliquer qu'elle est assise dans ce fauteuil avec des ecchymoses plein le visage, dont la moitié est recouverte d'un pansement affreux, et une jambe dans le plâtre?

— Que vas-tu raconter si on te pose des questions?

— Je me demandais justement la même chose. Les policiers ne veulent pas que je parle de notre enlèvement, et je les comprends. Je crois que je vais dire que j'ai perdu pied dans l'escalier qui mène à notre chambre.

— J'avoue que tu aurais pu te blesser comme ça. J'imagine que personne n'osera te poser trop de questions. J'ai du mal à croire que tu as vécu ce cauchemar.

— Moi aussi. J'ai tellement hâte de rentrer à Montréal.

Moi aussi! Nous faisons le tour de la boutique, qui n'est pas très grande, mais qui offre du choix. Ce sont les bouteilles de rhum qui m'intéressent, car je n'ai pas encore acheté les deux auxquelles j'ai droit. J'ai déjà hâte de me faire des rhums avec 7 Up, ma découverte de ce voyage. Je laisse Justine regarder pendant que je me promène aussi encore un peu.

— Annie!

C'est Maxime. Il vient d'entrer avec Charles, qui se dirige vers Justine. Maxime me rejoint.

— Bonjour, belle Annie.

Il s'approche pour m'embrasser les joues en glissant ses mains autour de ma taille.

— Ton charme ne connaît pas de limites, Maxime, remarqué-je.

— J'aurais bien aimé te le montrer davantage.

Il m'offre son sourire de gars tellement sûr de lui. Il est assez irrésistible.

— Tu as aimé ta semaine de vacances?

— Oui, même si j'aurais bien aimé en profiter plus avec toi.

— Je suis certaine que tu as su me remplacer.

— Peut-être, mais ce n'était pas toi. Mais dis-moi, que s'est-il passé avec ton amie? m'interroge-t-il.

— Elle a eu un accident dans l'escalier de notre chambre.

— Pauvre elle, heureusement que nous partons.

— Oui, moi aussi, j'ai hâte de rentrer.

— Ton prince charmant lui, il est où ce matin?

— Mon prince a des choses à faire, réponds-je.

— Tu sais, il n'est pas trop tard, nous pourrions encore en profiter.

Il est si sûr de lui. J'aurais dit oui si facilement il y a à peine une semaine.

— Tu as déjà été amoureux, Maxime?

— Bien sûr que non!

— Tu verras, c'est puissant; un jour ça viendra, tu ne t'en rendras même pas compte. Je crois que j'aimerais être ton amie sur Facebook juste pour en être témoin quand ça arrivera.

— Je ne comprendrai jamais le cerveau des filles. Je te parle de sexe, Annie, pas d'amour.

— J'ai eu assez de sexe sans amour, Maxime.

— C'est dommage.

Il me quitte, mais n'hésite pas à m'embrasser longuement sur la joue. Je suis heureuse de l'avoir revu avant mon départ. Il me confirme que je suis passée à autre chose. Je ne sais pas ce qui m'a prise de parler d'amour. Je ne voulais pas lui avouer que je n'étais plus avec Gabriel, car son arrogance aurait simplement été encore plus activée. Je n'avais pas envie de me justifier davantage.

Justine et moi payons nos dernières trouvailles. J'ai envie de me promener sur le site, mon amie aussi. Nous en profitons pour prendre quelque chose à boire et nous nous installons près d'une piscine.

— Comme j'aimerais sauter dans la piscine une dernière fois!

— Pauvre Justine. Ça ne serait pas une bonne idée.

— Je sais. J'en veux à mes agresseurs d'avoir gâché la fin de mes vacances.

— C'est normal d'être furieuse.

— Je suis si reconnaissante et tellement fâchée en même temps. Le pire, c'est que je ne peux rien faire pour me défouler.

Je repense à Gabriel, qui est allé se défouler sur la mer agitée. C'est peut-être une bonne chose qu'elle ne puisse pas faire une bêtise qu'elle regretterait. Je vois David qui se dirige vers nous. Je me demande s'il n'a pas mis un GPS dans le fauteuil de Justine pour nous trouver si rapidement.

— Vous voilà! J'ai une invitation à vous faire.

— Ah oui? Je viens juste de partir, il me semble, lui dit Justine.

— Je viens de confirmer une réservation au restaurant de fruits de mer pour ce midi. Je veux souligner l'anniversaire de Caroline. Je suis venu ici fêter ses 19 ans, je le ferai même s'il nous reste si peu de temps.

— C'est gentil de lui offrir une petite fête.

— C'était prévu hier soir, mais je suis heureux de le faire aujourd'hui; nous avons encore plus de raisons de célébrer.

Comme il est romantique, ce David. Il m'invite à me joindre à eux et me demande aussi d'inviter Gabriel et Simon. Comment suis-je censée lui dire que je n'ai pas envie de les inviter ? Je ne veux pas inquiéter Justine avec mes histoires. Elle mérite de profiter pleinement de son bonheur aujourd'hui après tout ce qu'elle a vécu. Je ne vais certainement pas attirer l'attention sur moi, elle trouverait le moyen d'essayer de me consoler tout le long du repas. Je sais ce que j'ai à faire.

Chapitre 60

Je laisse ma copine entre les mains de David en lui promettant de la voir au resto pour le déjeuner. Je texte tout de suite Ève pour l'aviser de ne pas dévoiler à Justine ma rupture avec Gabriel en l'invitant à la fête. Je repasse par la boutique afin de trouver un petit cadeau pour Caroline. Je choisis un beau coffre à bijoux sculpté dans le bois sur lequel sont gravées de belles fleurs colorées.

J'hésite à texter Gabriel. Je décide de passer par sa chambre pour l'inviter. S'il refuse, je trouverai une excuse pour Justine, mais au moins, j'aurai essayé. Mon cœur palpite lorsque j'arrive à sa porte. C'est lui qui ouvre.

— Annie.

— Gabriel.

— Est-ce que je peux t'aider ?

— Ne sois pas si désagréable. Comment vas-tu ce matin ?

— Je vais bien. Tu t'inquiètes pour moi, je suis touché, raille-t-il.

— Je ne te souhaite aucun malheur, Gabriel.

— Je vais mieux qu'on l'espérait. Un peu mal à la tête, c'est tout.

— Je suis aussi venue pour t'inviter à une fête.

— Pour fêter quoi ? La façon dont tu as brisé mon cœur ?

— Arrête d'être si dramatique. David veut fêter les 19 ans de sa sœur, il voulait que je t'invite avec Simon.

— Tu veux vraiment que je sois là ?

— Je n'ai pas envie de raconter à Justine ce qui se passe entre nous ; la dernière chose que je veux est de lui donner des raisons supplémentaires de s'inquiéter. Alors oui, j'aimerais que tu sois là, pour Justine.

Il me regarde bien sérieusement. Je vois dans ses yeux un mélange de méfiance et de tristesse. Je voudrais plutôt voir son sourire légendaire.

— Je comprends. J'y serai pour Justine et Caroline.

— J'ai un petit cadeau pour elle, je vais lui écrire un petit mot de nous deux. C'est au resto de fruits de mer vers 13 h.

— D'accord, je vais passer l'invitation à Simon. Il devrait se joindre à nous.

— Merci, Gabriel.

J'aurais tellement aimé que la semaine se termine différemment pour nous. Il m'en veut de ne pas accepter de nous donner une autre chance. Je crois même qu'il s'en veut encore plus d'avoir essayé. Je remarque à quel point il a de la peine même s'il tente de me le cacher en jouant la carte de la froideur. J'aimerais pouvoir le pardonner. Je m'en sens incapable. Je ne devrais pas lui en vouloir d'avoir essayé. Je voudrais penser à tous les bons moments que j'ai vécus avec lui cette semaine, mais un mur s'est érigé entre nous. Pourrons-nous être des amis un jour ? Peut-être.

Je rentre à ma chambre pour commencer officiellement à boucler ma valise. Je prends aussi une douche afin de m'arranger un peu pour cette dernière activité officielle sur l'île. J'en profite pour remettre la petite robe blanche que je portais lors de ma première soirée ici. Elle me va tellement mieux maintenant que j'ai pris des couleurs. J'attache mes cheveux, car je sais qu'il fera chaud au resto à aire ouverte. En rangeant tout ce qui traîne sur le comptoir de la salle de bain, je tombe sur mon rouge à lèvres rouge. Ce rouge à lèvres en plein jour serait exagéré, mais un frisson me traverse quand je repense à ce que Gabriel m'a confié lorsque je l'ai mis la dernière fois. Pourquoi faut-il qu'il me fasse autant d'effet? Pas question que je demeure sous son charme. La neige de Montréal va rafraîchir mes ardeurs. *Patience, Annie, patience.*

Je me dirige vers le restaurant. Je suis excitée par cette petite fête! Ève s'y trouve déjà avec Mathieu. Elle est radieuse.

— Ah, Ève, tu brilles plus que le soleil! la complimenté-je.

— Merci, chère amie. Tu sais, je suis super excitée parce que je viens d'apprendre que je vais pouvoir changer mon vol pour retourner avec Mathieu demain.

— C'est vrai?

— Oui, j'ai eu de la chance, il restait de la place sur le vol et puisque c'est le même transporteur, avec un petit supplément, j'ai pu faire la modification.

— Je suis heureuse que tu aies une dernière journée ici avec Mathieu.

— Je vais profiter de chaque instant avant de reprendre la routine.

— Tu fais bien. Pour ma part, je suis prête à partir.

— Comme j'aimerais que ta semaine se termine autrement, Annie.

— Ne t'inquiète pas. Tu sais, ça a quand même été une très bonne semaine pour moi, Ève. J'ai eu de grandes prises de conscience. Entre autres, je me sens libérée de toutes mes peurs par rapport à mon art.

— C'est vrai ? Tu vas enfin te faire confiance ? Tu as tellement de talent.

— Oui, j'ai décidé de me chercher une autre colocataire pour prendre ta place. Ceci va me permettre de renoncer à quelques contrats de graphisme, et je devrais pouvoir me libérer au moins une journée par semaine, peut-être même deux. Je vais aussi augmenter mes prix pour mes contrats.

— Je suis fière de toi. Tu sais que je suis là pour t'encourager.

— Si je n'y arrive pas, je t'appellerai pour me faire une épicerie !

— Tout ce dont tu auras besoin, mais tu sais je ne suis pas inquiète, tu vas y arriver.

— Merci de croire en moi, Ève.

Gabriel et Simon arrivent au resto. Ils viennent nous rejoindre. Gabriel s'empresse de discuter avec Mathieu. Il est encore plus beau avec les couleurs qu'il a prises, comme si c'était possible d'être encore plus parfait. Il est aussi tout habillé en blanc, c'est un drôle de hasard. Lorsqu'il me prend à le fixer, il me lance un clin d'œil. Mes jambes ramollissent instantanément. *Sors de ce corps, Gabriel.* J'écoute à peine Ève qui me parle de tout et de rien. Justine et David arrivent. Il ne manque plus que la fêtée. Nous nous empressons de nous passer du mousseux pour lever notre verre dès qu'elle arrivera.

La belle Caroline est si surprise de nous voir tous là pour elle, lorsque nous crions tous en chœur : *Surprise !*

David a tout organisé à la perfection. Le restaurant est réservé juste pour nous. Nous nous assoyons à une table placée en un grand carré afin que nous puissions tous nous voir. Toute la table est ornée de magnifiques bouquets. Le repas est mon meilleur de la semaine. On nous sert une langouste par personne, accompagnée d'une salade de légumes frais. Tout est parfait. Je voudrais prendre une photo du moment dans ma tête. Les sujets de discussion avec mes trois amies sont infinis. C'est l'apothéose de nos vacances, pour le meilleur et pour le pire. Je garde quand même le sourire. C'est peut-être toutes les flûtes de mousseux, mais je sens que je ne suis quand même pas loin du bonheur. C'est peut-être aussi parce que Gabriel est assis à côté de moi. Comment vais-je me sentir quand il ne sera vraiment plus dans mon quotidien? Je n'ose pas y penser.

Chapitre 61

Je ne sais pas si je l'imagine, mais plusieurs fois pendant le repas, Gabriel effleure mon bras, ma cuisse, ma main, toujours comme s'il ne le faisait pas exprès, comme si j'étais dans son chemin pour prendre un autre pain, me verser du vin ou même parce qu'il a laissé tomber sa serviette de table par terre. Je suis convaincue que je n'ai pas imaginé sa main se glisser le long de ma cuisse. Je ne comprends pas son audace. Il sait bien que je ne peux rien dire sans attirer des regards. Peut-être qu'il tente juste de montrer à Justine que tout va bien, qu'il veut jouer le jeu de l'amant parfait, mais quand même, je ne suis pas faite en bois.

Le repas tire à sa fin, et personne ne veut s'éterniser; nous partons tous aujourd'hui, sauf Ève et Mathieu. David nous confirme que nous partirons tous ensemble; il a loué un petit autobus pour nous amener à l'aéroport. Il a tout pris en charge. Avec son influence et les autorités qui veulent étouffer l'affaire, je crois qu'il a pu négocier tout ce qu'il voulait pour assurer la sécurité de sa sœur et de Justine.

J'embrasse mes deux amies en leur promettant de les retrouver à la réception de l'hôtel à l'heure convenue. Gabriel est encore là. Il s'approche de moi dès que Justine nous quitte.

— Merci, Gabriel, d'être venu.

— Ne me remercie pas, c'est le meilleur repas que j'ai mangé de la semaine.

— J'avoue, moi aussi.

Son regard a changé cet après-midi. Dès qu'il est arrivé au resto, j'ai vu que l'amertume qui bouillait dans son regard en matinée n'y était plus.

— J'ai une lettre pour toi, Annie.

Je suis surprise, je ne m'y attendais pas du tout. J'en ai reçu quelques-unes quand nous étions jeunes, mais c'était plutôt de petits mots pour nous donner rendez-vous ou nous dire à quel point nous avions hâte de nous voir.

— J'aimerais que tu la lises maintenant, si tu veux.

— Devant toi ?

— Non, je dois aller faire ma valise. Nous devons préparer tout notre matériel pour l'avion.

— D'accord. Tu vas embarquer avec nous ce soir ? David t'a aussi lancé l'invitation.

— Si tu veux. Je peux jouer le jeu jusqu'au bout.

Il m'offre enfin son sourire qui me fait craquer. Comment peut-il être de si bonne humeur ? Il semblerait que nous ne pouvons pas être malheureux longtemps sous les rythmes de ce paradis. Nous nous échangeons encore quelques mots avant de partir chacun de notre côté. Je me retrouve seule une fois de plus. Je suis impatiente de lire sa lettre. Je décide de passer me changer avant de me diriger vers la plage. Je vais m'installer sur une chaise longue pour la lire. J'ai envie de profiter de la mer une dernière fois.

Je fais remplir mon verre KEEP CALM GIRLS JUST WANNA HAVE FUN ! Pauvre Cindy, elle ne savait certainement pas tout ce que le simple plaisir pouvait impliquer. Je me demande si nous en avons trop eu cette semaine ? Le malheur est venu contrer le surplus en tout cas.

Je m'installe enfin pour lire la lettre. Je suis surprise, elle contient quelques pages. Même si j'appréhende ses mots, je préfère de loin lire calmement ses confidences plutôt que de risquer une confrontation avec lui comme hier.

Chère Annie,

Tout d'abord, j'aimerais te remercier de prendre le temps de lire cette lettre. L'idée m'est venue quand tu as quitté ma chambre ce matin. Une partie de moi voudrait te fuir à tout jamais alors qu'une autre refuse de ne pas se battre jusqu'au bout. Quand Simon est venu me raconter que tu étais venu à moi hier soir parce que tu voulais te rassurer que j'allais bien, je me suis rappelé que j'avais rêvé à toi. Mais je sais maintenant que ce n'était pas un rêve, c'est ta présence que j'ai ressentie. Je n'ai pas imaginé tes douces caresses. Je crois même que tu as osé m'embrasser. La plus grande lueur d'espoir est venue me traverser l'esprit. Peut-être est-ce à cause de mon coup à la tête, mais je n'ai jamais ressenti autant d'espoir en nous deux. Tu es venue à moi, Annie. Je ne pensais jamais revoir ce jour. Peut-être que je me trompe et que ton ego voulait simplement se rassurer que je ne m'étais pas fait trop mal par ta faute. Parce que bien sûr, ç'aurait été à cause de toi que je ne réfléchissais plus. Je veux croire que j'ai raison.

Il y a 10 ans, j'ai embarqué dans un avion pour me rendre dans le Grand Canyon afin de t'oublier. Je me disais qu'en me lançant dans le vide avec un parachute attaché à mon dos, je réussirais, l'espace de quelques instants, à ne plus penser à toi. J'ai tenté pendant plusieurs années de reproduire cette sensation qui te censurait de ma mémoire l'espace d'un instant. Mais tu sais, malgré toutes mes tentatives, tu n'en es jamais sortie. Sans le savoir, je me suis lancé dans les affaires pour la même raison. J'ai été si occupé avec tous mes projets que j'avais peu de temps pour penser à toi.

Je passais un week-end avec ma famille, il y a quelques mois. Par hasard, j'ai dû emprunter le téléphone de ma sœur, le temps que le mien se charge. Son Facebook était ouvert. Quand j'ai vu ta photo, je n'ai pas pu m'empêcher de consulter ton mur. J'ai vu que tu planifiais un voyage ici avec tes copines. C'était comme si le temps s'était arrêté. J'ai compris à ce moment que je ne t'avais jamais oubliée, mais aussi que tu étais encore très présente dans ma mémoire. Je ne me souvenais même plus pourquoi je n'avais pas embarqué dans ma voiture à cette époque pour aller te voir à Montréal et exiger une explication. J'imagine que c'est l'orgueil bien mal placé de ma jeunesse qui ne savait pas que tu étais inoubliable.

Si je te raconte comment j'ai voulu t'oublier, c'est pour que tu comprennes que je souhaitais te surprendre ici pour te l'admettre. Cette fois, ce n'est pas de l'orgueil mal placé qui m'a empêché de te l'avouer, mais bien la peur que tu sois passée à autre chose, que tu n'éprouvais plus de sentiments pour moi. Je me suis vite aperçu que notre passé avait été aussi inoubliable pour toi. J'ai par contre tout de suite senti ta peur, ta confiance bien fragile à mon égard. Tes gardes étaient bien en place pour ne pas revivre la peine de notre rupture. J'ai voulu prendre mon temps, t'apprivoiser comme on le ferait avec un chat errant qui a manqué de beaucoup d'amour.

Tu as manqué d'amour à cause de moi. J'aurais dû t'aimer plus. J'aurais dû me battre pour toi bien avant cette semaine. Jamais je n'ai voulu te faire de la peine. Jamais je n'aurais même osé te manipuler. On n'apprivoise pas un chat sauvage pour le remettre dans sa misère. Je comprends que j'aurais dû être honnête avec toi, mais mes propres peurs m'ont empêché de le faire. Dès le premier soir, j'ai su que de te rejoindre ici était la meilleure décision que j'avais prise dans ma vie. Ça et de t'avoir accompagnée un certain soir d'automne quand tu fermais le dépanneur du village. Ce soir-là, je voulais te connaître davantage. Le premier soir de ces vacances, je voulais te convaincre que je voulais passer ma vie avec toi. Que je ne voulais plus vivre sans toi !

Je t'aime, Annie. Tu peux prendre cette lettre et la jeter à la mer comme si elle n'avait jamais existé. Tu peux même faire comme si cette semaine n'avait jamais existé. Par contre, j'espère que ce ne sera pas le cas. Donne-nous une chance, ma sirène, une vraie deuxième chance. J'aimerais te donner rendez-vous au pied de la tour Eiffel, ça serait plus romantique, mais puisque nous sommes ici, rencontre-moi à la plage où tu m'as admis que tu voulais ressentir de vraies émotions. Viens à moi, nous libérer de notre passé. Oseras-tu nous donner cette chance ?

Je t'attendrai à 15 h.

Gabriel xxx

Chapitre 62

Gabriel

Je ne me suis jamais senti aussi vulnérable. Qu'est-ce qu'Annie va penser de ma lettre? Heureusement que je peux passer le temps en faisant ma valise. Je lui ai donné rendez-vous dans une heure. Viendra-t-elle à ma rencontre?

Après avoir réfléchi, je me suis dit que c'était ma dernière chance. Je sais qu'elle tient à moi, j'en ai eu la preuve pendant la nuit. Même aujourd'hui, elle n'était pas obligée de m'inviter, elle aurait pu trouver bien des excuses pour sa copine. J'ai senti qu'elle voulait que je sois là. Il serait facile, pour tous les deux, de tenter d'oublier la semaine de rêve que nous venons de vivre et demeurer pris dans nos principes de qui a eu raison ou tort. J'ai peut-être marché un peu sur mon orgueil de gars, je ne voudrais pas qu'elle montre cette lettre à qui que ce soit, mais en même temps, j'irais crier sur tous les toits à quel point je l'aime.

Je me dirige vers ce petit coin de paradis. J'espère qu'elle comprendra pourquoi j'ai voulu que notre réunion ait lieu ici. Je sais qu'elle se sentira aussi vulnérable que moi pour ce rendez-vous. Quand nous osons avoir peur, sortir de notre zone de confort, nous nous exposons à la vraie vie. Nous

nous sommes assez cachés tous les deux. Laissons nos émotions vivre au grand jour. Recommençons ces retrouvailles.

Je m'installe sur une chaise. La plage n'est pas achalandée. C'est vrai que nous sommes en après-midi, alors plusieurs personnes ont déjà quitté le site. Est-ce qu'elle viendra ? Elle a dû s'apercevoir pendant le déjeuner que je tentais d'attirer son attention. J'ai osé frôler sa peau chaque fois que j'ai pu le faire. Même son amie Ève m'a confié pendant le repas que je ne devrais pas abandonner avec elle. J'ai été surpris, mais en même temps, il est impossible de cacher à quel point nous sommes bien ensemble.

Je l'attends impatiemment. Je suis soulagé que mon accident n'ait pas eu de plus graves conséquences, car je n'aurais jamais pu tenter le tout pour le tout une dernière fois. Tel un mirage, je vois au loin Annie qui approche. Je voudrais aller la rejoindre, mais c'est symbolique qu'elle fasse tous les pas jusqu'à moi. Je reste sur ma chaise à la regarder approcher. Elle m'a vu. Je ne réussis pas à lire son visage à cette distance. Je n'ai jamais fondé autant d'espoir en un moment. Un instant qui change une vie. Pour le mieux, je le souhaite. Elle arbore un grand sourire.

— Je ne savais pas que tu avais un talent d'écrivain.

— Je ne savais pas que tu étais si facile à séduire avec de beaux mots.

— Tu m'as séduite il y a longtemps, Gabriel.

Je n'en crois pas mes oreilles. Je me sens comme dans le wagon de la montagne russe qui vient de commencer sa descente après être monté si haut. Je voudrais que le manège s'immobilise. Bien que je doute que ma vie auprès d'Annie ne sera jamais comme les dernières secondes d'un tour de manège.

— Je suis heureux que tu sois là.

— Je suis heureuse d'être ici.

— Quelle surprise de te revoir après toutes ces années, Annie !

— Oui, quelle chance de nous revoir !

— Tu sais, je ne t'ai jamais oublié.

— Moi non plus.

Nous nous regardons pendant un long moment. Je m'approche d'elle. Mes yeux ne la quittent pas.

— Embrasse-moi, Gabriel.

— Avec plaisir.

Je garde les yeux ouverts. Je ne peux pas croire ma chance, notre chance. Je l'approche de moi. Son corps est brûlant sur le mien. Pourquoi ne lui ai-je pas donné rendez-vous dans ma chambre ? Je ne me retiens pas de l'embrasser comme j'en ai envie. Elle se colle davantage. Ses mains caressent mes cheveux, nous sommes tous les deux dans le moment présent. Nous savons tous les deux à quel point nous l'avons cherché. Il est parfait.

— Tu n'as pas beaucoup changé, Annie.

— Toi non plus, Gabriel. Mais ton corps est beaucoup plus musclé et bronzé que dans mes souvenirs.

— Ton corps fait réagir le mien encore plus que dans mes souvenirs.

— Allons à ta chambre, suggère-t-elle.

— Comme tu as de bonnes idées, princesse.

— Je t'aime, Gabriel.

C'est si sincère. Je déborde de joie.

— Je t'aime, Annie.

Je ne sais pas par quel moyen nous nous rendons à ma chambre en gardant nos vêtements. Nous avons comme virevolté sur notre nuage de bonheur jusque dans les draps frais de mon lit.

— Je n'ai pas envie de prendre mon temps, Annie.

— J'ai besoin de toi, Gabriel.

Je l'embrasse passionnément. Nous avons enlevé nos vêtements dès que nous avons franchi le seuil de la porte. Je m'étends par-dessus elle. Mes lèvres ne veulent plus jamais quitter les siennes.

— Maintenant.

— Ouvre tes yeux, Annie. Je veux que nous nous rappelions ce moment pour toujours.

Elle me regarde avec ses grands yeux verts remplis d'amour. Je souhaitais ce moment depuis si longtemps. Je la pénètre sans attendre. Son corps se moule si parfaitement au mien.

— Merci, Annie.

— Pourquoi?

— Parce que tu es là, que tu nous donnes cette chance.

— Je ne voulais pas vivre les 10 prochaines années sans toi.

— Ne me quitte plus jamais, Annie.

— Non, jamais.

Nous méritons notre bonheur. Je lui fais l'amour intensément, je lui montre tout mon amour; notre communion est une connexion qui ne peut pas être expliquée. Quand on est amoureux, certains mystères ne s'expliquent pas. Ils se vivent, tout simplement. C'est comme quand toutes les étoiles s'alignent; c'est parfait, mais on ne questionne pas pourquoi, on le sait tout simplement.

Mon Annie. Je sens que ma vie peut enfin continuer.

Chapitre 63

Si Gabriel n'était pas en train de me fixer si intensément, j'aurais pu croire que j'ai imaginé la dernière heure. Je ne pensais jamais revoir ce regard si amoureux posé sur moi. Une partie de moi croit encore que c'est de la pure folie de me retrouver ici dans ses bras; l'autre a tout simplement été conquise par sa lettre. Tous mes doutes se sont apaisés l'un après l'autre à mesure que j'ai lu sa déclaration d'amour, sa preuve d'amour. Il ne m'a pas secourue des mains de malfaiteurs comme David l'a fait pour Justine, mais il a risqué gros pour me revoir. Parce que qui risque son cœur risque tout, non?

On devient si vulnérable quand on ose se donner tout entier. Je n'avais pas compris ce qu'il avait fait pour moi, pour me prouver que nous méritions cette deuxième chance. J'étais si barricadée dans mes propres craintes que je n'ai pas vu qu'il me servait tout son amour sur un plateau d'argent, que je n'avais qu'à me servir. Sans avoir peur. Il n'y avait que de l'amour. Rien de plus, rien de moins. Je ne pouvais pas le laisser sortir de ma vie une autre fois.

C'était le ventre rempli de papillons que j'étais partie à sa rencontre. Je savais exactement où il me donnait rendez-vous. Quand on se met à nu, on se donne entièrement. Il devient impossible de se cacher. J'aurais voulu crier mon bonheur pendant que je marchais dans le sable. Le soleil brillait si fort, pas un nuage dans le ciel. Avais-je enfin droit à mon bonheur? Allais-je me permettre de vivre cet amour avec Gabriel? Je savais que je sautais dans le vide, mais pour la première fois, je savais qu'il m'attraperait.

— Tu sais, je resterais encore longtemps dans ce lit, mais il ne faudrait pas manquer notre avion, affirmé-je.

— Tu veux déjà me quitter.

— Ce n'est pas ce que je dis. Même que les heures vont me sembler infinies avant de te revoir.

— Je serai à Montréal dès demain, Annie. Ne pense pas que je vais risquer ma chance.

— Tu n'as rien à craindre, Gabriel.

Mes yeux se remplissent d'eau. Pourquoi suis-je soudainement si émotive?

— C'est le plus beau jour de ma vie, osé-je lui dévoiler.

— Viens ici.

Il me ramène contre lui. La chaleur de son corps près du mien me réconforte comme le ferait la plus douce couverture, mais en mieux. Je repense à mes amies, et je sais que nous devons aller les rejoindre. Ève ne comprendra pas ce qui se passe. Je dois avouer que je suis la plus surprise. Décidément, cette semaine restera à jamais gravée dans ma mémoire.

— Tu sais, Gabriel, pendant que tu planifiais venir me rejoindre ici, je prévoyais une petite semaine à m'amuser dans le Sud avec mes copines. Je ne pensais jamais vivre autant d'émotions en sept jours.

— Mon meilleur souvenir de toi, Annie, est la manière dont la vie a toujours été colorée à tes côtés.

— J'avoue que nous avons vu toutes les couleurs de l'arc-en-ciel cette semaine.

— Tu es si poétique.

— C'est toi, le poète ; nous ne serions pas ici si tu ne m'avais pas écrit ta lettre.

— Je t'en aurais écrit mille autres pour te convaincre.

— Une a suffi.

— Je t'aime tellement, Annie.

— Je t'aime autant.

Je m'approche pour l'embrasser. Nos corps sont encore entrelacés. Je veux profiter de ce dernier moment où notre quotidien ne prend aucune place. Je le guide sur le dos. J'ai envie de l'admirer pleinement. J'embarque par-dessus lui. Alors que je caresse son érection, nos regards restent l'un sur l'autre. Il masse mes seins avec ses mains ; il m'excite tellement. Je me glisse sur son membre brûlant ; je ne veux plus attendre pour le sentir en moi. Il me comble parfaitement. Je commence à bouger sur lui.

Il m'attrape les épaules pour diriger mes seins à sa bouche. Il mordille mon mamelon comme j'aime tant : juste assez fort pour procurer encore plus d'excitation à mon sexe sur lui.

— Gabriel.

Il sait ce que j'aime, alors il me laisse me relever en me prenant par la taille pour activer mes mouvements. Il ose même me taper les fesses. *Encore.* Je remercie tous les dieux de la Terre pour ce moment avec lui. Je sens qu'il veut prendre la maîtrise, et je suis si excitée qu'il peut faire ce qu'il veut de mon corps. Il me dirige sur le dos. Il se place devant moi, mais me soulève les jambes pour les appuyer sur lui. C'est une position dans laquelle je suis si vulnérable.

Lorsque son érection me pénètre doucement, mon corps n'est que sensation. Je suis si bien.

— Touche-toi, Annie. Montre-moi comment je t'excite.

Je glisse une main sur mon sexe, qui n'a pas besoin d'être stimulé davantage.

— Gabriel, je vais venir.

— Regarde-moi, je veux te voir jouir pour moi.

Mon regard ne le quitte pas lorsque mon corps se contracte ; tous mes sens sont en alerte. Je vais exploser. Comme mon orgasme se déclenche, il me donne de grands coups avant de venir lui aussi. Il est évident que nous devons être ensemble. Comment pourrais-je vivre sans lui ? Mon Gabriel.

Nous n'avons pas le luxe de rester couchés, car il se fait déjà tard. Je dois passer par ma chambre afin de prendre ma valise et me préparer avant de partir.

— Je dois vraiment y aller maintenant.

— Oui, il faut bien faire face à la réalité, concède-t-il.

Je le quitte avec beaucoup de réticence. Nous nous donnons rendez-vous à la réception pour rejoindre les autres.

• • •

Ève et Mathieu sont les premiers que je vois lorsque j'arrive, valise à la main. Déjà le départ. Une semaine si vite passée et si intense en même temps. Je me sens étourdie comme quand on sort d'un manège qui tourne.

— Ah, Ève, je ne peux pas croire que tu ne pars pas avec nous.

— Je sais, quelle drôle de semaine ! Tu as un grand sourire, Annie, tu me caches quelque chose ?

— Je me suis réconciliée avec Gabriel.

— Quand ? me demande-t-elle, surprise.

— Après le déjeuner, il m'a écrit une lettre. Je n'ai pas pu résister à ses belles paroles.

— Je suis heureuse pour toi, Annie.

— Nous méritons cette deuxième chance.

— Tu mérites d'être aimée, Annie, ne l'oublie jamais.

— Merci. Toi, ta semaine de rêve se poursuit.

— Tu sais, Annie, Mathieu et moi avons aussi eu nos hauts et nos bas cette semaine. Mais quand on aime sincèrement, il faut savoir faire des compromis.

— Il me semble que nous n'avons pas été là pour toi cette semaine. J'espère que tu ne fais pas trop de compromis, Ève. Toi qui rêves de mariage et de bébés, ne laisse pas Mathieu te faire des promesses qu'il ne tiendra pas.

— Ne t'inquiète pas pour moi, Annie.

Elle me serre dans ses bras et semble heureuse d'avoir retrouvé son Mathieu. Je dois la laisser vivre son bonheur comme elle le voudra. Je voudrais avoir une baguette magique afin de garder éternellement tout l'amour et la passion qui règne en ce moment pour mes amies et moi. Je sais que ce n'est pas réaliste. Il y aura certainement des nuages plus gris qui se pointeront pour chacune d'entre nous. Mais nous en avons traversé, des tempêtes. Nous en sommes ressorties grandies.

C'est le courage de garder espoir qui sera toujours le plus difficile. D'éteindre la petite flamme qui continue de brûler quand tout autour voudrait l'étouffer serait si facile. Protéger un amour, c'est souvent s'accrocher à une lueur qui ne brille presque plus. Pourtant, il suffit souvent de presque rien pour rallumer tout son éclat. J'étais si prête à laisser tomber la dernière goutte d'eau qui aurait tué mon amour pour Gabriel. À la place, j'y ai mis les dernières brindilles que j'ai réussi à trouver au fond de moi. Le feu a repris. Il brûle si fort au fond de moi. Je continuerai de l'alimenter avec tout mon espoir. Je refuse de baisser les bras. Tempête ou pas, ma vie avec Gabriel sera le plus beau des voyages.

— Tu es bien sérieuse, ma princesse.

— Je pensais à nous. Je me disais que je veux voyager avec toi.

— Moi aussi, j'aimerais voyager avec toi. J'ai visité tellement d'endroits extraordinaires, Annie. Chaque fois, il ne manquait que toi.

— Je veux que nous nous donnions rendez-vous au pied de la tour Eiffel.

— Je n'ai jamais visité Paris.

— Moi non plus. On ne va pas dans la ville la plus romantique du monde quand on n'est pas amoureux, déclaré-je.

— C'est un rendez-vous, Annie.

Il m'embrasse tendrement sur le front. C'est ainsi que nous vivons notre dernier moment sur le site avant de nous rendre à l'aéroport, où nous devrons nous quitter pour le chemin du retour. Mais je suis en paix au fond de moi. Je sais que je l'aime. J'ai confiance en notre amour. Je commence le plus beau voyage de ma vie.

FIN